LE SILENCE DE MINUIT

Denise Mina est née en 1966 à Glasgow. Après divers petits boulots, elle reprend des études de droit à 21 ans et commence une thèse sur les maladies mentales chez les criminelles. C'est durant cette période qu'elle écrit son premier roman, *Garnethill*, qui remporte le prix John Creasey. Auteur prolifique, Denise Mina s'essaie à de nombreux genres littéraires : pièces de théâtre (*Ida Tamson*), comics (*Hellblazer*), scénarios pour la télévision, etc.

DENISE MINA

Le Silence de minuit

TRADUIT DE L'ANGLAIS (ÉCOSSE) PAR ORISTELLE BONIS

ÉDITIONS DU MASQUE

Titre original :

STILL MIDNIGHT

publié par Bantam Press, une division de Transworld Publishers.

ISBN : 978-2-253-16720-4

Pour Gerry, plus connu sous le nom de Coffee,
parce qu'il faut bien une histoire,
parce qu'il m'a poussée loin des murs, des lits superposés,
des vieux hangars et qu'il m'a fait découvrir les Clash.

1

Un sac en plastique orange de chez Sainsbury, gonflé comme une voile, flottait le long du trottoir. Tout ventru, les poignées en l'air, il se pavanait tel un dandy victorien pendant sa promenade du dimanche. Il dépassa un portillon de jardin et suivit la ligne du muret en pierre jusqu'à ce qu'une brise soudaine le ballotte et le soulève, le projetant sur le côté d'une grosse fourgonnette blanche.

L'air s'échappa du sac, qui glissa vers le sol et s'affala mollement derrière la roue arrière du véhicule.

En circulation depuis trois semaines à peine, la fourgonnette avait déjà été volée et munie de fausses plaques d'immatriculation. Elle était soigneusement garée le long du trottoir, le moteur encore chaud. Dans six heures, on la trouverait en train de brûler dans un champ, sans la moindre trace exploitable de ses occupants.

Trois hommes étaient assis dans la cabine, le visage tourné vers le pavillon de l'autre côté de la route.

Le chauffeur, Malki, était penché sur le volant. Il avait la maigreur des junkies. Sous la capuche sombre de son survêtement, ses yeux creux scrutaient la rue en tous sens avec la concentration d'un chat à l'affût d'une mouche.

Ses deux compagnons semblaient ne faire qu'un, tant leurs mouvements étaient coordonnés. Eddy se tenait au milieu, et Pat près de la porte. Proches de la trentaine, ils avaient travaillé en tandem à la loge du cimetière pendant sept ans. Ensemble, ils avaient vu des films, rencontré puis plaqué des femmes, fréquenté la salle de gym, et à la façon des couples mariés ils finissaient par se ressembler. Tous deux bien en chair, ils étaient vêtus à l'identique d'un pantalon de camouflage noir flambant neuf, de rangers, d'un gilet de combat, et ils portaient des cagoules roulées sur leur front. Tout cet équipement avait encore la raideur du neuf.

À bien les observer, on décelait toutefois quelques différences entre eux. Eddy buvait trop depuis que sa femme était partie avec les enfants. Il se nourrissait de plats trop gras qu'il achetait tard le soir au fast-food en rentrant du boulot et qui annulaient tous les bénéfices de ses séances de musculation. Devenu bouffi et amer, Eddy ne voyait jamais que ce qu'il n'avait pas.

Pat était beau. C'était un éternel sujet de dispute entre eux. Pire encore, il faisait plus jeune qu'Eddy. D'un naturel plus raisonnable, il ne mangeait et ne buvait pas autant, il fumait moins. Doté de beaux cheveux blonds fournis, d'un visage séduisant aux traits réguliers, il dégageait une sorte de force tranquille qui attirait les femmes. Elles se sentaient en sécurité avec lui. Même son nez cassé lui donnait un air vulnérable.

C'est Eddy qui avait imaginé la combine et acheté tout le nécessaire. Par provocation, il avait pris deux équipements de la même taille, la sienne. Pendant qu'ils s'habillaient ensemble dans sa chambre meublée miteuse, il avait sorti une boîte de maquillage de camouflage noir, pour qu'ils s'en enduisent la figure comme lorsqu'ils allaient jouer au paintball. Doucement, presque tendrement, Pat avait dit non et l'avait convaincu de la ranger. À quoi bon, puisqu'ils porteraient des cagoules ? En plus, avait ajouté Pat, ce truc lui irritait la peau en séchant. La jubilation avec laquelle Eddy avait sorti sa boîte de cirage inquiétait Pat. Comme s'il ne s'agissait que de mettre la touche finale à un déguisement d'Halloween, alors qu'ils préparaient un coup qui risquait de leur coûter vingt ans de taule. Pat n'avait encore jamais participé à une action de nuit. Une main sur le visage pour dissimuler les doutes qui l'étreignaient, il tripotait l'arête aplatie de son nez.

Il baissa les yeux vers l'arme posée sur ses genoux. Elle était plus lourde qu'il ne l'aurait pensé. Il se demandait s'il serait capable de la tenir d'une seule main. Il jeta un coup d'œil à Eddy, qui fixait le pavillon d'un regard furieux, comme si ce dernier l'avait insulté.

Pat n'avait pas sa place ici. Et jamais il n'aurait dû enrôler Malki dans cette aventure. C'était tout autre chose qu'essayer de remonter le moral d'Eddy. Ça, c'était dangereux, et c'était une erreur. Il détourna le regard. Eddy avait encaissé trop de coups durs, récemment. Pas des gros trucs, mais des trucs qui font mal, et Pat le sentait prêt à craquer pour un rien, au moindre regard de reproche. Calmement, il contempla la petite allée de jardin bien nette et la maison paisible aux fenêtres allumées en se disant que vingt ans de taule, ça faisait un sacré bail à s'entendre dire « désolé pour ta femme ».

Il était joli, ce pavillon, bien proportionné, avec son jardinet qui s'étirait jusqu'au croisement et le long de la rue adjacente. Le propriétaire actuel, pragmatique et peu soucieux d'esthétique, avait pavé la pelouse et les massifs pour y garer sa voiture. La lumière bleue de la télévision clignotait derrière la fenêtre du salon. Une chaude lueur rose brillait à travers la porte d'entrée vitrée.

— Tu vois ? (Eddy parlait doucement, les yeux fixés sur la maison.) Un ennemi dans le salon. Un seul. Petit. Une femme, sans doute.

Une femme chez elle, en effet. Peu de rapport avec un ennemi. Au lieu de dire ce qu'il pensait, Pat se contenta de hocher la tête.

— Vu.

— On suit le mur pour rentrer. N'oublie pas de rester dans le noir jusqu'à ce qu'on arrive à la porte.

— Vu.

Pat qui n'avait qu'une connaissance limitée du jargon de l'armée s'en tenait prudemment à ce seul mot, « vu ». Il ne voulait pas gâcher le plaisir d'Eddy, qui adorait le cinéma des forces spéciales.

— Après…

Eddy passa subitement à un langage des signes d'inspiration militaire : il pointa le doigt vers Pat, le tendit ensuite devant lui, puis toucha sa propre poitrine et tourna la tête pour montrer qu'il serait à l'affût. Les yeux écarquillés dans une expression de mise en garde, il mima Pat en train de frapper à la porte, aussitôt ouverte par un ennemi imaginaire, et sa main intima un « Allez ! Allez ! Allez ! » dans l'air. Puis, avec des zigzags de poisson entre des tiges de roseaux, sa main pénétra dans la maison, inspecta toutes les pièces donnant dans l'entrée, traça un cercle autour des ennemis qui y étaient rassemblés.

— Et là, on demande Bob. Pas avant. Tant que ce connard se croit à l'abri, on ne lui donne pas de raisons de s'inquiéter. Et une fois à l'intérieur, pas de noms. Vu ?

— Vu.

Eddy se retourna et frappa du revers de la main le bras nerveux du conducteur.

— La deuxième fois que la porte s'ouvre, on y va. Tu démarres et tu te gares là, dit-il en tendant le bras vers le portillon. C'est pigé ?

Malki contemplait fixement la rue, les traits relâchés, les yeux vides. Se penchant par-dessus Eddy, Pat lui effleura le bras.

— Malki ! Hé, mon pote, Eddy te parle, t'as entendu ?

Malki revint à la vie.

— Ouais, pas de souci, mec. Dès que je vois la lumière, vroum, c'est parti. Là-bas, c'est ça ? Je fonce droit, mec.

Les mains serrées sur le volant, il opinait catégoriquement, autant pour confirmer ses dires qu'à cause du tremblement caractéristique des junkies. Ses cils étaient aussi roux que ses cheveux, qu'il avait raides et longs, comme une femme.

Pat se mordit la lèvre et s'adossa à la portière, la tête tournée vers l'extérieur. Sa joue le cuisait sous le regard lourd de reproches d'Eddy. Malki était là parce que c'était le cousin de Pat et parce qu'il lui fallait ce fric. Malki avait toujours besoin de fric, mais il n'avait pas la carrure pour le job. Pat non plus, à dire vrai.

Ils restèrent tous trois un moment à regarder le pavillon. Pat se mordait l'intérieur de la joue, Eddy fronçait les sourcils, l'air mécontent, et Malki continuait de hocher la tête sans même s'en rendre compte.

Une rafale balaya la rue.

Sous la roue arrière, le sac en plastique sortit de sa léthargie. Gonflé par le vent qui soufflait sous la carrosserie, il se tortilla tant et si bien qu'il finit par se dégager.

Dans la rue large et tranquille, le sac se redressa, tourbillonna avec élégance pour traverser la chaussée en direction de la maison, jusqu'au carrefour où il prit son envol à la faveur d'un courant d'air. Soulevé à une hauteur de près de dix mètres, il vogua de plus en plus haut, telle une lune orange, puis disparut de la vue des occupants de la fourgonnette lorsque, tournant au coin de la maison, il passa sur le toit d'une Vauxhall Vectra bleue.

Les phares de la Vauxhall avaient beau être éteints, deux hommes affalés, bras croisés, attendaient à l'intérieur.

Ils avaient environ cinq ans de moins que les prétendus soldats qui se trouvaient dans la fourgonnette, mais ils étaient mieux nourris, plus soignés, plus rayonnants et aussi plus optimistes.

Grêle et gauche, tout en angles, Omar possédait encore la minceur aérienne des adolescents avant qu'ils ne s'épaississent. Tout chez lui était long : le nez, la mâchoire qui pointait vers l'avant, les doigts, si grands et fins qu'ils donnaient l'impression d'avoir cinq phalanges. Mo, assis à la place du conducteur, avait le visage rond et son nez épaté ne s'affinerait pas avec le temps.

Arrivés depuis une vingtaine de minutes, ils bavardaient par intermittence, juste pour passer le temps. La radio ronronnait en fond sonore et une légère lueur jaune éclairait leurs mentons. « Ramadan FM » n'émettait localement qu'un mois par an. Elle donnait la parole à des jeunes de Glasgow qui commentaient maladroitement ce qu'ils avaient entendu à la mosquée ou sur des cassettes. Mo et Omar ne l'écoutaient pas pour en tirer un enseignement : c'était une petite communauté, et ils connaissaient certains des intervenants. Ils s'en moquaient lorsqu'ils semblaient avoir le trac ou disaient des bêtises. Les meilleurs débats avaient lieu en début de soirée, quand tout le monde était tenaillé par la faim. Mo et Omar étaient parfaitement capables de se mettre à scander : « Donne-nous un biscuit, donne-nous un biscuit. »

Là, ils ne disaient pas grand-chose. Face au volant, Mo gardait les yeux fixés sur un magazine dont la double page affichait des Lamborghini.

— Putain, mec, marmonna-t-il dans sa barbe, même si on me payait j'en voudrais pas de cette bagnole.

Omar ne répondit pas.

— J'veux dire, cette voiture, tu la gares n'importe où et toutes les racailles te la rayent.

— Elle est pas faite pour apporter le courrier à ta mère. Si t'en as une, c'est pour te balader dans le quartier, pour que tout le monde te voie dedans.

Omar avait la voix curieusement haut perchée. Mo le regarda.

— Pour tomber les nanas et tout ?

— C'est ça.

Mo examina à nouveau les photos.

— Ouais. Tu dois le savoir, forcément, puisque tu es un tombeur de première.

Omar se frotta énergiquement l'œil droit du bout de ses doigts fins comme des pattes d'araignée.

— Écoute, mec, les femmes se battent pour m'approcher. Bon, si elles insistent pas trop quand t'es là, c'est pour pas que tu te sentes mal à l'aise et tout.

— Sûr. Tu as la cote, avec elles.

Omar s'étira en bâillant, puis reprit d'une voix traînante :

— Question filles, je suis un pôle d'attraction international.

Mo tapota du doigt une autre photo, sur laquelle une Lamborghini jaune prenait un lacet sur une route de montagne ensoleillée.

— Elle ressemble à un ralentisseur, cette caisse. Les potes sauraient même pas si c'est parce qu'elle en met plein les yeux qu'ils ont levé le pied.

Le commentateur de Radio Ramadan donna l'heure. Vingt-deux heures vingt-trois. Ils firent tous deux un calcul mental.

Mo parla le premier.

— Encore cinq minutes.

Omar bâilla à nouveau somptueusement en s'étirant de tout son long.

— Ouais. Putain, je suis vanné… Je peux pas fumer, si ?

— Non, mec, ça va puer.

— Baisse ma vitre, alors.

Vexé, Mo appuya sur la commande pour baisser la vitre du côté d'Omar. Puis il grimaça un sourire et baissa la sienne. Omar sortit son paquet de cigarettes, le tendit à Mo avant d'en prendre une et de les allumer toutes les deux.

Ils tiraient à peine sur leurs clopes et rejetaient des filets de fumée blanche qui flottaient devant le pare-brise. Le vent d'octobre l'aspirait et la dispersait dans la rue tranquille, par-dessus le toit de la voiture.

À l'angle de la rue, sur le siège avant de la fourgonnette volée, Eddy et Pat ajustaient leurs cagoules. Eddy attrapa son arme et resta un moment à la contempler, de même que Pat. Le canon vibrait, amplifiant les tremblements de sa main.

— Allons, grommela-t-il, soudain irrité.

Pat n'hésita qu'un instant avant que la loyauté le pousse hors du véhicule. Il le regretta sitôt que ses pieds eurent touché le sol.

Derrière lui, Eddy se glissa à terre, referma la portière, et, d'une violente bourrade dans le dos, il poussa Pat en direction du portail.

Pat se retourna, prêt à riposter, mais Eddy ne lui prêtait plus attention. L'arme au poing, courbé en deux, il traversait la rue en courant vers le portail et l'allée plongée dans le noir.

Le vent qui balayait la rue faisait larmoyer Pat. Les yeux brouillés, il observa Eddy qui remontait l'allée au pas de course, puis s'arrêtait et repartait de nouveau comme s'il s'agissait d'une partie de paintball. Pat s'élança à sa suite en l'imitant, la tête baissée et le dos raide, tel un bélier à forme humaine. Ils avançaient dans l'allée pentue l'un derrière l'autre, Eddy devant, attiré par la lueur rose de la porte d'entrée, Pat courant derrière lui pour le stopper. Soudain, Eddy quitta le sentier et se blottit dans l'ombre de la clôture.

Pat le rejoignit.

— Eddy…

Eddy leva son arme à hauteur de sa joue et ôta le cran de sécurité. La poitrine gonflée d'excitation, il serra la crosse à deux mains et reprit sa course en direction de la porte d'entrée.

Pat qui l'observait remarqua qu'il précipitait trop l'allure pour couvrir une aussi petite distance. Arrivé plus vite qu'il ne le pensait, Eddy pivota maladroitement et, lorsqu'il se plaqua dos au mur, sa tête rejetée en arrière heurta rudement la brique avec un bruit sourd.

La douleur l'obligea à fermer les yeux. Haletant, il se pencha légèrement en avant puis, de son arme, fit signe à Pat d'avancer.

Pat se dit tout à coup qu'il pouvait désarmer Eddy et l'obliger à regagner la fourgonnette. Ou bien tourner simplement les talons pour aller rejoindre Malki dans l'habitacle et refuser d'en sortir. Sauf qu'ils avaient déjà casqué pour le transport, acheté les armes. Et Malki avait besoin de l'argent. Malki avait vraiment besoin de toucher sa part.

Pat inspira profondément. Presque malgré lui, il sortit lentement de l'ombre et se remit en marche vers la porte d'entrée.

Il appuya sur la sonnette.

Une jolie mélodie à trois tons carillonna dans l'entrée. Un instant plus tard, deux silhouettes se matérialisèrent derrière le panneau de verre translucide, l'une au fond du vestibule, l'autre plus près. Surgie de la gauche, celle-ci n'était qu'à quelques centimètres de la porte.

Les épaules levées dans un geste de contrariété, la silhouette du fond parlait indistinctement, sur un ton agacé. La seconde lui répondit d'une voix traînante, insolente. Elle arrivait du salon et se tenait à gauche de la porte, tout près. C'était elle, l'ennemi qu'ils avaient repéré depuis la fourgonnette. Féminine, indubitablement, et mince, en tee-shirt gris et en jean avec de longs cheveux noirs qui flottaient librement dans son dos.

Aussi gracieuse que l'eau vive, elle tendit la main vers la poignée.

La porte s'ouvrit. Une bouffée de chaleur atteignit le nez de Pat… une odeur de pain grillé.

Une moquette et des murs roses. À gauche, le téléphone, posé sur une petite table noire entre la porte du salon et celle d'une autre pièce. Au-dessus, accrochée au mur, une pendule bon marché recouverte de velours noir émettait un bruyant tic-tac. Une image recouvrait le cadran, une ligne dorée dessinant une mosquée ou quelque chose dans le genre. Pat cartographia les lieux : six portes. De la musique pakistanaise sortait d'une pièce à l'arrière, preuve qu'il y avait au moins une autre personne dans la maison.

Pat tourna les yeux vers l'ennemi femelle qui leur avait ouvert. Elle n'était pas vraiment belle, au premier regard, avec son nez long et pointu et cette vilaine marque rouge qu'elle avait sur la joue. Il ne pourrait jamais expliquer, ni maintenant ni plus tard, ce qu'il avait ressenti à sa vue, pourquoi il était resté figé, l'arme pendant au bout du bras, noyé dans le S parfait des cheveux noirs lovés sur l'épaule. SALUT VIEUX SINGE, disait le slogan imprimé en vert sur le gris fané du tee-shirt, en une suite de lettres craquelées, éreintées par les lavages en machine.

Aleesha lui rendit son regard, railleuse. Ses yeux s'attardaient à la hauteur du visage, comme si elle essayait de découvrir qui se cachait derrière la cagoule de laine noire. Une mèche de cheveux d'un noir aux reflets bleus glissa doucement sur son épaule pour se poser sur un petit sein rond comme une pomme. Qu'elle s'habille à l'occidentale et ne porte apparemment pas de soutien-gorge sous son tee-shirt était bizarre, compte tenu de sa ressemblance avec l'homme à l'arrière-plan. Il s'agissait certainement de son père, et Pat avait toujours cru que là-bas, au Moyen-Orient, les vieux surveillaient étroitement leurs filles.

— Qui diable êtes-vous… ? lança l'homme du fond du couloir.

Petit, la soixantaine bien tassée, vêtu d'un pyjama de nylon bleu parfaitement repassé, il avait l'air d'un

Amish avec sa petite barbe taillée en forme de bavette. Comme s'il se rendait compte du danger, il baissa la voix d'un ton pour aller au bout de sa question :

— … pour venir ici… à cette heure… ?

Un pyjama repassé, et la chaleur, et l'odeur du pain grillé. Pat en avait l'eau à la bouche. Entrer à l'intérieur, retirer sa veste et s'installer, voilà ce qu'il aurait voulu, quand un violent coup dans le dos le propulsa dans la maison. Eddy, qui venait de faire irruption, trébucha sur le paillasson et pénétra en chancelant dans le couloir rose où chacun suivit sa danse de crabe fou jusqu'à ce qu'il retrouve un équilibre précaire. Sa cagoule avait glissé sur ses yeux, il n'y voyait plus rien. Il tira dessus, se rappela qu'il avait une arme et la leva, l'air étonné de la découvrir dans sa main.

Pat qui l'observait au fond de l'entrée perçut son embarras. Eddy inspira profondément, la tête rejetée en arrière.

— BOB ! BOB ! cria-t-il par l'ouverture de la cagoule.

Son entrée fracassante, ses vêtements, son attitude étaient si étranges que personne ne comprit vraiment ce qu'il disait. L'homme en pyjama fixait la porte avec inquiétude, pour voir si quelqu'un n'allait pas encore apparaître. Près de Pat, la jeune fille avait la chair de poule. Telle une chape de brouillard, la peur s'insinua dans l'entrée.

Pat se tourna à nouveau vers la fille. La couleur s'était retirée de ses joues et ses yeux écarquillés allaient d'Eddy à son père, guettant leurs réactions. Toujours interdit, Pat sentit les battements de son cœur ralentir et les poils se hérisser sur ses bras, comme aimantés. La jeune fille remarqua le regard bleu ciel implorant et émerveillé qu'il posait sur elle.

Aleesha était une adolescente, et comme toutes les adolescentes le monde ne l'intéressait que dans la mesure où elle en était le centre. Elle s'imaginait qu'il en allait de même pour Pat, qu'il n'aspirait qu'à être aimé d'elle, et malgré sa perplexité et sa frayeur elle était flattée par son admiration non déguisée. Elle était très jeune, cependant, et son père était là. Soudain terriblement gênée, elle baissa la tête. Un voile de cheveux noirs tomba sur son visage tandis qu'elle esquissait un pas timide en direction de la porte du salon.

Eddy bondit. Il se jeta sur elle, lui agrippa le bras et la ramena brutalement vers Pat.

— N'ESSAIE MÊME PAS. BOUGE PAS D'ICI. TU RESTES ICI.

Elle manqua tomber quand il la lâcha pour retourner en hâte près de l'homme en pyjama. Penchée sur le côté, Aleesha fixait le bras qu'Eddy avait osé toucher. Gonflée, la petite, et pas qu'un peu. Pat sourit sous son masque de laine. Puis elle se redressa, le visage tout près du torse de Pat, et leva le regard vers lui. Ses lèvres pulpeuses s'entrouvrirent et, l'espace d'un instant, la colère chez elle l'emporta sur la peur.

Au même moment, les yeux de Pat, entourés de laine, lui posèrent une question muette. Aleesha se redressa de toute sa taille, cambra le dos, loucha vers son nez et lui répondit par un clin d'œil appuyé et fier.

Ils se sourirent et détournèrent le regard.

La vue de la moquette rose qu'il ne connaissait pas ramena Pat à la réalité. Par bravade, il leva son arme vers le plafond, comme pour la montrer à Aleesha qui poussa un petit cri étranglé.

Puis tous se tournèrent en même temps vers la porte située de l'autre côté du vestibule, qui s'ouvrait lentement sur un homme grand et costaud. Billal tenait de ses oncles, non de son père fluet. Sa haute taille et sa corpulence étaient inattendues et inquiétantes.

— Bob ? C'est toi, Bob ? se mit à hurler Eddy alors qu'il se trouvait à quelques dizaines de centimètres seulement du nouveau venu.

Les yeux écarquillés, les épaules tendues, Billal sortit de la chambre en refermant la porte derrière lui. Il garda les mains dans le dos, agrippées à la poignée.

— BOB ?

— Non, répondit calmement Billal. Je ne suis pas… Personne ici ne s'appelle Bob, mon vieux.

— OUVRE ! cria Eddy en agitant son arme vers lui. OUVRE CETTE PORTE !

Billal baissa les yeux vers ses pieds et déglutit péniblement.

— Euh, non. Non, je ne l'ouvrirai pas.

Aleesha pouffa, fournissant à Pat un prétexte pour la regarder une fois encore. Elle avait mis une main devant sa bouche. Ses doigts étaient ornés de petites bagues de pacotille. Ses faux ongles étaient mal collés, et celui de son index était tout de travers. Elle ne pouvait pas avoir plus de dix-sept ans. Il n'aurait jamais dû avoir des pensées de ce genre pour une gamine de dix-sept ans. Il avait des nièces de cet âge-là.

Eddy avança vers Billal avec détermination en le menaçant de son arme.

— BOUGE DE LÀ !

Hypnotisé par le canon de l'arme, le colosse esquissa un pas de côté. Eddy ouvrit le battant d'un coup de pied.

La pièce était peu éclairée. Juste en face de la porte, il y avait un vieux divan deux places à l'assise haute, avec une tête de lit très travaillée en bois sombre. Une femme aux traits bouffis et aux cheveux en désordre était assise sur cette couche. De sa main droite, elle tenait entre deux doigts le téton d'un sein brun extrêmement gonflé. De l'autre, elle soutenait la tête chauve d'un nouveau-né minuscule.

À la vue de l'arme, elle serra le bébé plus fort contre elle pour cacher sa poitrine dénudée.

Le regard d'Eddy restait braqué sur ce sein dissimulé.

— Dehors, dit-il. Tu dégages.

Billal s'interposa, les mains levées devant le canon du revolver.

— Fais attention avec ça, mec.

Eddy s'affola.

— TU NE TOUCHES PAS MON ARME ! PERSONNE NE TOUCHE MON ARME !

Billal leva les mains un peu plus haut.

— D'accord, d'accord. Pas de soucis, pas de problèmes.

— TOI, cria Eddy à la femme allongée dans le lit, DÉGAGE !

— Oh, mais je ne peux pas, protesta-t-elle en cherchant du regard le soutien du colosse. Je risque de faire une hémorragie.

Eddy jeta un coup d'œil à Pat, perdu dans la contemplation de la chevelure d'Aleesha.

— LÈVE TON PUTAIN DE FLINGUE, PAT !

Eddy fut le dernier à se rendre compte de l'erreur qu'il venait de commettre. Il n'aurait jamais dû appeler Pat par son prénom. Billal détourna les yeux, tandis que le père tressaillait et qu'Aleesha pouffait pour éviter d'éclater d'un rire hystérique.

Eddy se mordit la lèvre inférieure. Il paniquait tellement qu'il en tremblait. Rien ne se passait comme prévu. Rien du tout. Persuadé de n'avoir aucun allié dans ce vestibule, il pivota vers Billal.

— Salaud ! Espèce D'ENCULÉ ! BOB ! OÙ EST BOB ?

Billal leva les mains en signe de soumission.

— Mec, il n'y a pas de Bob ici. Il n'y a personne d'autre dans la maison. Mon bébé vient de naître. Allez-vous-en. Allez-vous-en maintenant et on ne dira rien à personne, d'accord ? Vous sortez et il n'y aura pas de problème, hein ? proposa-t-il en tendant le bras vers la porte d'entrée.

— Qui est-ce qui crie comme ça ?

Le ton maternel impérieux les fit tous se retourner, raidis, vers le fond du couloir.

Aussi large que haute, Sadiqa n'était pas très grande. Elle n'avait pas chaussé ses lunettes et dut plisser les yeux pour scruter les deux silhouettes en noir.

— Omar ? Qu'est-ce que vous faites, les garçons ?

Avec la grâce incongrue d'un boxeur adipeux, Eddy traversa le couloir d'un bond, les saisit par le bras, elle et le vieil homme, et les traîna à côté de Billal.

— QUI, commença-t-il, son arme d'abord pointée sur Aamir, EST, puis sur Sadiqa, BOB ? et sur Billal.

Il criait si fort que sa voix se brisa.

Sadiqa fut la seule à parler.

— Une arme… ? fit-elle.

Comme Eddy ne regardait plus qu'elle, Aamir fit un pas en avant pour détourner son attention. Les mains levées en l'air, il regardait par terre en baissant servilement la tête.

— Monsieur, nous sommes tous indiens. Il n'y a pas de Bob ici. Pas de Bob, mauvaise maison.

Sadiqa, qui fixait la nuque d'Aamir, émit un petit claquement de langue désapprobateur, mais sans en tenir compte Aamir continua d'implorer.

— Pas de Bob, monsieur. Erreur. Vous partez. Pas de problème.

Le tic-tac de la pendule tendue de velours noir devint obsédant.

Personne ne savait plus quoi faire. À l'exception d'Aleesha. Tiraillée entre la crainte et le compliment hardi que lançaient les yeux de Pat, elle était sûre que tout allait bien se terminer, que l'irruption d'hommes armés dans la maison n'était qu'un malentendu sans conséquence. Elle avait envie que ça cesse. Elle sourit en regardant Pat de biais, et tendit la main gauche vers le bord ourlé de la cagoule dans l'intention de la lui retirer avec un joyeux « Coucou », pour mettre un terme à cette situation embarrassante.

Le contact inattendu des doigts qui lui grattaient la nuque fit brutalement pivoter Pat.

C'est sans préméditation qu'il pressa la détente.

Omar et Mo sursautèrent en entendant, en provenance de la maison, un « whoomp » assourdi accompagné d'un éclair blanc visible par la fenêtre de la chambre de Billal et de Meeshra.

Ils se tournèrent l'un vers l'autre, comme pour avoir confirmation de ce qu'ils avaient vu. Une surprise identique se peignait sur leurs visages. D'un même geste, ils ouvrirent les portières, jetèrent leurs cigarettes et bondirent hors de la voiture en les laissant ouvertes. Ils sautèrent l'un après l'autre le muret du jardin et contournèrent l'angle de la maison pour atteindre la porte d'entrée. Omar l'ouvrit d'un coup de pied.

Malki commençait à se sentir mieux, apaisé, tout allait bien. Du coin de l'œil, il aperçut un éclair de lumière rose lorsque la porte s'ouvrit pour la seconde fois. Suivant les instructions qu'il avait reçues, il passa à l'action.

Il fit d'abord une boulette de la feuille de papier d'aluminium encore chaude. Au moment de la jeter par-dessus son épaule, il se ravisa. Il ne serait pas très malin de laisser des traces. Ravi de sa lucidité, il esquissa un sourire et glissa la boulette dans la capuche de son blouson. Puis, avec une précision toute mécanique, il mit le moteur en marche, desserra le frein à main, passa la première et démarra lentement pour rejoindre le point de rendez-vous.

Il se félicitait de s'être aussi bien souvenu des instructions, mais il oublia de freiner. Le phare avant gauche ne résista pas au choc de la fourgonnette contre le muret du jardin. Les éclats de verre tintèrent gaiement en tombant sur le trottoir. Malki se mordit les lèvres.

Omar se tenait devant la porte ouverte. Dans l'entrée, tout le monde se tenait figé, y compris les deux types bizarres en treillis militaire. Une odeur étrange flottait dans l'air, mélange de soufre et de fumée. Les regards étaient tous rivés sur Aleesha, et pendant un instant, ni Mo ni Omar ne comprirent pourquoi.

Debout, le bras levé comme pour désigner la pendule murale, elle regardait par-dessus son épaule. Omar suivit son regard jusqu'à sa main. Une tache rouge sombre, d'un rouge violent. Les doigts tressautaient comme un rouage grippé.

Un serpent écarlate courait sur son bras.

Les yeux fous, elle pivota face à l'homme inconnu.

— Bordel, tu m'as niqué la main ! s'écria-t-elle, sur un ton et avec des mots interdits dans cette maison.

Le cagoulé s'excusa dans un murmure.

L'autre homme armé, plus corpulent, s'approcha d'Omar et de Mo en les mettant tour à tour en joue.

— BOB, C'EST UN DE VOUS DEUX.

Ils ne répondirent ni l'un ni l'autre.

— TOI, dit l'homme en pointant son arme sur la poitrine de Mo. C'est toi, Bob.

Mo n'avait toutefois pas le même nez que les autres. Omar, lui, était manifestement de la famille – il avait le long nez d'Aamir, la mâchoire étroite de Sadiqa. Sans attendre la réponse de Mo, Eddy dirigea son arme vers Omar.

— C'est toi, Bob, dit-il calmement.

Sadiqa n'en pouvait plus de se taire. Elle se précipita vers son fils préféré en criant :

— Non, pas Omar ! Pas mon Omar !

Eddy se troubla un peu plus. Dans le silence qui suivit, ils entendirent, par la porte d'entrée restée ouverte, les éclats de verre du phare brisé tinter sur le trottoir. Malki faisait marche arrière pour dégager la fourgonnette.

— Bande d'enculés, lança méchamment Eddy.

Il tendit le bras et, d'une main, saisit Aamir par la gorge. Le petit homme ne protesta pas, n'esquissa pas un geste. Il continuait à regarder par terre pour ne mettre personne d'autre en danger.

Eddy le serrait à l'étouffer. Comme le vieil homme ne tentait pas de résister ou de se débattre, il relâcha un peu son étreinte.

— Transmettez ce message à Bob : je veux deux millions en cash demain soir. Pas de billets neufs. Si vous appelez la police, ce crétin mourra. Vengeance. Pour l'Afghanistan.

— L'Afghanistan ? glapit Sadiqa. Je suis née à Coatbridge, qu'est-ce que…

Ravalant son indignation, elle inclina le menton sur sa poitrine et se tut.

Aleesha baissa lentement la main, comme fascinée par le sang qui jaillissait du bout de ses doigts arrachés.

— Ma pauvre main, souffla-t-elle.

Eddy lâcha la gorge d'Aamir. Il passa derrière lui et le saisit fermement, un bras passé sous le diaphragme.

Tous se raidirent et laissèrent échapper un cri en voyant l'arme sur la tête d'Aamir, mais Eddy n'en avait cure. Se redressant de toute sa taille, il souleva aisément le vieil homme dont les pieds décollèrent du sol et le porta jusqu'à l'extérieur comme s'il ne pesait pas plus lourd qu'un paquet un peu volumineux.

Penaud, Pat détourna les yeux de ceux d'Aleesha. Il marmonna une nouvelle excuse et emboîta le pas à Eddy.

Ceux qui restaient dans la maison s'animèrent tous en même temps : Sadiqa traversa pesamment le couloir pour rattraper Aleesha dont les genoux flanchaient. Tout en maintenant le bras de sa fille en l'air pour stopper l'hémorragie, elle décrocha le téléphone et composa le 999. Billal, qui bloquait de son corps l'entrée de la chambre, sortit son portable de sa poche et composa le même numéro avec son pouce. Meeshra elle-même, toujours assise dans son lit, le bébé sur la poitrine, attrapa son portable sur la table de nuit et appela elle aussi les urgences.

Omar et Mo se ruèrent dehors à la poursuite des bandits.

La fourgonnette avait un phare plus lumineux que l'autre, suite au choc contre le muret. Elle s'éloignait dans la rue lorsque la porte arrière se referma, tirée par une main de rondouillard. Omar poussa un petit cri plaintif.

— Nugget…

Mo l'attrapa par l'épaule et l'entraîna vers la voiture.

Les deux garçons s'engouffrèrent dans la Vauxhall.

Mo avait pris le volant, Omar cherchait à repérer la fourgonnette. La rue était sombre. À gauche, il y avait un golf. Sur la droite, une étendue sombre de buissons et d'arbustes qui perdaient leurs feuilles devant un mur aveugle. L'artère qu'ils suivaient était large et rectiligne, les rues alentour désertes, et malgré cela ils avaient bel et bien perdu la trace du véhicule blanc, le seul autre à circuler sur cette saloperie de route.

Pourtant, ils étaient sûrs et certains de l'avoir vu : Mo avait aperçu des feux arrière assez hauts pour être ceux d'une fourgonnette. Il avait eu la vision furtive de la porte blanche d'un véhicule qui disparaissait à l'intersection après être passé au rouge.

Dans la rue en pente qui enjambait l'autoroute M8, Mo ralentit pour s'arrêter au feu. Omar tendit soudain le bras vers Mo et lui heurta le menton.

— Stop ! hurla-t-il. Arrête-toi !

Mo écrasa la pédale de frein. La Vauxhall dérapa brutalement avant de s'immobiliser. Omar, qui n'avait pas attaché sa ceinture, glissa comme un ivrogne de comédie sur le plancher et se cogna la tête contre le tableau de bord.

— La police ! cria-t-il en tendant le bras derrière Mo. C'est une voiture de police !

Une voiture de patrouille était planquée dans une petite rue, tous feux éteints pour surprendre les automobilistes trop pressés. Les deux agents avaient remarqué la Vauxhall. Ils s'apprêtaient à la suivre sur l'autoroute, à l'interpeller, à examiner les papiers de ses occupants, mais l'arrêt brutal les prit de court. Ils virent Omar sauter de la voiture et se précipiter vers eux sans prendre le temps de refermer la portière.

— À l'aide ! S'il vous plaît…

Une meurtrissure sombre marquait sa joue, suite au choc contre le tableau de bord.

Circonspects, les agents détachèrent leurs ceintures de sécurité et sortirent du véhicule.

— Vous aviez votre ceinture de sécurité ?

— Non, je suis désolé, mais mon père… mon père vient d'être enlevé, ils l'ont emmené dans une fourgonnette.

Sans prêter attention à ses paroles, ils examinaient ses vêtements.

Conformément à la tradition, les deux garçons portaient le pantalon blanc et la tunique de même couleur qu'ils mettaient pour aller à la mosquée. Cette tenue particulièrement soignée parut bizarre aux policiers. Omar avait enfilé un blouson Adidas à fermeture Éclair par-dessus sa tunique, et il était en baskets. Mo, lui, avait un cardigan, des mocassins, et sa barbe clairsemée aurait eu besoin d'être taillée.

Prenant soudain conscience de ce que leur accoutrement pouvait avoir d'étrange, Mo tenta un sourire amical.

— Tout va bien, monsieur l'agent ?

Il s'adressait cordialement au policier le plus proche de lui, mais la tension et la peur déformaient sa voix et son visage. Les deux flics portèrent la main à leur ceinture. Un camion passa en grondant sur l'autoroute.

— Non, intervint faiblement Omar. Aidez-nous, je vous en prie. Des hommes viennent d'enlever mon père. Ils sont dans une fourgonnette. Ils sont armés.

Les policiers les observaient en silence. Par les portières ouvertes de la Vauxhall, Radio Ramadan continuait d'émettre dans la nuit tranquille de la banlieue : un intervenant, jeune et à l'accent arabe trop prononcé pour être authentique, discourait à propos du Coran.

Les deux garçons se rendirent soudain compte à quel point tout cela devait sembler louche aux représentants de la loi.

Un des agents sortit son calepin.

— Votre nom, s'il vous plaît ? demanda-t-il calmement.

— Omar Anwar. Écoutez, poursuivit-il pendant que l'homme notait son nom, des hommes armés ont fait irruption chez nous, ils ont enlevé mon père. Ils l'ont enlevé ! Ils avaient des armes.

L'agent refusa de lever les yeux de son calepin.

— Vous pouvez épeler ?

— Mon père a été kidnappé.

— Je vois. O-M-A-R, A-N-W-A-R ?

— Oui, oui. Écoutez, nous avons suivi la fourgonnette jusqu'au dernier feu, et là nous l'avons perdue. Ils ont dû prendre l'autoroute, je ne vois que ça. Ils ont pu aller n'importe où…

L'agent qui prenait des notes jeta un coup d'œil à la voiture, à la barbe de Mo. Omar laissa échapper un rire fatigué.

— Mon père est un homme sans histoires, propriétaire d'un petit commerce. Ce n'est pas une affaire politique, juste des bandits qui voudraient de l'argent. Ils ont dit que ça avait un rapport avec l'Afghanistan.

— Tournez-vous et posez les mains sur le toit de la voiture, s'il vous plaît.

— Ces gens sont des criminels !

— Vos mains sur le toit, s'il vous plaît, répéta le flic d'un ton plus ferme.

Omar obtempéra.

Le deuxième policier fit le tour de la Vauxhall. Il demanda à Mo de s'approcher et de suivre l'exemple d'Omar. Une fois les deux garçons immobiles, chacun d'un côté du véhicule, les agents les palpèrent pour s'assurer qu'ils n'étaient pas armés.

Mo savait que sa barbe le rendait particulièrement suspect. Il entreprit de parler posément à l'agent qui le fouillait, en soignant l'accent parfait acquis dans son école privée.

— Monsieur l'agent, nous comprenons ce que vous êtes en train de faire, vraiment. Mais le père de mon ami est un homme simple qui a l'estime de la communauté. Il est écossais.

Omar nota le froncement de sourcils rébarbatif de l'agent qui se tenait derrière Mo. Il aurait aimé faire comprendre à ce dernier que son accent emprunté n'était pas le meilleur moyen de s'attirer la sympathie mais Mo, sans un regard pour lui, continuait à parler.

— Voyez-vous, le père de mon ami a été arraché à sa famille par des hommes armés ; ils ont également blessé sa sœur, une jeune fille de seize ans.

— Vraiment ?

— Oui. Ils ont jeté ce pauvre homme dans la fourgonnette comme un sac de linge sale. Nous nous sommes lancés à leur poursuite mais nous avons perdu leur trace.

— Pourquoi ne pas avoir appelé la police, monsieur ?

— Mais… on les pourchassait.

— Vous n'avez pas de portable ? Pendant que l'un de vous conduit, l'autre peut téléphoner.

— J'imagine… Nous n'avons pas pensé… C'est une grosse fourgonnette blanche, peut-être une Mercedes. Une fourgonnette vitrée. Le phare avant gauche est cassé parce qu'ils ont heurté le mur du jardin.

— Ah oui ? Vraiment ?

L'agent s'exprimait d'une voix traînante. Cessant d'interroger Mo, il eut un petit rire méprisant et rangea son stylo.

C'est alors qu'Omar, qui contemplait l'autoroute en contrebas, derrière l'épaule de Mo, vit une fourgonnette approcher. Un des phares éclairait plus que l'autre. Prenant appui des deux mains sur le capot de la Vauxhall, Omar s'élança d'un bond vers la rambarde, qu'il atteignit à l'instant même où la fourgonnette passait sous le pont.

— Nugget ! Nugget ! clama-t-il en se penchant dans le vide.

Une douleur fulgurante lui bloqua l'épaule, s'étendit en nappe autour de son cou et encercla sa cage thoracique. Omar plia les genoux. Il glissa sur le sol en se tordant sur lui-même pour tenter de desserrer la prise implacable que l'agent exerçait sur son bras.

L'attrapant par le poignet, l'agent remit Omar sur ses pieds comme s'il ne pesait pas plus lourd qu'un fétu et l'entraîna jusqu'à la voiture de patrouille. Omar apercevait encore la fourgonnette qui se dirigeait vers la ville.

2

Alex Morrow se mordit lentement l'index, en serrant les dents autour jusqu'à ce qu'elle entende la peau céder. Elle était tellement en colère que sa paupière gauche tressaillait, brouillant sa vision par-delà le pare-brise dégoulinant de pluie de la voiture. Si elle ne se calmait pas avant qu'ils arrivent là-bas, elle allait dire n'importe quoi, se ridiculiser devant lui. À l'idée de rencontrer Grant Bannerman, elle se mordit à nouveau le doigt.

Des années auparavant, un instructeur bien intentionné lui avait conseillé de ne jamais remettre en question la décision d'un supérieur, d'oublier la courtoisie, d'ignorer la politique, de se contenter de faire son boulot et de ne plus y penser une fois rentrée chez elle. Que diable y connaissait-il, se demandait-elle à présent, en enfonçant ses dents dans sa peau. Il n'avait jamais dépassé le grade de sergent. À son niveau à elle, tout le boulot était politique. Comme si elle pouvait penser à autre chose ! Comme si elle avait un chez-elle !

Elle dramatisait, et elle en eut honte. Ses dents desserrèrent leur prise. Elle avait une maison. Bon sang, bien sûr qu'elle avait une maison ! Le problème, c'est qu'elle n'avait pas envie d'y aller.

Le moteur tournait tranquillement. Le chauffeur en uniforme prenait son temps, respectait le code de la route à la lettre parce qu'elle était dans la voiture et qu'il ne voulait prendre aucun risque. Il tirait sur le frein à main dès qu'un feu passait à l'orange. Elle avait une féroce envie de le gifler.

Sa colère était disproportionnée, elle le savait, elle la sentait s'échapper d'elle comme de l'eau à travers une passoire. On allait le remarquer, y attacher plus d'importance qu'à ses appréciations. Ce n'est rien, se dit-elle, je m'énerve pour rien.

La nuit avait été calme. Octobre marquait le début de la saison froide, celle où après les bagarres de rue les poivrots retournaient à la chaleur du foyer pour y battre leurs épouses résignées, celle où les vrais voyous s'en allaient passer l'hiver au soleil. Et, se rappela-t-elle, le début de l'année universitaire, période propice aux longues enquêtes et à la réouverture des vieux dossiers non résolus.

Les rues étaient désertes. La pluie froide glissait doucement sur le pare-brise balayé par les essuie-glaces qui tour à tour révélaient ou masquaient Vicky Road. L'adresse vers laquelle ils se dirigeaient lui rappelait des souvenirs d'enfance, une banlieue si tranquille qu'elle n'y était pas revenue depuis des lustres. Ici, les crimes se résumaient à des cambriolages, au tapage nocturne des fêtes d'ados, à des problèmes de voisinage.

Elle vit le chauffeur lancer un regard incertain à son GPS muet, dans l'attente d'une indication.

— Prenez à droite au rond-point, lui dit-elle, puis à gauche.

Ils approchaient de leur destination. Elle vérifia donc son image, comme toujours avant d'apparaître en public. Coiffure impeccable, maquillage léger. Elle passa le doigt sous chacun de ses yeux. Ils étaient petits, et son mascara avait tendance à couler. Rien ne dépassait du sac à main posé à ses pieds sur le plancher de la voiture, ni tampons ni photos. Elle rajusta sa veste, constata au toucher qu'elle était bien boutonnée, s'assura qu'il n'y avait pas de faille dans l'armure.

Arrivé à l'entrée de la rue, devant un panneau de sens interdit, le chauffeur hésita, ne sachant pas s'il devait braver la loi ou au contraire la respecter et rejoindre l'adresse indiquée en passant par l'arrière.

— Allez-y, ordonna-t-elle d'un ton cassant.

Il obtempéra lentement, comme à contrecœur. Il avait été réprimandé pour excès de vitesse, elle s'en souvenait maintenant, et il voulait montrer au patron que tout cela était derrière lui.

La rue était plus petite que dans son souvenir. Les maisons étaient de simples pavillons, pas les hôtels particuliers inscrits au fond de sa mémoire. Autrefois elle l'empruntait tous les jours pour aller à l'école primaire. Sa paume se rappelait la chaleur de la main que sa mère lui donnait pour traverser. Elle replia les doigts à cette pensée. À l'époque, le quartier leur paraissait formidablement cossu.

Tendu en travers de la chaussée, un ruban bleu et blanc bloquait le passage. Le flic en uniforme qui montait la garde s'approcha de la portière du chauffeur alors que la voiture ralentissait pour s'arrêter. Il était vêtu chaudement, avec un gilet réfléchissant et d'épais gants fourrés, et il croisa les mains en arrivant à leur hauteur.

Il n'y avait pas si longtemps, Alex portait cet uniforme et ces ridicules gants fourrés. Elle n'avait pas oublié leur inconfort. Son chauffeur baissa sa vitre.

— La rue est fermée, annonça le flic en se penchant vers lui.

— Je suis avec la chef, répondit le chauffeur en désignant Morrow.

Le flic rougit, gêné de ne pas l'avoir reconnue à travers le pare-brise.

— Oh ! Désolé. Vous pouvez vous garer un peu plus loin ?

— Oui. Et surtout restez vigilant, dit Morrow.

Le chauffeur sourit d'un air entendu, presque complice, en enclenchant la première.

Alex balaya du regard la rue vide, jusqu'au ruban qui la barrait de l'autre côté. La maison se trouvait sur sa droite, à l'angle, et la scène de crime délimitée par la police formait autour une barre de T disgracieuse. De l'autre côté, au-delà du second ruban, le clignotement des gyrophares de plusieurs voitures de police baignait la nuit de bleu et de rouge, comme la robe de Cendrillon. À l'entrée de la rue, derrière Morrow, deux agents en uniforme campaient devant le ruban, le dos droit comme un i, les mains croisées dans le dos ; la raideur de leur pose suffisait à signaler aux initiés la présence dans le coin d'officiers de haut rang.

Le chauffeur n'en finissait pas de se ranger le long du trottoir.

— Est-ce que vous… euh, dois-je… ?

— Arrêtez-vous, c'est tout.

Consterné, il resta un instant bouche bée avant de pincer les lèvres. Il regarda droit devant lui tout en tirant le frein à main, sans réagir. Oublier la courtoisie. Elle savait qu'elle avait tort de lui parler ainsi, mais elle n'avait jamais su s'y prendre avec les gens. Elle ouvrit la portière et sortit sous la fine pluie d'octobre, puis, se ravisant, elle passa la tête à l'intérieur de la voiture.

— Désolée, fit-elle abruptement. D'avoir été aussi brusque. Envers vous.

Le chauffeur se tassa sur son siège, l'air effrayé. À quoi bon vouloir s'expliquer ? Énervée, Alex claqua la portière en se maudissant. Elle n'avait qu'à être brutale et grossière, ce serait plus facile.

Un policier plus âgé s'approcha d'elle pour prendre son identité.

— Sergent Alex Morrow, annonça-t-elle tandis qu'il notait son nom. London Road.

— Merci madame. Le sergent Bannerman et le commissaire MacKechnie sont sur place, dit-il en pointant le doigt vers la maison.

Elle aperçut une forêt de têtes au-delà du muret du jardin.

— MacKechnie est là ?

Le policier semblait aussi surpris qu'elle. Si MacKechnie s'était déplacé, c'est que le cas était sérieux. Le genre d'affaire à booster une carrière. Sauf que ce n'est pas elle qui en serait chargée, se souvint Alex en grinçant des dents.

— Vous êtes arrivé le premier ?

— Oui.

— Vous avez condamné toutes les entrées ?

— Oui. J'ai alerté la brigade antigang, ils viennent de partir.

— Les tireurs ont quitté les lieux ?

— Oui. Ils ont fouillé partout, devant, derrière et sur les côtés.

— Des blessés ?

— Une gosse de seize ans a eu la main arrachée.

— C'est moche.

Il approuva en grommelant.

— Les voisins ?

— Ils sont là, on prend leurs dépositions.

Il désigna du bras l'endroit, au bout de la rue, où les gyrophares clignotaient. Rassemblée derrière les véhicules, on y distinguait une foule de gens en manteau ou en pyjama, en pantoufles ou dûment chaussés, que des agents munis de carnets interrogeaient l'un après l'autre. Tous ceux qui vivaient dans le périmètre délimité par les rubans avaient été tirés de leurs maisons et resteraient dehors jusqu'à ce que l'Antigang ait sécurisé les lieux.

— C'est bien. Bon travail.

Elle savait qu'en se montrant aimable avec lui, elle compensait la brusquerie avec laquelle elle avait traité son chauffeur. Elle savait aussi que ce n'est pas comme ça qu'on s'assure des alliés, qu'il faut être aimable avec ceux qu'on a insultés. Mais le policier avait l'air content.

— On passe par où ?

Du bout de son crayon, il lui indiqua l'autre côté de la rue et le coin de la maison.

Morrow se baissa pour passer sous le ruban. Elle avançait lentement, les yeux sur le goudron en quête d'un indice oublié. Puis elle s'arrêta et leva les yeux. La maison était sur sa droite ; un muret en bordure du trottoir, un terrain un peu surélevé, un bout de pelouse, une surface pavée de briques sur laquelle plusieurs véhicules stationnaient : un minibus Nissan, une Audi, une Mini neuve, une petite camionnette d'un blanc sale.

À ses pieds, signalés par les grandes étiquettes claires des pièces à conviction, il y avait deux mégots. Elle se pencha pour les étudier : des cigarettes de marque Silk Cut qui avaient fini de se consumer là, en formant un boudin de cendres sur le papier jauni par la nicotine. Entre elles, une distance d'un mètre cinquante environ, comme si on les avait jetées par les vitres d'une voiture. Alex tourna la tête vers l'agent.

— Vous... Pourquoi ne les a-t-on pas protégés ?

— Il faut d'abord que le photographe prenne un cliché, madame.

Ils auraient dû les mettre sous sachet. Avec la pluie, les traces d'ADN sur les mégots risquaient de disparaître. Mauvaise décision. Morrow en était secrètement ravie.

Elle poursuivit son chemin jusqu'au coin de la rue. Elle voyait mieux les habitants du quartier, à présent ; un groupe de trois jeunes Asiatiques parlait aux policiers en uniforme. Il y avait également un couple de Blancs, plus âgés, qui avaient passé un manteau pardessus leurs pyjamas. Une ménagère à l'air revêche, jeune et seule, les cheveux en bataille, la fusillait du regard. Morrow la toisa : excusez-nous de la gêne occasionnée pour vous sauver de racailles armées.

Elle tourna la tête vers la maison. Le jardin comportait deux accès : un large portail métallique conduisant directement au parking intérieur, et un petit portillon décoratif ouvert sur le sentier qui menait à la porte d'entrée. Juste à l'angle de la rue, elle aperçut quelques éclats de verre Securit fraîchement brisés sur le trottoir. Au-dessus, quelques briques du muret s'étaient effritées.

Malgré elle, cela éveilla son intérêt. Quelque part au fond de son cerveau, elle sentit ces découvertes décousues et sans pertinence s'ordonner et se classer pour former un patchwork familier dont elle finirait par tirer des déductions. Les subtilités des relations, aussi bien personnelles que professionnelles, lui échappaient, mais ça, c'était dans ses cordes. Alex Morrow n'en doutait pas une minute. Elle était douée à ce jeu-là.

Levant les yeux, elle les vit postés devant le portillon, les bras croisés, qui attendaient le départ des hommes de l'Antigang. Le sergent Grant Bannerman et le commissaire MacKechnie se tenaient côte à côte, leurs épaules se touchant presque. Ils observaient la porte d'entrée pendant que deux uniformes animés leur rendaient compte des divers témoignages. Bannerman hochait la tête, comme si déjà au courant de tout, il n'était là que pour contrôler ces informations. Près de lui, MacKechnie couvait son poulain d'un regard approbateur, et il hochait lui aussi la tête.

Bannerman. Ses cheveux trop longs décolorés par le soleil lui cachaient légèrement les yeux. Musclé, bronzé. Il essayait sans doute de ressembler à un surfeur, mais pour elle, ce n'était qu'un opportuniste, un fils à papa dont le père avait fait carrière dans l'armée avant de le présenter à sa hiérarchie. Voilà pourquoi il avait été promu sergent alors qu'il était encore au CID. Morrow, elle, avait dû en partir, reprendre l'uniforme ET passer des examens pour décrocher le même grade. Sans amis, sans protecteur, elle avait réussi par son seul mérite.

Personne ne partait à la retraite, et une fois hors du CID il était exceptionnel d'obtenir une promotion ; c'était un aboutissement, et en plus les postes étaient rares, les affectations souvent éloignées. Pour devenir sergent sans quitter la Criminelle, il fallait lécher les bottes de ses supérieurs, les accompagner à des matchs de foot, jouer au golf avec eux et les laisser gagner.

Morrow et Bannerman partageaient le même bureau depuis un mois, mais ça ne se passait pas bien. Il pouvait lui préparer autant de cafés qu'il voulait, lui rapporter des tas de KitKat du distributeur, elle lisait dans son regard qu'il se moquait d'elle dans son dos, qu'il ne la trouvait pas sympathique, qu'il appréhendait ses sautes d'humeur. Il était déjà là depuis deux mois lorsqu'elle était arrivée. De quatre ans son cadet, il avait l'air sympa. Elle était dure à amadouer, elle le savait. Si Morrow avait dû travailler avec quelqu'un de la même trempe qu'elle, elle n'aurait même pas essayé et se serait installée quelques tables plus loin.

Bannerman l'aperçut qui marchait vers eux, et son sourire s'étira trop longtemps avant de mourir sur ses lèvres.

— Monsieur. (Elle salua MacKechnie d'un signe de tête sans pouvoir se résoudre à regarder Bannerman.) Grant.

Grant Bannerman s'empressa.

— Ça roule, Morrow ? Quoi de neuf ?

Elle sentit le sang quitter son visage. Grant ne pouvait pas se contenter de dire « Salut ». Ou simplement « Bonsoir ». Il fallait toujours qu'il trouve un truc minable, un bout de chanson, une imitation d'Elvis ou une connerie du même style. Il s'efforçait d'être différent parce qu'il ne l'était pas. Elle aurait voulu s'adapter mais elle n'y parvenait pas. Elle était tellement jalouse de lui qu'elle remarquait toutes ses petites failles : sa façon de s'empourprer, sa propension à s'attribuer tout le mérite pour le travail des autres, et, sous son assurance superficielle, cette impression qu'il donnait d'être perdu au milieu des autres.

Elle se sentit rougir. Elle devait contenir sa colère au plus vite.

— Il y a des pièces à conviction qui se mouillent, là-bas, dit-elle. Deux mégots qu'il faudrait emballer.

Bannerman était dans son tort, il le savait.

— Nous attendons le photographe.

— Il n'y aura plus aucune chance de prouver qu'ils viennent d'ici si les traces sont effacées par la pluie, non ?

MacKechnie intervint avec indulgence.

— Il vaudrait mieux les mettre dans un sachet.

Bannerman héla un policier et lui demanda de faire le nécessaire.

Les hommes de l'Antigang sortaient de la maison. Rassemblés devant la porte, ils paraissaient terrifiants. Quatre grands costauds en uniforme noir, qui empêchaient la lumière du hall d'éclairer l'extérieur. Tous brandissaient un pistolet aux proportions intimidantes, qu'ils tenaient à deux mains comme s'ils étaient sur le point de tirer en connaissance de cause sur un organe vital.

Ils descendirent l'allée en riant. Leurs épaules relâchées et leurs visages détendus exprimaient le soulagement. Chaque fois qu'une arme était utilisée lors d'une agression, l'Antigang devait vérifier qu'il n'y avait plus de danger et qu'aucun barjo armé ne traînait dans le coin avant de laisser approcher les collègues. Personne ne faisait longtemps ce métier très stressant. La brigade qui recrutait en permanence recevait de plus en plus d'appels au fil des mois. Glasgow était inondée par un incessant flot d'armes en provenance d'Irlande, qui s'achetaient pour trois fois rien.

Arrivés à leur hauteur, les hommes de l'Antigang s'arrêtèrent devant MacKechnie pour lui faire leur compte rendu : plus personne à l'intérieur, pas d'armes, une balle dans le mur et beaucoup de sang. La seule personne à être encore dans la maison était une jeune accouchée clouée au lit, qui refusait de se lever.

— Clouée au lit ? s'étonna Morrow.

Comme s'ils s'apercevaient soudain de sa présence, tous les hommes se tournèrent vers elle.

— Oui, répondit faiblement leur sergent, elle vient d'avoir un bébé. Il y a une semaine à peu près.

— Et pourquoi est-elle alitée ?

— Elle ne doit pas se lever. Elle dit qu'elle pourrait faire une hémorragie. (Le sergent émit un gloussement gêné.) Je ne suis pas qualifié pour vérifier ses points de suture, n'est-ce pas ?

Elle les regarda rire nerveusement. Même MacKechnie se marrait sous cape. Bannerman regardait ailleurs. Le sergent ouvrit la bouche pour ajouter une blague crue, mais il se retint devant l'expression de Morrow.

— En tout cas, on a fini, se contenta-t-il d'ajouter avec un regard compatissant à l'adresse de Bannerman. On s'en va.

Ils suivirent des yeux le groupe d'hommes qui se dirigeait prudemment vers l'intersection, en marchant presque sur la pointe des pieds, jusqu'à ce qu'ils arrivent au ruban et sortent de la scène de crime. Là, ils grimpèrent dans leur fourgon d'un noir luisant.

Morrow aurait aimé être seule pour pouvoir se mordre à nouveau. Elle se contenta d'inspirer profondément avant de s'adresser à l'agent.

— Que s'est-il passé ?

Le flic s'apprêtait à répondre quand Bannerman lui coupa la parole.

— Une famille qui venait de rentrer après la prière à la mosquée…

— Quelle mosquée ?

— La centrale pour les deux fils, celle de Tintagell Road pour le père.

Morrow hocha la tête d'un air entendu. Les jeunes de la ville se retrouvaient à la mosquée centrale, la plus importante. Celle de Tintagell desservait le quartier. Plus petite, elle accueillait une communauté plus fermée. Si les jeunes allaient à la mosquée centrale, c'est qu'ils n'appartenaient ni à un gang ni à un territoire. De braves gosses, en somme.

— Ils se sont retrouvés à la maison, poursuivait Bannerman. Quand on a sonné à la porte, ils ont pensé que l'un d'entre eux avait oublié ses clefs. La fille est allée ouvrir, son père était dans le couloir. Deux hommes armés et cagoulés sont entrés en hurlant des menaces, ils cherchaient un dénommé Rob. Ils ont demandé de l'argent et leur ont ordonné de ne pas nous prévenir.

— Ils voulaient combien ?

— Deux millions.

— De livres ?

— Ouais.

Ils regardèrent la maison, comme pour l'évaluer.

— Elle doit valoir dans les trois cent mille, vous ne croyez pas ? observa MacKechnie.

Morrow et Bannerman approuvèrent.

— Deux millions en cash ? Ils les ont eus ?

— Il n'y a pas de Rob dans la famille.

— Ils étaient comment ces hommes ? Type pakistanais ?

— Non, blancs. Ils portaient des cagoules, mais ils sont blancs.

— Qui est Rob ?

— Je ne sais pas. Ces gens sont indiens, en tout cas ils portent des noms indiens… Aucun d'entre eux ne s'appelle Rob.

— Pas de locataires ? Pas de petit ami encombrant ?

— Non. Comme l'argent n'arrivait pas, continua Bannerman, les types sont partis en prenant le père en otage.

Morrow examinait toujours la maison. Elle était intriguée.

— Est-ce qu'ils pourraient s'être trompés d'adresse ?

— Ça reste à vérifier, avança Bannerman pour dire qu'il n'en savait rien.

— Non, ce n'est pas une erreur d'adresse, reprit Alex à l'intention de MacKechnie avec un geste en direction de la rue. On est à deux pas d'Albert Drive…

— La rue des millionnaires, intervint Bannerman en s'interposant entre eux et en parlant sur un ton pénétré, comme si l'idée venait de lui.

— S'ils cherchaient simplement une famille friquée, insista Alex, ils seraient allés là-bas et auraient frappé à n'importe quelle porte.

— Et donc ?

MacKechnie l'encourageait à en tirer une conclusion. Bannerman opinait du bonnet comme un malade.

— Donc ils sont délibérément venus ici, monsieur, dit-elle. Ils ont appris quelque chose sur l'un des habitants de cette maison, et en ont conclu qu'il y avait beaucoup d'argent ici. De l'argent facile, sans doute.

— À moins…, glissa Bannerman qui voulait à tout prix capter l'attention de MacKechnie… à moins qu'ils ne soient d'abord allés dans une autre maison, qu'ils aient déclenché l'alarme ou je ne sais quoi avant de se rabattre ici… Il faudrait vérifier.

Sa voix faiblit jusqu'au murmure et il se tut, toute confiance évaporée.

L'idée était parfaitement stupide.

— Si des hommes armés s'étaient introduits par effraction dans une autre propriété ce soir, je suppose que le central aurait prévenu l'Antigang, corrigea MacKechnie d'une voix plus douce.

Morrow se tourna vers les voitures de patrouille qui illuminaient la rue.

— Ces types ont bien dit qu'il ne fallait pas nous prévenir ?

Bannerman eut un haussement d'épaules embarrassé. Il aurait dû y penser plus tôt.

— Oui, répondit le flic en consultant ses notes. Appelez les flics et ce fils de… (Il se ravisa et, au lieu de citer mot pour mot, reprit :) Euh… ils ont menacé de s'en prendre à l'otage.

À son tour, MacKechnie posa les yeux sur les voitures de police et le fourgon imposant de l'Antigang.

— Il faudrait éloigner ces signes trop visibles de notre présence.

Bannerman alla donner des ordres en conséquence.

Morrow reprit son raisonnement.

— S'ils ont insisté pour qu'on ne nous prévienne pas, ils devaient avoir la certitude que la famille allait payer. Ils ont peut-être raison, après tout, si ça se trouve ces gens sont vraiment riches.

MacKechnie s'assura que Bannerman ne pouvait pas les entendre.

— Morrow, nous savons l'un et l'autre que cette affaire est faite pour vous, mais je ne peux pas vous la confier.

— Pourtant vous aviez dit que la prochaine…

— Nous venons de connaître un certain nombre d'incidents regrettables avec les minorités, les combats de gangs, le petit Boyle. Nous n'avons pas besoin, en plus, d'ennuis causés par des incompatibilités d'ordre culturel.

Morrow serra les dents et fusilla la maison du regard, comme si celle-ci venait de l'insulter.

— J'ai grandi ici, monsieur, je connais les gens du quartier…

— Le sergent Bannerman se débrouillera très bien, poursuivit-il. Vous serez chargée de la prochaine enquête.

Cette affaire était de celles qui assurent une carrière, et MacKechnie l'offrait sur un plateau à Bannerman. Il avait pris sa décision, c'était injuste et, gênée par le tic qui agitait à nouveau sa paupière, Morrow ne pouvait pas le regarder en face.

— Pourquoi pas de celle-ci, monsieur ?

Il ne répondit pas. Lorsqu'elle put enfin lever les yeux sur lui, il s'était tourné vers les jeunes Asiatiques qui se pressaient derrière le ruban. Ils avaient cette attitude perdue, sans énergie, propre aux victimes. Le plus âgé, barbu et très grand, était en sweat-shirt et pantalon de coton. Les deux plus jeunes, minces et élancés, portaient des tuniques droites, des sweats à capuche et des chaussures de sport. Tenue traditionnelle de jeunes croyants.

— Certains facteurs d'ordre personnel nous rendent compétents pour certaines affaires, moins pour d'autres, lâcha-t-il enfin. Je vous donnerai la prochaine.

Du MacKechnie tout craché. Incapable de s'exprimer franchement. Ce qu'il aurait voulu lui dire, c'est que la situation était délicate, en effet, car les Asiatiques sont foncièrement misogynes et qu'en plus elle était folle à lier.

À en juger par leur taille et leurs poses avachies, Morrow pouvait affirmer sans risque d'erreur que les trois jeunes gens étaient de la seconde génération. Leurs cheveux coupés très court étaient passés sous la tondeuse d'un coiffeur. L'un arborait des Nike dernier modèle, et pas pour impressionner ses potes à la mosquée. Ces garçons n'accordaient aucune importance au fait qu'elle soit une femme ou un homme. Elle avait dix ans de plus qu'eux, à leurs yeux elle aurait aussi bien pu être un homme, et qui plus est elle était chez elle dans le sud de la ville. Si vraiment les facteurs personnels avaient à voir avec la compétence, personne n'était plus qualifié qu'elle. MacKechnie n'avait plus confiance en elle, voilà tout, il la sentait au bord du gouffre. C'était moche, mais tout était moche dans le service, il fallait qu'elle en prenne son parti.

— Monsieur, c'est… raciste, lâcha-t-elle sans pouvoir retenir ce mot qu'elle regrettait déjà.

Ils restèrent un instant sans bouger, les yeux fixés sur la maison. Une pluie froide crépitait sur leurs têtes. Une goutte roula sur la joue de Morrow, tomba sur son menton puis sur le col de sa veste avant de s'étoiler sur son cœur comme une blessure par balle. Derrière eux, les voitures de police quittaient lentement la rue. Prenant conscience du poids qui l'oppressait, elle se rendit compte qu'elle oubliait de respirer.

MacKechnie ne se retourna pas vers elle. Lorsqu'il prit la parole, sa voix était à peine plus forte qu'un murmure.

— Ne me parlez plus jamais de la sorte.

Il s'éloigna brusquement pour aller rejoindre Bannerman.

Merde.

3

Conformément aux instructions, ils n'ouvrirent pas la bouche de tout le trajet : on la boucle en présence de l'otage. Ce silence n'était pourtant ni professionnel ni confortable. Pat était trop en colère pour parler, Eddy ne pensait qu'à réussir la deuxième étape de son plan, et Malki était trop défoncé pour pouvoir articuler un mot et conduire en même temps.

Malki se reprochait facilement de pourrir l'ambiance ; il vivait avec sa mère, et, se tenant pour responsable de l'atmosphère lourde qui régnait dans la fourgonnette, à cause de l'impact contre le mur, il s'appliquait à conduire avec une extrême prudence. Il s'engagea sur la bretelle de l'autoroute, respecta scrupuleusement les limitations de vitesse en ville, sortit à Cathedral pour sillonner un peu Sighthill afin de tromper les caméras de surveillance, puis fit demi-tour et reprit l'autoroute un peu plus loin. Impeccable.

Allongé par terre à l'arrière de la fourgonnette, le vieil homme gardait exactement la position dans laquelle il s'était retrouvé quand ils l'avaient jeté à l'intérieur, la tête fourrée dans une taie d'oreiller. Les jambes tendues, un bras le long du corps, l'autre main près de son visage, il ne bougeait pas. À côté de lui, les jerricans d'essence en plastique blanc glissaient lentement sur le plancher du véhicule.

Son immobilité était telle que Pat, qui commençait à s'inquiéter, se retournait sans arrêt pour le regarder. Et s'il s'était blessé à la tête quand ils l'avaient balancé à l'arrière ? Pat avait déjà vu un gars mourir devant un night-club, une fois. Le mec qui ne devait pas avoir plus de trente-cinq ans ne tenait pas sur ses jambes. Il avait trébuché sur le seuil et était tombé en arrière, comme un ivrogne de cinéma, il s'était étalé par terre, à l'écart du passage. Les gens qui sortaient de la boîte pensaient qu'il cuvait sa bière. Ils rigolaient.

L'ambulancier au regard triste qui avait remonté la fermeture Éclair du sac en plastique noir avait expliqué que le crâne n'était pas extensible. Une hémorragie cérébrale, c'est un peu ce qui arrive à un œuf mollet qu'on ferait tomber dans une chope de bière. Sauf que le sang ne trouvant nulle part où s'écouler, le cerveau se ratatine, aspiré dans le bulbe rachidien. C'est comme ça qu'on meurt.

Plongé dans ses pensées, Pat se revit à la porte du Zebra Wine. Des poivrots horribles et des mochetés faussement bronzées qui se trémoussaient en sandales sur le trottoir gelé. Toutes les femmes avaient les cheveux longs, cet hiver-là. Des extensions en acrylique aux allures de vilains postiches. Le Zebra, on le surnommait le 16-69, parce que vues de dos les femmes avaient l'air d'avoir seize ans alors que de face elles en paraissaient facile soixante-neuf.

Il avait peur que le vieil homme soit en train de mourir sous la taie d'oreiller. Il songea à la jeune fille qu'il avait blessée, à la maison agréable qui sentait bon le pain grillé. Il s'en voulait de ne pas avoir tenu tête à Eddy, de l'avoir suivi chez ces gens. Depuis des années Eddy lui servait de famille de substitution, mais Pat réalisait tout à coup que cette famille-là n'avait rien à envier à l'autre : un sale loser contre des pauvres cons.

Comme s'il lisait dans les pensées de Pat, Eddy secoua le vieil homme et lui demanda son nom. La taie d'oreiller se souleva légèrement et laissa échapper un son : Aamir. Pat comprit qu'Eddy avait eu peur, lui aussi, et cela lui parut bon signe. Si Eddy pouvait oublier de temps en temps sa défroque de soldat, peut-être parviendrait-il à lui faire entendre raison.

Agenouillé près de l'homme allongé à l'arrière, Eddy avait relevé sa cagoule sur son front, juste au-dessus des yeux. Il ne voulait pas regarder Pat.

Ils avaient atteint Harthill, au cœur de l'Écosse profonde, vaste désert de hautes terres hérissées d'antennes de réception et balayées douze mois sur douze par le vent. Quittant l'autoroute, Malki effectua un cercle parfait autour du rond-point avant de négocier le virage serré à l'entrée du champ et de rouler au pas jusqu'au pied d'une colline. Il se gara dans un bosquet d'arbres battus par les bourrasques, éteignit le moteur, tira sur le frein à main et soupira d'aise, avec un sourire à l'adresse de Pat.

Sans leur adresser la parole, Eddy se leva, ouvrit la portière et se glissa dehors. Il referma derrière lui.

Il sortit du bosquet et se risqua dans un grand champ boueux.

Le sol était gelé, les sillons de glaise couverts d'un voile de givre. La lune ronde et bleutée jetait sur la terre son éclat dur et froid. Les bras écartés pour garder l'équilibre, Eddy fixait des yeux le sol inégal. La lumière bleue était si vive qu'il distinguait chaque flocon de givre. Il suivit les traces de leurs pneus jusqu'à une trouée dans la haie. Là, il s'arrêta et observa les alentours. La jachère s'étendait jusqu'à l'horizon. Il percevait le grondement des voitures qui passaient au loin sur l'autoroute. Pas une maison en vue, pas une caravane habitée dans le champ. Pas âme qui vive. L'endroit parfait.

Se guidant toujours sur les traces de la fourgonnette, il marcha entre les sillons pendant deux cents mètres. Sa respiration formait un nuage de buée devant son visage. Si fatigué qu'il soit et bien qu'il ait lui-même garé la Lexus, il avait envie de la regarder un peu.

Il s'arrêta, leva les yeux vers la route qui longeait le champ. Il reconnut la ligne argentée du coffre, les feux arrière rouges. C'était une voiture de location. Lorsqu'il l'avait amenée jusqu'ici, en appuyant sur tous les boutons, en appréciant le siège baquet et le confort de la direction assistée, il s'était promis de s'en acheter une pareille dès qu'il aurait le fric. Le seul fait de la revoir le rendait plus serein, calmait le rythme endiablé de son cœur.

Malgré tout ce qui avait foiré, ils allaient peut-être réussir. Battant des cils pour refouler ses larmes, Eddy rebroussa chemin vers la fourgonnette.

4

C'est pour la punir que MacKechnie l'avait fait venir dans cette chambre plongée dans la pénombre où, assise sur une chaise inconfortable, elle devait interroger la belle-fille clouée au lit. Piètre témoin.

Morrow les entendait, tout à côté, derrière la porte donnant dans le couloir. Une joyeuse bande qui chuchotait, s'enquerait des détails, rassemblait de menues informations capitales qui donneraient du corps à l'histoire. Alors qu'elle, on l'avait enfermée là pour l'occuper tout en la mettant à l'écart.

Meeshra avait l'air négligé. Des frisottis noirs lui encadraient le visage et ses cheveux emmêlés s'aplatissaient en masse informe derrière la tête, à force d'être appuyés sur l'oreiller.

Il avait fallu fermer la porte de la chambre afin de ménager la pudeur de Meeshra qui menaçait le nouveau-né de ses tétons engorgés. Le bébé de deux semaines gigotait et se débattait, sa bouche gluante tétait furieusement la peau et les doigts de sa mère sans réussir à attraper le sein. Il était tellement plein, tellement lourd de lait, ce sein, que l'enfant ne pouvait pas refermer ses lèvres autour. Alex n'osait pas en faire la remarque. Cela lui paraissait inconvenant, trop intime. C'était à une professionnelle de santé de dire ça à la jeune femme, pas à elle.

— Ils agitaient leurs revolvers et ils criaient. Ils cherchaient un type appelé Rob. Robbie. C'est très écossais, ce prénom, pas vrai ?

L'accent écossais prenait le dessus sur l'accent du Lancaster, encore perceptible dans la voix de Meeshra. Elle s'était installée chez ses beaux-parents juste après son mariage, moins d'un an auparavant. Ils étaient heureux en famille, la jeune femme cilla, ils vivaient à leur aise, ils travaillaient dur, elle cilla à nouveau.

Debout derrière Alex, la policière qui prenait note des mensonges lui laissait tout loisir d'observer. Chacun, lorsqu'il ment, a un tic particulier, et le meilleur moyen de le découvrir consiste à l'interroger sur sa famille.

Meeshra ne mentait pas délibérément, de cela, Morrow était sûre. Bien plus que des mensonges, les mythes et les fables du bonheur familial sont une forme d'autoprotection, des habitudes de langage, des convictions trop profondément ancrées pour être remises en cause : elle m'aime, nous sommes heureux, il va changer. Mais il y avait toujours un tic. Le désir éperdu de dire la vérité, voilà ce qui sidérait le plus Alex. Pendant les interrogatoires, quand les incohérences commençaient à émailler leurs récits, les gens s'interrompaient souvent, tenaillés par l'envie d'être sincères. Comme si le pire qui puisse leur arriver était d'être pris en flagrant délit de mensonge. Elle avait vu des hommes s'enfoncer les ongles dans la paume jusqu'au sang pour soulager cette tentation d'avouer. C'était leur ton catégorique qui le plus souvent les trahissait. Plus jamais elle ne croirait ceux qui commençaient leurs phrases par « honnêtement » ou « en vérité ». Ces drapeaux hissés en tête des protestations d'innocence ne pouvaient qu'attirer l'attention de l'observateur distrait.

Les menteurs professionnels s'inventaient des excuses à l'avance et ils s'y tenaient, mais les souvenirs factices sont difficiles à manier ; il suffisait d'insister pour que ces fabulateurs précisent une couleur, un détail, et ils mettaient trop de temps à répondre. Ceux qui mentent avec aisance sont dangereux, car de deux choses l'une : ou bien ils ont de très mauvaises intentions, ou bien ils sont influençables.

Sa faculté à repérer le mensonge conduisait Morrow à voir le monde avec pessimisme. Le pire, c'est qu'elle lui interdisait de se mentir à elle-même. Il est dur de vivre en permanence sous une lumière impitoyable.

Elle enviait l'insistance avec laquelle Meeshra affirmait qu'ils vivaient heureux. Bien sûr, cela n'allait pas sans quelques tensions, mais sa belle-mère était vraiment une femme bien, un peu vieille école, mais bien. Elle savait faire tourner la maison, elle avait ses idées sur la disposition des meubles, sa façon à elle de faire la cuisine, mais bon. C'était normal, non ? Et ce bébé, un vrai cadeau du ciel – un fils, le premier petit-fils. Alex remarqua le battement de paupières et le nota mentalement. Nous serons heureux, dit Meeshra avant de s'interrompre, surprise d'avoir employé le futur.

Elle pressa de nouveau le bébé sur ses seins. La tête chauve roula vers l'arrière et l'enfant lâcha un petit cri aigu. Frustrée, Meeshra pressa le bout de son sein entre ses doigts. Le lait jaillit en un jet puissant qui humecta le drap. Confuse, les larmes aux yeux, la jeune mère jura dans une langue inconnue d'Alex.

— Essayez à nouveau, maintenant que vous l'avez un peu vidé, lui conseilla cette dernière.

Hésitante, Meeshra approcha le bébé du sein un peu moins gonflé.

— Le nez sur le téton, précisa Alex. Il trouvera tout seul.

Meeshra approcha son sein brun du nez du bébé, sur lequel perlait une goutte de lait. Il cambra le dos et s'empara du téton qu'il se mit à téter goulûment. Il y mettait tant d'ardeur que sa mère laissa échapper un soupir étonné, tandis que ses épaules se détendaient enfin et que la tension de ses seins diminuait. Elle se tourna vers Alex avec reconnaissance.

— Vous vous y connaissez, je vois.

Alex se fabriqua un sourire complice.

— Pouvez-vous me dire ce dont vous vous rappelez des événements de ce soir ? Depuis le début.

Bien que déroutée par ce changement brutal de sujet, Meeshra avait envie de lui faire plaisir.

— Euh… J'étais au lit avec le bébé. Billal était assis à côté de moi, là où vous êtes, il m'aidait. (Les paupières se mirent à cligner furieusement.) En fait, nous nous disputions, minauda-t-elle, un peu gênée. À propos des tétées, entre autres. Nous avons entendu des cris dans le couloir. On s'est dit qu'Omar avait dû rentrer.

— L'arrivée d'Omar déclenche des cris, d'habitude ?

Meeshra roula des yeux.

— Oh, c'est que son père et lui ne s'entendent pas toujours très bien et parfois le ton monte, le vieux lui reproche de ne pas l'écouter.

— À quel sujet se disputent-ils ?

— Je ne sais pas, demandez-lui. (Elle haussa les épaules, hésitant à trahir sa nouvelle famille.) De toute façon, on n'écoutait pas vraiment.

— Vous parliez avec Billal ?

— Oui, des tétées. Donc, on entend des cris, et tout d'un coup on réalise, enfin, Billal me dit que ce n'est pas la voix d'Omar.

— Vous pourriez décrire cette voix ?

— Écossaise. Typiquement écossaise. *Rrrob*, singea-t-elle en roulant les *r*. Où est *Rrrrobbie* ?

Elle s'arrêta, ce que Morrow trouva intéressant.

— Et ensuite ?

— Billal est allé voir ce qui se passait parce que ça criait toujours et qu'on savait que ce n'était pas Omar. Il a refermé derrière lui, à cause de moi. (Elle contempla le bébé couché contre elle.) Ma belle-mère a voulu que le lit soit ici, juste en face de la porte. Moi, j'aurais mieux aimé le mettre là-bas, dit-elle en désignant un coin de la chambre. Peu importe. J'ai entendu Billal parler, il a dit quelque chose comme « non, mec ». Et tout d'un coup, vlan, la porte s'ouvre, et moi, avec ma chemise de nuit ouverte et mon bébé…

Elle rougit à ce souvenir et caressa la tête de l'enfant du bout des doigts.

— Qu'avez-vous vu ?

— Un homme assez petit. Enfin, pas minus, mais moins grand que Billal qui mesure un mètre quatre-vingt-douze et qui est bien bâti.

— Il lui arrivait où ?

— Le haut de sa tête était au niveau du menton de Billal, un tout petit peu plus haut.

— Et donc, il mesurait…

— Un mètre soixante-dix, soixante-quinze, quelque chose comme ça.

— Sa carrure ?

— Je ne sais pas… Assez large d'épaules, plutôt gros. Ses épaules… vous voyez les gens qui n'ont pas vraiment de cou, avec les épaules qui remontent vers les oreilles ?

— Comme un haltérophile ?

— Exactement. Un haltérophile. Mais avec du bide.

— Vous n'avez pas vu son visage ?

— Il portait un bonnet en laine, avec juste des trous pour les yeux.

— Une cagoule ?

— Oui. Il m'a dit « dehors », quelque chose dans ce genre, et moi j'ai répondu « je ne peux pas, je viens juste d'accoucher ». Vous, vous le savez, n'est-ce pas, qu'il vaut mieux ne pas se lever ?

Alex ne savait rien de tel. Elle se rappelait aussi avoir été jalouse de toutes ces femmes qui se comportaient comme si avoir un enfant était une maladie grave et qui demandaient à leurs visiteurs de leur attraper ceci, cela, mais qui bondissaient miraculeusement hors de leur lit dès la fin des visites.

— Bref, il me gueule de me lever, je refuse, et là Billal arrive et il lui dit : « Allez viens mon vieux, ça suffit », et à ce moment-là le mec armé lance à son copain, vraiment sur un ton de chef, très en colère : « Lève ton flingue, Pat. »

— Pat ?

— Oui, c'est ça, Pat. Et ils se sont tous les deux transformés en statues, comme s'ils se rendaient compte qu'il venait de sortir une connerie.

Alex avait remarqué l'accent de Billal, lorsqu'elle avait traversé le couloir. Sauf erreur, il devait avoir fait ses études à Saint-Al, l'école catholique privée du centre-ville, un établissement secondaire chic et cher. Il possédait cette assurance particulière acquise dans les collèges privés et prononçait les *r* de façon particulière. Meeshra était vulgaire, son discours était émaillé de gros mots, elle malmenait la grammaire et décrivait la scène comme si elle racontait une bagarre à une copine de classe.

— Comment avez-vous rencontré Billal ?

— Je suis venue avec ma famille.

— Pour vivre à Glasgow ?

— Non, non, tout était prévu. C'est un mariage arrangé. On ne s'est vus que quatre fois avant de se marier.

— Ah !

Sur la défensive, Meeshra se tourna vers le bébé.

— Vous ne comprenez pas. Vous pensez que c'est un mariage forcé et que…

Alex l'interrompit.

— Pas du tout. (Meeshra releva la tête vers elle.) Je suis tout à fait pour. Surtout si vous vous installez chez vos beaux-parents. Vous n'avez pas seulement choisi un mari, si ?

Alex y avait souvent pensé, en se demandant qui sa mère aurait choisi pour elle, et combien sa vie aurait été différente. Selon elle, les mariages forcés avaient ça de bon qu'ils vous enlevaient le droit d'opter pour un avenir incertain.

— Exactement, sourit Meeshra.

— Vous choisissez toute la famille. Il faut quand même être sûre qu'en gros vous allez bien vous entendre avec elle.

Elle hocha la tête.

— C'est ça. C'est tout à fait ça.

Puis elle fronça les sourcils en se demandant si Alex ne se moquait pas d'elle. Elle sembla penser qu'Alex était sincère et lui sourit doucement, presque avec gratitude.

Alex battit des paupières et reprit l'interrogatoire.

— Revenons au moment où l'homme armé a prononcé ce nom, « Pat », et où ils se sont figés tous les deux. Ensuite ?

— Ah, oui. Il a dit « Pat », et ils n'ont plus bougé ni l'un ni l'autre. Jusqu'à ce que tout à coup ma belle-mère déboule et demande ce qui se passait. Le gros s'est précipité dans le couloir – je le vois encore filer devant la porte (elle désigna du doigt l'arrière de la maison) – et il est revenu avec ma belle-mère et Dada. Après, il ne s'est rien passé pendant un petit moment. Et puis Pat a blessé Aleesha à la main.

— Brusquement, comme ça ?

— Oui.

— Pas de menaces, pas de revendications ?

— Non.

— Vous l'avez vu tirer ?

— Non. J'ai entendu le bruit, *woomp*, j'ai vu un éclair, et tout de suite après Aleesha a crié : « Bordel, tu m'as niqué la main ! »

— Comment savez-vous que c'est Pat qui a tiré ?

— Parce que l'autre était là, devant la porte.

— Vous avez entendu le coup de feu ?

— Oui. Et je revois l'éclair, un éclair blanc comme un flash. Tout le monde s'est tourné vers là-bas, j'ai vu du sang sur le mur et sur le moment j'ai pensé qu'Aleesha était morte, mais elle s'est mise à hurler : « Bordel, tu m'as niqué la main ! »

Meeshra ne semblait pas désolée de ce qui était arrivé à Aleesha. Elle avait plutôt l'air un peu réjouie.

— Elle a vraiment dit ça ?

— Vous savez, Aleesha… (Meeshra détourna les yeux avec un petit rire sans joie.) Ce n'est jamais qu'une gamine.

Opinion reçue, répétition de commentaires entendus. Meeshra elle-même n'était pas si loin de l'adolescence.

— Vous étiez comme elle à son âge ?

— Mon père m'aurait battue.

À nouveau ce petit rire qui sonnait creux.

— Aamir n'est pas comme votre père ?

Elle secoua la tête.

— Même s'il était pareil, à mon avis ça ne changerait pas grand-chose. Les jeans, les tee-shirts, le vernis à ongles… Elle ne respecte aucune de nos coutumes religieuses.

— Une rebelle, alors ?

— Non. Une mule.

Sa colère rentrée ne semblait pas réellement dirigée contre Aleesha. Au fond, Meeshra ne se sentait pas vraiment concernée, mais elle faisait partie de la famille et à ce titre elle devait elle aussi participer à la campagne contre la jeune fille.

— Elle ne porte plus les vêtements traditionnels ?

Meeshra eut l'air gênée.

— Elle ne l'a jamais fait. Oh, j'en sais rien. Je veux dire… j'en sais rien.

— Elle ne l'a jamais fait ?

— Non. Je ne sais pas.

Elle se refusait à regarder Morrow.

— La famille s'est convertie récemment ?

— Non, c'est juste qu'ils n'ont pas toujours été comme ça, vous comprenez, aussi croyants.

— Ah, je vois. Ils pratiquent plus depuis quelque temps ?

— Oui, c'est ça.

Morrow n'insista pas.

— Que s'est-il passé après le coup de feu ?

— Euh, eh bien… Mo et Omar sont arrivés.

— Au moment du coup de feu ?

— Oui. Je les ai entendus passer, fit-elle en désignant la fenêtre près de son lit. Ils couraient. (Du bout du doigt, elle effleura le mur blanc, retraçant leur passage.) Et ils ont foncé dans le couloir. Le gros – pas Pat, l'autre – s'est mis à crier : « Tu es Robbie, non ? C'est toi Robbie », et puis il a attrapé Dada et ils sont partis. Mais comme je suis tout le temps restée dans mon lit, je n'ai pas tout vu.

La tête du bébé assoupi bascula sur le cou minuscule. Meeshra se pencha sur lui. Elle était plus calme, à présent, et soutenait d'une prise sûre la petite tête parfaitement ronde.

— Si je comprends bien, reprit Morrow, Omar et Mo attendaient dehors dans la voiture ?

— Vous croyez ? demanda Meeshra étonnée.

— Ce serait un hasard extraordinaire qu'ils soient arrivés à cet instant précis.

— J'en sais rien.

— Le gros a dit quelque chose en partant ?

— Deux millions de livres en espèces, demain soir. Il n'a pas vu la maison ou quoi ? Deux millions ? Il est dingue !

— Autre chose ?

— Il fallait pas qu'on appelle la police, c'était une vengeance pour l'Afghanistan. Un malade mental, ce mec. (Elle désigna le couloir du menton.) Ils viennent d'Ouganda et moi de Lancaster. Vous n'imaginez pas tout ce qu'on subit maintenant à cause de ces enfoirés d'Arabes.

— Vous pensez que c'était ça ? Une histoire de fanatisme ?

— Qu'est-ce que ça peut être d'autre ? Pour moi, c'est aussi malin que de kidnapper un Africain à cause du commerce des esclaves.

Alex analysa la comparaison un moment avant d'arriver à la conclusion que ce n'était pas vraiment la même chose.

— D'accord, dit-elle en se levant. Merci beaucoup pour votre aide, Meeshra. J'aurai sûrement besoin de revenir discuter avec vous plus tard, mais nous allons vous laisser vous reposer, le bébé et vous.

Meeshra se laissa aller sur les oreillers, contente d'elle.

— Robbie, il a dit, *Rrrrobbie*. Un super accent écossais.

C'était le mot de la fin, un au revoir qui n'attendait pas de réponse. Alex ne résista pas à l'envie de montrer son jeu.

— Vraiment ? s'enquit-elle d'un ton mordant.

Déconcertée par le tranchant de sa voix, Meeshra cligna des yeux.

5

Un courant d'air froid sur sa nuque avertit Pat qu'Eddy avait ouvert les portes arrière de la fourgonnette.

— Aide-moi, ordonna brusquement Eddy qui soulevait déjà le vieil homme par les pieds et commençait à tirer.

Pat descendit et fit le tour du véhicule.

Le vieux tremblait dans son pyjama en reculant à quatre pattes avec des mouvements maladroits, car Eddy qui le tenait par la cheville dirigeait son pied vers le sol.

La semelle souple de ses pantoufles ne l'aidait pas à se tenir droit sur le sol inégal. Pat le vit vaciller. Il examina la taie d'oreiller à l'endroit où devait se trouver le visage, chercha en vain des signes d'humanité. La taie avait beau être de taille standard, elle recouvrait le petit homme jusqu'à la ceinture.

Lorsqu'il eut trouvé son équilibre, il resta parfaitement immobile jusqu'à ce que Pat et Eddy l'attrapent fermement par les coudes pour le guider sur le sentier. Il n'essaya pas de résister ou de s'enfuir. Il acceptait ce qui lui arrivait comme si personne ne pouvait rien changer à la situation, comme si aucun d'entre eux n'en était responsable. Il trébucha et se tordit la cheville. Le couinement qu'il laissa échapper ressemblait à celui d'un mulot qu'on écrase.

La joue de Pat le cuisait sous le regard insistant qu'Eddy lui jetait par-dessus l'otage. Il ne voulait pas céder, néanmoins, il ne voulait pas lui faciliter les choses et gardait les yeux fixés droit devant lui. Cette résistance qu'il opposait à Eddy lui coûtait tant qu'il se mit à transpirer.

À la lisière du champ, Eddy plongea la main dans sa poche et commanda l'ouverture électronique de la voiture. Les feux de la Lexus clignotèrent à deux reprises. Ils s'approchèrent, encadrant toujours la taie d'oreiller ambulante, ouvrirent une portière arrière et poussèrent sans ménagement le vieux sur le siège. Eddy referma la portière et fourra à nouveau la main dans sa poche. Les feux s'allumèrent et s'éteignirent avec un bip sourd. Ils étaient seuls.

Pat et Eddy se tenaient à un pas l'un de l'autre, si proches que la buée de leurs haleines ne formait qu'un seul nuage blanc, mais ils n'échangeaient pas un regard. Une habitude qu'ils avaient prise au fil de nuits glaciales passées pour partie sur le seuil de petites boîtes minables.

— OK, dit Eddy. Ça n'allait pas…

Il se tut, incapable de trouver une expression neutre.

Pat inspira profondément comme s'il allait s'expliquer, mais les mots lui manquaient.

Eddy examina son arme et reprit posément :

— Si tu n'avais pas tiré sur la fille…

— Si je n'avais pas tiré sur la fille ? Tu es malade ou quoi ?

— Tu as appuyé sur la détente.

— Toi, tu as hurlé « Bob » dès qu'on a déboulé là-dedans et puis tu as beuglé mon foutu nom. Et c'était quoi, cette connerie sur l'Afghanistan ?

— Rien. Juste pour… pour brouiller les pistes… Un truc qui se dit…

— Un truc qui se dit quand on joue au paintball. T'as pas chopé le bon client. Ce n'est pas lui qu'on cherchait. Lui, c'est un vieil Indien. Il a dans les soixante balais, peut-être même soixante-dix.

Ils se tournèrent vers la voiture. La taie d'oreiller se tenait bien droite au milieu du siège. Les mains tranquillement posées sur les genoux, la forme énigmatique attendait la suite.

Une violente grimace tordit soudain les traits d'Eddy. Pat recula d'un bond, affolé à l'idée qu'il soit blessé ou, pire, qu'il se mette à pleurer, mais Eddy éclata bruyamment d'un rire nerveux. Surpris, Pat l'imita.

Le vent qui s'était mis à souffler sur le champ charriait des odeurs de vieux fumier pourri. Ça leur parut tordant, tout à coup, de se retrouver dans ce coin paumé, avec Malki complètement à l'ouest et Eddy tellement à cran qu'il avait appelé Pat par son nom. Sous la taie, le vieil homme tendait l'oreille. Une série de sons saccadés qui s'arrêtaient, qui reprenaient. Ça avait l'air drôle. Pat et Eddy riaient aux éclats, tombaient dans les bras l'un de l'autre, se marraient comme des gamins devant une blague cochonne.

Eddy fut le premier à se ressaisir. Il se pinça le nez, l'air rayonnant.

— Bordel de merde ! Non, franchement ! On n'a qu'à lui tirer une balle dans la tête et le laisser là, qu'est-ce que tu en penses ?

Le sourire de Pat s'effaça.

— Près de la fourgonnette, d'ac ? suggéra Eddy, toujours aussi radieux. On se barre et on le laisse sur place.

— Euh, non. (Pat s'était remis à transpirer. Il avait vraiment peur maintenant.) Non, ne… fais pas ça.

— Écoute ! Plus on passe de temps avec lui, plus on a de chances de se faire pincer.

— Ouais, concéda Pat qui s'efforçait de parler calmement. Mais le vieux fera peut-être aussi bien l'affaire que Bob. Peut-être mieux, même.

— Comment ça ? ricana Eddy.

— Eh bien, Bob paiera la rançon pour le revoir. Je veux dire, si on avait chopé Bob, comment il serait allé chercher le fric ? Il aurait bien fallu qu'on l'amène, et s'il l'a dans un coffre, ou un truc comme ça, on aurait pu se faire prendre en y allant, tu vois ?

Eddy fronçait les sourcils. Il ne comprenait pas tout.

— Réfléchis ! Là, Bob peut aller chercher le fric et nous l'apporter sans qu'on se déplace, pas vrai ? Si on reste avec le vieux, on risque moins de se faire pincer.

— Ouais, ça se tient…

— Ouais ? Pas la peine de buter le vieux, alors ?

— Non.

Eddy regarda au loin. Il ne souriait plus.

— Mais il faudrait quand même que tu te fasses la main… que tu descendes quelqu'un.

Pat ne savait que répondre à ça.

— Euh… Si on y allait, maintenant ? Viens, on va appeler le patron.

— C'est pas le patron, corrigea Eddy, maussade. *Je* suis le patron. Avec lui on a signé un contrat. C'est plus de la sous-traitance que des rapports patron-employé.

— OK, approuva Pat prudemment. Mais il vaudrait sans doute mieux ne pas laisser Malki trop longtemps seul...

— Vas-y. (Eddy tapotait le canon de son arme du bout des doigts.) Moi, je... J'attends là pour le surveiller.

— Bon, d'accord. (Pat restait planté sur place.) Tu restes ici, alors ?

— Je le surveille, affirma Eddy avec un petit sourire. Qu'est- ce qu'il y a ?

— Rien, juste... (Pat s'éclaircit la gorge.) Juste... Je vais voir Malki.

— Oui. Vérifie qu'il fait pas de conneries.

Aamir les entendait parler derrière la vitre. La lumière blafarde de la lune traversait la taie d'oreiller, une taie dont il ne reconnaissait pas l'odeur. Tout petit, immobile, il les écouta rire ensemble après que l'un d'eux eut déclaré vouloir le tuer. Puis l'un de ses ravisseurs s'éloigna, il ne savait pas lequel.

Une main caressait la poignée extérieure. L'estomac d'Aamir se contracta. La portière ne s'ouvrit pas, la main quitta la poignée, mais Aamir sentit soudain comme le souvenir d'une migraine. Il sentit la chaleur envahir la voiture, il vit la poussière rouge s'élever au-dessus de la route.

Le passé se fondit dans le présent.

La chaleur de la route de Kampala engloutit Aamir.

Un taxi, avec sa mère. Ils auraient dû quitter le pays plus tôt, mais c'était une femme optimiste. Ils étaient montés à l'arrière, en route pour l'aéroport. Elle avait peur, elle cherchait sa main à tâtons sur le siège en plastique brûlant. Il s'était soustrait à l'étreinte pour ne pas admettre qu'il avait peur, lui aussi.

Une secousse, un corps au milieu de la route. Personne ne se sentait assez en sécurité pour s'arrêter près du pauvre amas de peau et d'os à la chemise en lambeaux, écrasé par le passage des voitures et des camions.

Dans ses narines, l'odeur de l'huile de jasmin que sa mère, morte depuis bien longtemps, se passait dans les cheveux. Il n'avait pas voulu qu'elle lui prenne la main, mais alors il avait vu de quoi elle avait peur. Un peu plus loin devant eux, nouveau barrage. Le contenu brillamment coloré des valises éventrées jonchait la route de terre rouge. Les soldats avaient l'air complètement fous, leurs vestes militaires n'étaient pas boutonnées, les fusils pendaient en bandoulière sur leurs épaules. Une tribu hostile. Sa mère émit un son qu'il n'avait encore jamais entendu, un cri aigu échappé de sa gorge, tel un soupir longtemps retenu loin du monde.

Ramené dans la bulle du passé, à l'instant où les freins du taxi s'étaient mis à hurler, Aamir comprenait qu'il aurait dû prendre la main de sa mère et la réconforter, parce qu'il savait à présent ce qu'était ce cri et quelle terreur elle éprouvait. Il n'avait pas beaucoup pensé à elle ces dernières années, depuis qu'elle avait succombé à une crise cardiaque à l'hôpital de Glasgow, dix ans auparavant. Mais alors qu'il lui murmurait des paroles de réconfort, sous la taie d'oreiller, qu'il lui disait de ne pas s'inquiéter, que tout allait s'arranger, sa voix s'étrangla sous le nœud de panique qui bloquait sa gorge.

La main frôla à nouveau la portière. La chaleur et les odeurs avaient disparu. Sa mère s'en était allée dans son sari jaune sur lequel s'épanouissait une fleur de sang chaud et humide.

Aamir était tout seul dans le noir au cœur de la maudite Écosse.

6

Alex Morrow s'arrêta au seuil de la chambre et tira la porte derrière elle, attentive au léger clic du pêne dans la gâche. Tout habillés de blanc, les experts de l'identité judiciaire se déplaçaient tels des fantômes entre le couloir et le salon. Ils travaillaient dans un silence au calme étudié, en rassemblant des pièces à conviction et en prenant des mesures. Leurs masques leur conféraient un anonymat élégant.

Du sang maculait le mur en face de la chambre. Un homme de taille moyenne fouillait les trous dans le plâtre avec des pinces, un autre recueillait des fibres sur la moquette. Ils étaient tous deux agenouillés sur des tabourets bas qui faisaient partie de leur attirail.

Morrow traversa le couloir et se dirigea avec précaution vers l'entrée, en partie masquée par la policière qui avait pris l'interrogatoire en note. Dehors, l'obscurité s'était épaissie, le froid se faisait plus piquant. Côte à côte, elles descendirent l'allée jusqu'au portail, le visage baissé pour se protéger du vent glacial, puis

Morrow prit les devants pour aller rejoindre les témoins qui se tenaient derrière le ruban.

Les voisins étaient rentrés chez eux et seuls deux des trois jeunes Asiatiques attendaient encore dans la nuit ; les deux plus jeunes, les deux plus maigres.

Ils fumaient en silence avec cet air absent des gens qui patientent dans une file d'attente, les yeux fuyants, sous le choc. Le poids invisible de la culpabilité.

Surprise, Alex douta de son jugement, mais sa première impression était souvent la bonne. Les têtes basses, les épaules tombantes, les yeux qui papillonnaient au sol, à elle seule leur posture était révélatrice. Ils n'étaient pas seulement sortis prendre l'air nocturne ; ce qui leur arrivait était plus profond, ils prenaient conscience du bouleversement de leur univers. On en voyait tout le temps, à la Criminelle, des vies chamboulées par des événements violents, des personnes réduites au statut de victimes dans un monde transformé : j'étais mariée et je suis veuve ; j'étais un enfant, me voilà orphelin. Je me retrouve sans enfants. Les jeunes s'en sortaient mieux, leur identité n'était pas encore définitivement fixée, mais à bien observer ces garçons aux prises avec une lutte intérieure, elle devinait qu'il y avait là plus que le dilemme coup de bol/pas de bol. Le changement survenu dans leur vision du monde était plus fondamental.

Elle s'arrêta pour mieux les regarder : ces garçons avaient l'air correct, ils vivaient sans doute dans des foyers stables, tendance centriste. Pas de voiture de luxe ni de vêtements voyants, des cheveux courts, des dents droites, des gosses bien nourris. Et pourtant, ils se tenaient là comme s'ils venaient de commettre une énorme bêtise. Elle brûlait du désir de savoir.

Se tournant vers la policière qui lui avait emboîté le pas, elle lui demanda ce qu'elle pensait de Meeshra mais sans écouter la réponse, toute à son examen des deux garçons. Ils n'étaient pas frères, mais ils se ressemblaient. De bons copains, sûrement, des amis intimes qui partageaient les mêmes valeurs. Ils fumaient. Celui qui devait être issu de la famille qu'elle venait de quitter portait des Nike. L'autre avait le même âge, les mêmes vêtements, à peine plus traditionnels. Le fils tenait sa cigarette entre le pouce et l'index, pour la protéger du vent à la façon des ouvriers. Sa posture n'avait cependant rien d'empruntée ; il aurait pu appartenir à la classe ouvrière, sauf que ce n'était pas le cas.

Elle l'observa porter la cigarette à ses lèvres, tirer une bouffée et gonfler la poitrine pour retenir sa respiration. Souffler. D'une manière bien particulière. L'islam interdisait probablement l'usage du tabac. Fumer n'était pas aussi grave que boire de l'alcool ou manger un sandwich au jambon, mais l'islam n'encourage pas les croyants à goûter aux substances qui modifient l'humeur. Leurs barbes et leurs tuniques droites la faisaient sourire intérieurement. Derrière ces signes religieux ostensibles, c'étaient bien des petits gars de Glasgow.

Elle attrapa son portable et, tout en feignant de chercher un numéro, prit une photo de chacun des garçons par-dessus l'épaule de la femme flic.

— Vous pouvez rentrer seule au commissariat ?

— Oui madame.

— Merci beaucoup, lâcha-t-elle machinalement. (Ce n'était pas ce qu'elle voulait dire, la femme en uniforme lui jeta un regard embarrassé.) Pour les notes.

Morrow désigna la maison du pouce, mais elle n'avait pas vu ces fichues notes. Elles étaient peut-être nulles, après tout.

— Il n'y a pas de quoi.

L'air toujours aussi dubitatif, la policière tourna les talons et s'éloigna.

Morrow se sentit soudain stupide. Elle regarda autour d'elle. Bannerman et MacKechnie traînaient sans doute quelque part dans le coin, ils devaient être en train de planifier l'avenir doré de Bannerman.

Et elle, sur le terrain, elle s'employait à ajuster les faits avec ses impressions pour composer son petit tableau, donner un sens à cette nuit déchirée, tel Dieu qui créait l'ordre à partir du chaos. Elle aimait cette étape de son travail, mais ce soir l'horreur qui avait pris possession de la maison lui pesait de manière compulsive.

L'air froid augurait un hiver rude. Alex resserra sa veste autour d'elle. Dès que Bannerman saurait que les garçons étaient mêlés à cette histoire, elle ne pourrait plus les approcher. Aussi consciente du danger qu'une gazelle dans la savane découverte, elle s'approcha d'eux d'un pas décidé.

7

Pat rebroussa chemin le long du champ, assourdi par le bruit de forge de sa respiration. Sa peau moite suintait la peur, une fine pellicule de sueur grasse lui couvrait le visage. Il leur était déjà arrivé de se battre avec d'autres gars, ils avaient parfois cogné des bonnes femmes, mais toujours pour une bonne raison, jamais pour le simple plaisir de tirer un coup de feu. Le vent qui sentait le fumier lui glaçait la peau. L'éclat bleu électrique de la lune éclairait les mottes de terre gelée qui crissaient sous ses pas. Arrivé au bout du sentier, il avança dans le champ et se retourna vers la Lexus.

Eddy lui tournait le dos, la tête baissée vers son arme. Pat se mit à courir en trébuchant lourdement sur le sol inégal pour le fuir.

C'est l'âge qui les avait amenés là. L'âge et la cocaïne.

Sept ans au moins qu'ils ne se quittaient pas d'une semelle, tous les deux. Ils donnaient volontiers un coup de main, ils étaient connus pour ça et pour faire du bon boulot. Jusqu'à ce que la bourgeoise d'Eddy fiche le camp. C'est à partir de là qu'il avait commencé à chercher la bagarre, à ne plus vouloir bosser, à prendre des cuites. Sûr qu'il avait bu, ce soir-là, se disait Pat.

La cocaïne avait sûrement été coupée avec un truc pas net. Le gamin était squelettique, trop jeune, vraiment, pour fréquenter ce bar. Un petit voleur à la tire. Des pupilles comme des têtes d'épingle. Dehors, quand il avait trébuché avant de se cogner contre Eddy, il s'était recroquevillé sur lui-même et sa bouche rivalisait de vitesse avec le flux de mots qui lui dégoulinait sur le menton – enfoiré bordel de merde vieux con gros con d'enfoiré.

Après, Eddy avait raconté que ça l'avait déstabilisé, le môme avait eu du pot, c'était une chienne de nuit. Il y avait du vrai, là-dedans. Par une autre nuit, dans des conditions différentes… le premier coup de poing du gamin n'aurait sans doute pas atteint son but. Le gamin ne s'était pas approché de Pat, c'est Eddy qu'il visait. Eddy qui n'avait plus rien que sa violence. Il l'avait frappé au visage.

Pat ne s'était pas défilé quand la femme d'Eddy était partie, il était resté quand ils s'étaient fait virer pour s'être engueulés avec les patrons. La séparation laissait une plaie béante en Eddy. Il ne comprenait pas ce qui n'allait pas. Une gonzesse, il lui fallait une gonzesse. Il répétait ça tout le temps. Pat lui en avait trouvé une, mais pas assez bien. Il l'avait giflée, le frère s'était ramené et ça avait mal fini. Un boulot, alors ? Pat en avait dégotté un cool, mais Eddy trouvait le salaire merdique et en plus ils n'avaient pas le droit de boire. Maintenant, il lui fallait du fric. Ah, si seulement il avait du fric. Un gros coup. Pat commençait à se méfier de lui, il ne voulait plus rien demander à ses contacts. Alors Eddy s'était débrouillé, il avait monté le coup, trouvé des armes, la fourgonnette, la planque. Et sa bête noire, à présent, c'était un vieil homme qui sentait le pain grillé et qui n'avait pas encore de trou dans le crâne.

Tout en marchant le long du champ gelé, Pat réalisa que ce serait bientôt lui, la bête noire d'Eddy.

Devant lui, au milieu des arbres, une lueur orangée scintillait en signe de bienvenue. Malki fumait une clope sans s'en faire, près de deux gros bidons de plastique blanc pleins d'essence.

Pat se précipita et lui arracha la clope de la bouche. Il piétina rageusement les étincelles rouges qui s'éparpillaient sur le sol.

Malki avait apprécié sa cigarette. Il regarda tristement le mégot écrasé.

— Hé, mec, pas de panique, grogna-t-il. J'avais pas ouvert les bidons !

Pat le saisit par la capuche de son blouson et le secoua.

— Tu vas te calmer, putain Malki. Tu vas te calmer !

Des postillons atterrirent sur le front de Malki. C'était tellement évident qu'aucun des deux ne releva : médicalement, chimiquement, techniquement, Malki était on ne peut plus calme. Malgré le froid mordant de la nuit, bien qu'il ait fumé à proximité de deux jerricans pleins d'essence et qu'un type deux fois plus costaud que lui soit en train de le secouer, Malki était si calme que son organisme était physiologiquement incapable de sécréter assez d'adrénaline pour l'émouvoir un peu.

La sueur coulait sur le front de Pat. Malki la regarda disparaître entre les sourcils.

— Juste une question, Pat. Vous avez pris des stéroïdes ou un truc du genre, tous les deux ?

Pat relâcha son minuscule cousin qui vacilla sur ses jambes.

— Malki…

— Vous êtes vachement nerveux.

— La ferme, Malki.

L'air indigné, Malki releva le bord de sa capuche. Invisible, la minuscule boulette de papier d'alu s'en échappa gracieusement, rebondit sur l'herbe et disparut dans les brindilles.

— T'avais pas besoin d'être aussi brutal, mec, murmura Malki.

Maussades, ils attrapèrent chacun un bidon et le débouchèrent. Malki était responsable de la suite des opérations : il brûlait des voitures depuis qu'il avait douze ans. Il connaissait la marche à suivre. Rien de plus facile que de commettre une erreur.

Pendant que Pat arrosait les sièges d'essence, Malki ouvrit le réservoir et y introduisit un tuyau pour le siphonner. Pas question que la fourgonnette explose, qu'une boule de feu attire l'attention. Il fallait opérer avec minutie pour faire du boulot propre. Plus la police tarderait à retrouver le véhicule, plus ils auraient de temps pour brouiller leur piste.

Pat avait terminé. Les vapeurs d'essence qu'il avait inhalées lui donnaient le vertige. L'esprit accaparé par ce qui se passait du côté de la Lexus, il tendait l'oreille pour saisir le *pop* étouffé du tir.

Il contourna la fourgonnette pour aller retrouver Malki, qui soufflait dans le réservoir.

— Je dissipe les vapeurs d'essence, mec, expliqua ce dernier en reprenant sa respiration.

Il souriait tout en soufflant, les yeux écarquillés, excité.

Pat le regardait. Malki sortait d'une famille de troudrucs, mais c'était un bon petit gars. Joyeux, il gonflait les joues comme un trompettiste. Pat n'en revenait pas que des gens aussi minables aient pu fabriquer un mec aussi sympa et bourré de qualités.

— Eddy a un peu perdu les pédales, expliqua-t-il calmement.

Malki haussa les sourcils.

Pat frappa le sol du pied et détourna les yeux. Il se sentait déloyal.

— Sa femme…, lâcha-t-il pour excuser son ami.

Malki ôta le tuyau de sa bouche et le sortit soigneusement du réservoir.

— Trois beaux petits gosses. Elle est bien mieux sans lui. Elle a eu raison de se tirer à Manchester.

Pat en convenait difficilement, mais Malki n'avait pas tort.

Il déroula le tuyau sur le sol en direction du bosquet sombre puis, d'un geste, indiqua à Pat de glisser les bidons sous la carrosserie. Alors il recula, en guidant Pat et en vérifiant que le sol sur lequel ils marchaient n'était pas maculé d'essence.

Malki ne prenait aucun risque. Il entraîna Pat à bonne distance, avant de revenir sur ses pas et de s'accroupir près de l'extrémité du tuyau. Il dut s'y reprendre à deux fois pour allumer son briquet. Il l'approcha du bout cylindrique et recula précipitamment pour rejoindre Pat.

Une lueur rouge courut le long du tuyau. Très vite les flammes s'élancèrent, léchant l'air, elles s'engouffrèrent dans le réservoir avec un bruit mat, *huump*, et une langue de feu sortit du réservoir, jaillit sur l'herbe, incendia chaque goutte d'essence. L'intérieur de la fourgonnette brûlait, la vitre arrière rayonnait. Le feu bondit sur les sièges, une vague de chaleur et de fumée les frappa au visage. Pat blêmit, mais Malki ne sourcilla même pas. Il avait la bouche entrouverte, ses petites dents blanches luisaient dans l'obscurité.

— Allons, dit Pat, désireux de s'en aller.

Il se hâta de sortir du couvert des arbres et reprit la direction de la Lexus. On aurait dû apercevoir la tête d'Eddy par-dessus la maigre haie qui délimitait le champ. Pat accéléra, les yeux fixés sur l'endroit où Eddy devait se trouver. Il l'imaginait penché sur le corps du vieil homme, en train de le faire rouler dans le fossé. Malki, qui trottinait à sa suite, faillit lui rentrer dedans lorsque Pat s'arrêta brusquement à la lisière du champ.

Eddy avait fichu le camp.

Pat courut jusqu'à la voiture, regarda par-delà le toit, en direction du fossé, mais Eddy avait fichu le camp.

— Bordel, où… ?

Un pas en retrait, Malki le dévisageait avec inquiétude. D'un geste hésitant, il montra la voiture, le siège du conducteur. Eddy était assis dedans.

— Oh ! souffla Pat.

— … putain de belle bagnole, marmotta Malki en hochant la tête.

Le clair de lune dessinait durement son visage. On lui aurait donné quarante ans, alors qu'il en avait à peine vingt-trois. Et il regardait Pat avec un air de chien battu.

— Pauvre connard de junkie, va.

Malki leva un doigt en signe d'avertissement.

— Patrick, mon ami, laisse-moi te dire que tu ne sais pas de quoi tu parles.

— Monte dans cette putain de voiture.

— Pas besoin d'être grossier, mon pote. On a tous des problèmes.

— Malki..., fit Pat, exaspéré.

— Parle-moi poliment, insista Malki en levant les deux mains. C'est tout ce que je demande. On n'est pas des animaux, mec.

Il ouvrit la portière arrière et glissa son corps fluet près de la taie d'oreiller. Il referma sans laisser à Pat le temps d'ajouter un mot.

D'un pas lourd, la tête encore embrumée par les vapeurs d'essence, Pat fit le tour de la voiture et s'installa lui aussi à l'arrière. La taie d'oreiller était aussi mince que petite, les hanches de Pat ne la frôlaient même pas. C'était comme être assis près d'un enfant.

Eddy mit le moteur en marche. Ses yeux rencontrèrent ceux de Pat dans le rétroviseur. Pat cilla et détourna le regard.

Lorsqu'ils atteignirent l'autoroute, Pat se retourna pour regarder l'endroit où la fourgonnette continuait à brûler. Une colonne de fumée s'élevait tranquillement dans la nuit claire. Personne ne la remarquerait, sauf, sait-on jamais, un autochtone noctambule qui savait qu'il n'y avait pas de maison de ce côté de la colline.

Ils gardèrent le silence, comme à l'aller. Mais maintenant Malki était content, parce que ça le relaxait de faire flamber un truc et qu'il allait retrouver sa dope chérie. Et Eddy était heureux de conduire la Lexus. Il imaginait un futur où il posséderait une voiture comme celle-là, où il pourrait se regarder en face.

Mais la taie d'oreiller était paralysée par la peur, et Pat qui contemplait le paysage plongé dans la nuit aurait donné cher pour être quelqu'un d'autre, pour être ailleurs. Si seulement il avait refusé de sortir de la fourgonnette !

8

Régulière et rythmée, la pluie tombait doucement dans la rue sombre avec un clapotis réconfortant. Derrière le ruban, les garçons fixaient les pieds de Morrow qui s'approchait d'eux. Des gouttes tachetaient leurs cigarettes. Aucun ne leva les yeux plus haut que ses genoux.

Jeunes, minces, beaux, ils portaient des vêtements coûteux, bien lavés et repassés.

Elle s'arrêta devant eux.

— Qui êtes-vous… ?

Il y eut un petit silence.

— Je suis… euh… moi c'est Mo et lui c'est Omar. Il vit, euh… c'est sa maison.

— Vraiment ?

Ils étaient avachis comme des sacs. Ils portèrent leurs cigarettes à leurs lèvres. Omar ouvrit la bouche, puis la referma, l'air abasourdi. Il se fit violence pour la regarder. Elle le trouvait étonnamment jeune.

— Vous avez passé une drôle de soirée, dit-elle.

Mo s'adressa au bitume :

— Oui. Et on a failli se faire arrêter quand on a demandé aux flics de nous aider.

L'espoir que Bannerman ait commis une bourde la poussa à demander :

— Que s'est-il passé ?

— On avait pris les types en chasse mais on les a perdus, répondit Omar. Et puis on est tombés sur une voiture de police, on a voulu leur demander de l'aide et on n'aurait pas dû.

Il mangeait la moitié des mots et parlait d'une voix étrangement traînante, comme s'il était drogué. Le contrecoup, pensa-t-elle, une hypoglycémie brutale après une poussée d'adrénaline.

— Ils ne vous ont pas crus ?

— Délit de faciès, répondit Omar avec une moue qui s'adressait à Mo.

Il paraissait gêné, comme si ces mots le propulsaient trop vite hors de l'adolescence.

— Je suis vraiment désolée, dit-elle d'un ton guindé, sur la défensive. J'espère sincèrement que vous ne croyez pas que la race pose un problème dans cette enquête. Nous allons vraiment faire tout notre possible.

— Oui, désolé, oui. (Mo aussi avait l'air un peu honteux.) Désolé, c'est juste un truc qu'ils ont dit, en fait. Ils ont regardé nos fringues et ils ont dû penser que…

— Bon, fit Morrow doucement. Si quelqu'un, qui que ce soit, vous a donné l'impression que votre couleur de peau lui posait problème, j'espère que vous vous sentirez totalement libre de nous le dire. Ce genre de propos est inadmissible, dans une affaire comme celle-ci.

Ils étaient humiliés maintenant, surpris en flagrant délit de mensonge. Morrow enfonça le clou.

— Vous n'avez pas été arrêtés, n'est-ce pas ? Si c'était le cas, vous ne seriez pas là, mais au commissariat où on vous interrogerait. On n'interpelle pas les gens pour un oui ou pour un non, ne serait-ce qu'à cause des formulaires à remplir.

— Vous savez quoi ? (Omar fléchit les genoux et la regarda.) En fait, on a été débiles. C'est de ma faute. On a pilé net, en les voyant... Je voulais leur demander de l'aide, je me suis précipité sur eux en oubliant ce qu'ils pourraient penser... (Il se frotta la tête avec un soupir.) Et tout ce que je leur ai sorti... Ça ferait flipper n'importe qui, c'est sûr.

— Qu'est-ce que vous leur avez dit ?

— Armes. Fourgonnette. Enlevé mon père.

— Afghanistan, intervint Mo comme s'il jouait aux charades.

— Pourquoi l'Afghanistan ?

— Les deux types en ont parlé, en partant. « Vengeance pour l'Afghanistan. » Mais ça faisait bidon.

— Chiqué, ouais, approuva Mo.

— On aurait dit une réplique à la con de Steven Seagal. Le mec qui aime trop les films d'action et qui se fout dans... pardon – qui déconnecte, quoi.

Ils parlaient entre eux, sans plus s'adresser à elle. Le débit s'accélérait, les mots gagnaient en couleur et le discours en mouvement.

— Un film d'action, ouais, renchérit Mo en imitant l'accent de Schwarzenegger pour ajouter « C'EST MA VENGEANCE ».

Mais la plaisanterie manquait d'entrain ; elle tomba à plat.

— VENGEANCE, répéta Omar avec un petit sourire, pour réconforter son copain. Bon, bref, on est sortis de la voiture comme des tarés, ils nous ont posé des tonnes de questions et tout à coup j'ai vu la fourgonnette qui passait sous le pont. J'ai couru, je me suis penché… Les flics ont dû avoir peur. Ils m'ont attrapé violemment. J'ai encore un peu mal à l'épaule.

Mo tendit le bras et tapota le dos de son ami. Morrow trouvait chaleureuse la proximité des deux garçons et elle aimait bien Omar, d'une perspicacité et d'une bonne foi assez rares chez les jeunes adultes.

— Vous avez vu la fourgonnette, vous dites ?

— On était sur le pont, au-dessus de l'autoroute, et je l'ai vue passer dessous. J'ai couru, mais ils m'ont arrêté.

— Quel pont ?

— Près de Haggs Castle.

— Bien. (Elle sortit son calepin et nota l'information.) Elle a sûrement été filmée par les caméras de vidéosurveillance. Nous allons vérifier.

— C'est vrai que j'ai mal à l'épaule…

— Je suis sincèrement désolée.

— En plus, on a eu vachement peur, à cause du sang, et d'Aleesha et tout.

— Aleesha a été conduite à l'hôpital.

— Je sais.

— Je suis sûre que ça va aller pour elle. Elle est entre de bonnes mains.

Morrow ne savait rien de l'état d'Aleesha, elle avait saisi des bribes au vol mais n'avait pas été elle-même en contact avec l'hôpital. Elle alignait des phrases toutes faites pour endiguer la sympathie qu'ils lui inspiraient. La nuit hostile et froide avait conquis la rue. Ils avaient les pieds glacés.

— Vous étiez dans le couloir quand ces hommes sont arrivés ?

— Non.

— Où étiez-vous ?

— Dans la voiture, dehors.

— Où ça ?

Ils tendirent le bras vers les étiquettes de police signalant l'emplacement des mégots de cigarette. Elle se souvenait de la marque – la même, constata-t-elle alors, que celle des cigarettes que fumaient les garçons. Cela lui fit plaisir, tant elle avait envie de leur accorder sa confiance.

— Et où est-elle, cette voiture ?

— Là, dit Omar en désignant une Vauxhall bleue garée plus loin.

— Qu'est-ce que vous faisiez dedans ?

— On discutait.

— Vous étiez allés vous promener tous les deux ?

— On revenait de la mosquée.

Morrow scruta le visage d'Omar. Ce qu'elle avait pris pour de la culpabilité n'était peut-être que le contrecoup du choc. Il avait l'air épuisé, à bout de forces, et pourtant elle décelait aussi autre chose, une sorte de réticence.

— Avez-vous remarqué la fourgonnette dans la rue ?

— Non.

— Non ?

— Ils s'étaient garés au coin, on ne pouvait pas la voir de là.

— Oui, mais la rue est à sens unique. En arrivant vous êtes forcément passés devant.

— On est bien restés une vingtaine de minutes en tout. Ils ont dû arriver après nous.

— Vingt minutes ? C'est très long !

Omar se redressa et la regarda dans les yeux pour la première fois. Une femme comme il y en a tant. L'allure soignée, dans son tailleur, mais pas spécialement attirante. Elle ne portait pas de bijoux ou d'accessoires élégants, pas d'insignes professionnels non plus, rien qui puisse attirer l'attention et pousser un inconnu qui l'aurait croisée dans la rue à se demander qui elle était. Elle se donnait volontairement l'aspect le plus neutre possible.

— Vous ne devriez pas attendre l'arrivée d'un de vos collègues pour nous interroger ?

Morrow fut surprise.

— Qu'est-ce… ? Pourquoi dites-vous ça ?

— Pour confirmer vos dires, si l'affaire va au tribunal.

— Vous savez ça, vous ! déclara-t-elle avec un petit rire sarcastique.

— J'ai une licence en droit, répondit le jeune homme, l'air soudain très triste.

— Oh ! (Elle était trop stupéfaite pour vraiment s'intéresser à la voiture qui se rangeait le long du trottoir, derrière les deux garçons.) Oh ! Et c'est… récent ?

— Je l'ai eue en juin.

— Morrow !

Bannerman avait jailli du véhicule avant son arrêt complet. Le frère aîné sortit à son tour et se précipita vers eux, devançant Bannerman dans sa hâte à rejoindre son cadet. Ils avaient dû se rendre au commissariat pour une déposition formelle, et, pour des raisons différentes, tous deux voulaient mettre fin à l'entretien qu'elle avait avec les garçons.

— Morrow ? fit Omar.

— C'est moi, confirma-t-elle. Qui est cet homme ?

— Mon frère Billal.

Omar baissa la tête. Se retournant, elle perçut le regard furibond que lui lançait son frère.

— Morrow ! répéta Bannerman. J'aimerais vous dire un mot.

Elle rougit violemment et s'approcha de lui.

Bannerman se tenant face à Omar et Mo, elle n'eut d'autre choix que de leur tourner le dos.

— Que faites-vous ? grogna-t-il d'un ton désapprobateur.

— Je discute avec ces garçons… (Elle avait répondu d'une voix morne, comme si elle était dans son tort, et tenta aussitôt de raccrocher son sentiment de culpabilité à autre chose.) Des nouvelles de l'hôpital ?

Bannerman la prit par le coude et l'entraîna à l'écart, pour ne pas être entendu.

— Oui. Ça va. Elle a été opérée aux urgences, mais elle va s'en sortir. Avec une main estropiée, tout de même. À seize ans !

— Sa mère l'a accompagnée ?

— Oui. Nous avons laissé des agents là-bas. Nous prendrons son témoignage dès qu'elle sera en mesure de parler.

— Ces gens ont quelque chose de bizarre, murmura Morrow. Je viens des quartiers sud, vous savez. Le sentiment religieux est très fort ici, et cette famille détonne.

— Que voulez-vous dire ?

— Vous voyez Omar, le jeune frère ? Il tient sa cigarette comme si c'était un joint. Aleesha porte des jeans et des tee-shirts, ce que Meeshra désapprouve. Elle m'a laissée entendre qu'ils n'étaient pratiquants que depuis peu. Ils sont d'origine ougandaise, autrement dit d'une communauté plutôt bien intégrée chez nous.

— Ils se sont convertis récemment ? demanda distraitement Bannerman qui ne l'écoutait pas vraiment.

— Ils ne sont pas convertis, non. Ils sont devenus plus pratiquants.

Il ne la regardait plus.

— Eh bien, Morrow, je vois que vous connaissez le terrain. Nous allons les amener au commissariat.

La tête rentrée dans les épaules, Omar semblait se rétracter sous le regard de Billal.

— On repart, annonça Bannerman.

— Les garçons ont vu la fourgonnette, reprit Morrow. Ils ont essayé d'alerter une patrouille.

— Ah ? (Il l'interrompit avec un signe à l'adresse de Billal.) Tout le monde en voiture. On va au commissariat, OK ?

— Je dois venir aussi ? demanda Mo à Billal.

— Nous y allons tous, répondit fermement Billal.

Bannerman désigna la portière de la voiture aux garçons, qui s'approchèrent docilement. Au moment où Omar passait devant lui, Billal lui saisit le bras et le serra plus que nécessaire.

— Dis simplement la vérité, conseilla-t-il sourdement.

Omar ne leva pas les yeux, tandis que Bannerman approuvait en opinant, comme s'il avait repéré le meilleur de la bande et s'en était fait un ami.

— Dis-leur la vérité ! répéta Billal en criant presque, cette fois.

Les deux garçons montèrent à l'arrière de la voiture de patrouille et Billal claqua la portière.

Se glissant près de lui, Morrow lui attrapa doucement le coude et l'entraîna un peu à l'écart.

— Billal, je suis le sergent Alex Morrow. J'ai juste une petite question à vous poser : qu'est-ce qu'ils faisaient dehors pendant l'irruption de ces types ?

— Pardon ? fit Billal comme s'il n'avait pas bien entendu.

— Les garçons, précisa Morrow. Ils sont restés vingt minutes dans la Vauxhall avant d'entrer dans la maison.

— Vraiment ?

Billal avait l'air choqué.

À ce moment-là, Bannerman qui venait de contourner précipitamment la voiture s'interposa entre eux. Il voulait garder des relations privilégiées avec son témoin.

— Oui, confirma Morrow.

Billal examina d'abord le ruban, puis la rue et la porte d'entrée de la maison restée entrouverte. Il fronçait les sourcils, comme s'il cherchait la réponse à la question de Morrow.

— Ils étaient où ?

Morrow tendit le bras.

— Là où il y a les repères, vous voyez ?

Billal prit le temps d'imaginer la scène.

— Les hommes armés étaient garés plus bas, dit-il enfin en désignant l'angle formé par la rue et la petite allée du jardin.

— C'est exact.

— Par conséquent, les garçons ne les ont peut-être pas vus.

— C'est ce qu'ils affirment.

— Mais c'est possible ?

Billal interrogeait Bannerman, comme pour lui demander de confirmer la version de son jeune frère.

— Absolument, déclara Bannerman sans dissimuler sa satisfaction. C'est parfaitement possible.

— Bon, soupira Billal avec un regard furieux en direction de la vitre de la voiture. Tant mieux. (Il se retourna vers Morrow.) Meeshra a pu vous aider ?

— Oui, je vous remercie. Elle s'est montrée très coopérative.

Billal haussa légèrement les épaules.

— Elle n'a pas vu grand-chose, de toute façon. Elle n'a pas quitté son lit.

Il hocha curieusement la tête – un petit geste d'approbation sec dont le sens échappait à la jeune femme –, puis il fixa un instant ses chaussures et, tournant le dos, s'éloigna avec une petite moue.

Côte à côte, Bannerman et Morrow l'observèrent caser sa grande carcasse à l'arrière de la voiture, en poussant Mo.

— Hmm, marmonna Bannerman comme si Morrow venait d'exprimer ses doutes à voix haute. Qu'a-t-elle dit, la belle-fille ?

— Pas grand-chose, en réalité. Vous pensez toujours que ces types se sont trompés d'adresse ?

— Je ne sais pas… La famille a appelé les secours. Les voisins ont entendu le coup de feu environ trente secondes avant que les appels arrivent au central, ce qui laisse supposer qu'ils ont téléphoné immédiatement…

Les innocents préviennent la police, en principe. Puisque ces gens avaient téléphoné, c'est qu'ils se sentaient victimes. Ou alors ils étaient coupables, et de façon grotesque ils se sentaient dans leur droit. Certains, dans ce quartier, connaissaient assez bien des brigades entières pour appeler les flics par leurs prénoms. Quand la situation devenait trop compliquée, ils les appelaient pour résoudre des conflits familiaux. Morrow chassa cette pensée de son esprit : les services de police auraient entendu parler d'eux, dans ce cas.

Bannerman soupira ostensiblement.

— Écoutez, Morrow, je suis désolé mais… La décision vient de MacKechnie. Je vous aiderai la prochaine fois.

Morrow était transie, elle ne sentait plus le bout de ses doigts.

— Mouais, lâcha-t-elle à contrecœur. C'est compliqué. Il faudra y passer un temps fou. J'ai appris que votre mère était fatiguée.

— Oh, non, non, non. Elle va beaucoup mieux.

La mère de Bannerman venait d'avoir une double pneumonie, ce qui était assez inquiétant chez une femme de près de quatre-vingts ans. Il avait annoncé sa maladie au bureau pour s'attirer la sympathie des collègues pendant une semaine, mais là, il l'observait à la dérobée, cherchant à deviner pourquoi elle en parlait.

— Vous acceptez de travailler avec moi sur cette affaire ?

— Je ne suis pas une enfant, Grant, dit-elle froidement.

Il cilla, et elle regretta immédiatement ses paroles. Sa mère était souffrante, et elle, elle était minable.

— Excusez-moi.

Elle s'était exprimée tout doucement, et elle le vit regarder sa bouche pour vérifier. Il se détendit.

— En fait, je ne vois pas par où commencer. (Son désarroi paraissait feint.) Ils ont l'air parfaitement honnêtes ; pas le moindre délit à leur reprocher, pas d'ennemis, rien. Ils n'ont même pas une télévision grand écran.

Il recommençait. Elle avait déjà vu Bannerman ouvrir de grands yeux étonnés et laisser les témoins lui exposer, sans même s'en apercevoir, des détails qui les accablaient.

— Une erreur d'adresse… ? reprit-elle sans conviction.

Bannerman eut un geste irrité. Il savait qu'elle avait mieux que ça.

— Merci beaucoup, Morrow ! Vraiment perspicace ! Il faut que je vous l'arrache ?

Morrow se mordit violemment les lèvres, les yeux tournés vers Billal. En elle, la colère le disputait à la honte. Ses principales émotions.

— Par quoi voulez-vous que je commence quand nous serons là-bas ?

Il l'étudiait, la bouche était crispée.

— Vous avez une proposition ?

— Je pourrais interroger les deux jeunes…

— Ils sont dans le coup, à votre avis ?

— Je n'en sais rien. Ils attendaient dehors…

Il lisait sur son visage à livre ouvert, il avait deviné qu'elle croyait à leur possible implication. Il ne la laisserait plus les approcher, à présent.

— Non, je préfère leur parler moi-même. Pour me rendre service, vous pourriez écouter les enregistrements des appels d'urgence ? Voyez ce que vous pouvez en tirer. (Il souriait, ravi de lui assigner une basse besogne qui allait l'occuper un bout de temps.) Ce sera vraiment très utile, Morrow, merci.

Refrénant un sourire, Bannerman s'éloigna vers la voiture.

9

Révélé par la lueur des phares de la Lexus, le visage de Malki était blême. Compte tenu de l'étroitesse de la route, il dut se coller au mur de la chapelle pour laisser la voiture prendre le virage.

Pat tourna la tête en passant devant lui et nota son air béat. Malki avait du pognon plein les poches, pour une fois, et il lui tardait de rentrer chez lui, de filer dans sa chambre pour y retrouver la poudre blanche qu'il aimait mieux qu'une maîtresse. Elle ne l'avait jamais déçu, ne l'avait jamais ni fatigué ni ennuyé. Il ne pouvait pas se passer d'elle. Le grand amour, songea Pat qui enviait cette simplicité à Malki, lui qui n'avait jamais pu se laisser aller complètement avec les femmes. Il revit la fille dans le couloir, en jean et tee-shirt alors que le reste de la famille portait des vêtements traditionnels, et il eut chaud, tout à coup.

Eddy conduisait en restant de préférence sur les grands axes. Une aussi chouette bagnole ne pouvait que passer sans s'arrêter dans des rues comme celles-ci. Elle risquait trop d'attirer l'attention de ceux qui la croisaient et, en les impressionnant, de rester dans leur mémoire.

De retour sur la route principale, ils prirent un raccourci pour Cambuslang et roulèrent dans une partie de la ville déserte où les feux passaient magiquement au vert à leur approche. Au débouché de Rutherglen, ils empruntèrent la grand-rue battue par le vent qui traversait les quartiers sud.

Puis, changeant brusquement de direction, Eddy tourna deux fois coup sur coup dans des ruelles absolument sordides, ralentit et éteignit les phares au moment d'entrer dans une impasse bordée de maisons aux portes et aux fenêtres murées. Des buissons poussaient sur la chaussée, sur les trottoirs. Il n'y avait aucune autre voiture en stationnement, pas une lumière derrière les ouvertures condamnées.

Pat, qui pensait connaître les planques d'Eddy, se retrouvait en terrain inconnu.

— À qui… ? commença-t-il avant de s'interrompre, conscient du fait qu'Eddy se tairait en présence de la taie d'oreiller.

La voiture vira brusquement pour passer au travers d'une brèche dans une haie buissonnante, et cahota sur une allée en pente cimentée fissurée par une profonde lézarde.

La vue de la maison arracha une grimace à Pat. L'enduit se détachait par plaques de la façade, les encadrements de fenêtre étaient fendus et leur peinture s'écaillait, un tas de feuilles mortes et de saletés s'amoncelait contre la porte d'entrée. Une mer d'herbes folles aussi hautes que le genou séparait la bâtisse de la haie. Derrière chaque fenêtre sombre, des rideaux fanés, empesés de saleté, étaient étroitement fermés.

Surprenant le regard d'Eddy dans le rétroviseur, Pat le vit lorgner la bicoque avec ressentiment, tout en dirigeant la voiture vers la gauche, sans égards pour la végétation. Il s'arrêta après avoir tourné à l'angle d'un mur, à un endroit où la Lexus serait invisible de la rue, tira sur le frein à main et poussa un soupir rageur.

Sur ce, faisant comme si Pat ne s'était rendu compte de rien, il se tourna vers lui. Son air courroucé était celui de quelqu'un qui pense avoir été trahi et qui a l'intention de se venger. Pat haussa les sourcils, en s'appliquant toutefois à vider son visage de toute expression. Eddy avait organisé la planque. S'il y avait un problème, Pat ne voulait pas en entendre parler, il n'en était en rien responsable.

Et si vraiment Eddy avait des envies de meurtre, Pat ne voulait pas qu'il s'en prenne à la taie d'oreiller. La taie d'oreiller avait une famille, une maison bien entretenue, une fille. Pour passer sa rage, Eddy n'avait qu'à dégommer la personne qui avait laissé cette baraque pourrir, après tout.

Eddy sortit de la voiture du côté du mur aveugle. Pat le rejoignit. Ils examinèrent les alentours. Les autres maisons de la petite impasse n'étaient pas en meilleur état ; elles s'affaissaient et tombaient en ruine, leurs ouvertures de guingois. Celles qui s'alignaient sur le trottoir d'en face étaient obstruées par des panneaux en fibre de verre. De leur promontoire, Pat et Eddy distinguaient des toits, des appartements. Dans le lointain, l'éclairage municipal teintait le ciel nocturne d'un halo orangé. Loin, sur la gauche, un bus ou un camion projetait ses phares sur les bâtiments, dessinant une route dans la nuit calme.

— À qui est cette maison ?…

Au lieu de répondre, Eddy pointa le menton vers l'arrière de la voiture.

— Sors ce connard de là.

Pat ouvrit la portière et se pencha à l'intérieur pour attraper la taie d'oreiller par le bras. Elle suivit docilement ses indications et finit par se tenir debout près de lui. Dans l'excitation de la fuite, Pat n'avait pas réellement remarqué à quel point l'homme était petit. Il lui arrivait à peine à hauteur de poitrine, et Pat comprit alors que c'était à cause de sa taille qu'Eddy l'avait enlevé.

Pat le lâcha. Libre de ses mouvements, mais hésitant sur la conduite à tenir, le vieil homme leva les mains en l'air, comme dans un western. Des mains couvertes de taches de vieillesse, toutes gonflées, qui ressemblaient terriblement à celles du père de Pat.

Sous la violente bourrade qu'Eddy venait de lui asséner entre les omoplates, la taie d'oreiller se cassa en deux, mais déjà il lui fallait avancer et elle avait beau trébucher dans les herbes, Eddy la poussait sans ménagement vers l'arrière de la maison. Au coin du bâtiment, il l'empoigna rudement par le coude.

La porte de derrière n'était pas fermée à clé. Elle s'ouvrit en grinçant sur une cuisine qui sentait le moisi. Eddy propulsa la taie d'oreiller dans la pièce, et de là dans un couloir étroit encombré de sacs-poubelle à moitié éventrés.

Pat avait d'abord pensé que la maison était abandonnée, mais les différentes pièces devant lesquelles ils passaient étaient jonchées de canettes de bière vides et de cendriers pleins. Un filet de fumée s'élevait paresseusement de l'un d'entre eux.

— Ça sent mauvais.

La taie d'oreiller avait prononcé ces mots calmement, spontanément, sans s'adresser à personne en particulier. Pat sourit. Le vieux avait raison, ça sentait mauvais.

Aussi furibond que s'il venait d'être personnellement insulté, Eddy lui enfonça méchamment un doigt dans l'épaule, sans doute pour lui faire croire qu'il avait sorti son flingue, et le catapulta dans le salon dont la porte était ouverte.

Une immense cheminée en fausses pierres occupait la plus grande partie du mur d'en face. Chaque moellon de plastique était recouvert d'une épaisse couche de poussière. Une chaise cassée gisait sur le sol, mais Pat vit d'abord le canapé. Un minuscule sifflement émanait de la personne endormie dessus.

— Oh merde..., lâcha-t-il en reconnaissant Shugie.

Eddy le fusilla du regard, les lèvres blanches de colère.

Shugie possédait une épaisse tignasse de cheveux blancs jaunis par la fumée des cigarettes qu'il fumait sans interruption. Des sourcils blancs et broussailleux surmontaient ses yeux proéminents. Ses bras et ses jambes, décharnés et flasques à cause du manque d'exercice, étaient reliés à un corps qui ressemblait à un tonneau de bière.

Pat n'avait jamais compris l'amitié qu'Eddy éprouvait pour Shugie. Ce type était une épave, un clodo doublé d'un raseur. Il buvait tellement, et depuis si longtemps, que même ses histoires puaient l'alcool. Des contes à dormir debout sur les bons vieux casses dans les banques et les cavales toujours arrêtées trop tôt. Mais Eddy, qui le traitait comme un vrai pote, trouvait dans son passé un prestige auquel Pat restait aveugle.

Eddy donna un coup de pied dans le ventre de Shugie. Le vieil homme fronça les sourcils dans son sommeil. Eddy frappa à nouveau, plus fort, dans la chair molle sous les côtes. Shugie grimaça, grogna, mais il refusait de se réveiller. Soudain, ils aperçurent une tache sombre qui s'étalait sur son jean, au niveau de l'entrejambe.

— Dieu tout-puissant ! s'exclama Pat en détournant les yeux.

Eddy secoua la tête avant de décharger sa colère et sa honte sur la taie d'oreiller, il l'envoya valdinguer en direction du couloir et de la porte d'entrée.

— Emmène-le là-haut, ordonna-t-il à Pat. (Ce dernier siffla entre ses dents en guise d'avertissement. Eddy savait parfaitement comment éviter son regard.) Comme ça, marmonna-t-il, j'en profiterai pour téléphoner. (Pat le laissait mariner. Eddy se dandinait d'un pied sur l'autre, l'air embêté.) Si tu veux bien, ajouta-t-il poliment.

Alors, acquiesçant d'un signe, Pat rejoignit la taie d'oreiller et la prit par une manche pour l'aider à franchir le seuil.

Maintenu par des baguettes mal fixées, le tapis de l'escalier luisait d'usure et de crasse. Pat qui ne voulait toucher à rien garda les mains collées au corps pendant la montée, en évitant de frôler la rampe poisseuse. Les mains tendues en avant, la taie d'oreiller progressait du pas hésitant des aveugles et testait chaque marche du bout du pied avant de se hisser dessus.

Pat ouvrit la première porte sur le palier. Une salle de bains, qui puait la pisse et le moisi. La deuxième porte donnait sur une chambre innommable, pleine de cartons et de vieilleries. Trop d'armes potentielles. Il ouvrit la troisième porte. Un lit nu, quelques magazines.

— Par ici, dit-il en guidant doucement la taie d'oreiller jusqu'à la porte.

— Vous voulez que j'entre…

Le vieil homme chuchotait sur un ton de conspirateur, comme si Pat était son complice et non celui d'Eddy. Pat le trouvait sympa, ce vieux.

— Oui mon pote. Vas-y, entre.

Il sentit la tension quitter le bras du vieil homme, sa démarche gagner en souplesse. Touché, il le guida délicatement jusqu'au bord du lit, le prit par les épaules et le fit pivoter.

— Le lit est juste derrière toi. Couche-toi, va, pose tes pieds sur le lit. Tu vas rester là, d'accord ?

— Mais… j'ai mes chaussons.

Pat contempla le drap jaunâtre taché et froissé.

— C'est pas grave, grand-père.

Le vieil homme tendit les bras derrière lui à tâtons et se baissa avec précaution. Pat l'aida.

— Voilà. Lève les pieds maintenant, ouais, comme ça. Essaie de te mettre au milieu.

Le vieil homme obéit docilement.

— Parfait. Maintenant, écoute-moi bien. Interdiction de bouger.

— Et si j'ai besoin de... d'aller aux toilettes ?

Il s'exprimait d'une petite voix éperdue, comme un enfant qui a peur.

Pat faillit lui dire qu'il n'avait qu'à se soulager sur place. Vu l'état de la literie, Shugie avait probablement pissé dedans plusieurs fois, mais fondamentalement Pat aimait l'ordre et il s'en serait voulu de participer au laisser-aller général de la maison.

— Tape du pied sur le plancher, je monterai te chercher.

— Oh, merci.

La taie d'oreiller croisa les mains sur ses genoux relevés.

Pat s'éloigna et referma la porte sur le petit homme propret assis sur ce lit infect.

Il s'arrêta sur le palier. Il n'avait pas envie de descendre. Le seul endroit de cette maison où il se sentait à peu près bien, c'était dans cette chambre, en compagnie du gentil petit monsieur.

En apparence, Aamir avait gardé tout son sang-froid et il restait assis, immobile, les mains soigneusement croisées sur les genoux. Aussi obéissant maintenant qu'il l'avait été en présence de ses ravisseurs. S'il ne bougeait pas, cependant, c'est qu'il en était incapable : pétrifié, les muscles tétanisés, il avait la gorge aussi douloureuse que s'il avait reçu un coup, là, et que son cri de douleur était resté coincé sous la pomme d'Adam. Il n'était même pas sûr de pouvoir esquisser un mouvement sans qu'on lui en donne l'ordre.

Il décida d'essayer, se concentra sur un doigt et le leva. Il le sentait trembler, mais il avait réussi. Prenant alors une profonde inspiration, il ouvrit les yeux. À travers le tissu, il distingua d'abord une lueur sur sa gauche, sans doute une fenêtre à un mètre à peu près du sol. Ils avaient roulé presque deux heures – ou plus probablement une heure et demie, car sa terreur transformait chaque minute en éternité. Ce laps de temps suffisait pour aller de Glasgow à Dundee ou à Édimbourg, ou n'importe où à l'est. Jusqu'à Perth, sûrement, peut-être même jusqu'à Stirling.

Aamir avait une notion précise du temps pour avoir travaillé une grande partie de sa vie à la boutique.

Il remua à nouveau le doigt et vit soudain surgir sous ses yeux la main d'Aleesha, les doigts appuyés sur le mur derrière elle, sous la pendule neuve qu'il venait d'acheter, la Madinah, et le ruisseau de sang rouge qui lui coulait sur le bras. Et il se vit lui-même en train de les supplier, dodelinant de la tête comme un immigré de série télé comique, s'exprimant dans un anglais haché alors qu'il le parlait couramment : siouplaît m'sieur, moi brave homme, laisse partir moi, laisse partir moi, passeport anglais, désolé, désolé.

La poussière rouge de la route de Kampala l'étouffait. Il revoyait l'air crâne et arrogant des soldats, leurs armes en bandoulière sur leurs épaules de paysans, leurs sourires éclatants, leurs traits noirs effacés par l'éclat de leurs dents blanches. Au-delà, sa mère. Elle avançait à pas chancelants derrière la fourgonnette militaire, sans même pleurer, sans même regarder où elle allait, simplement penchée en avant, portant son poids d'un pied sur l'autre. Ses yeux étaient vitreux, sa bouche molle. Elle relevait le bord de son sari jaune pour qu'il ne traîne pas dans la boue et la poussière. Une tache écarlate s'élargissait sur le tissu, fleur gigantesque qu'Aamir voyait s'épanouir, à travers la vitre sale du taxi. Aamir et sa mère avaient des passeports britanniques. Les soldats y voyaient un bon prétexte pour les traiter comme ils voulaient.

Aamir avait survécu. Son destin avait voulu qu'il survive. Il inspira longuement. Au prix de l'honneur de sa mère, ils en étaient sortis vivants et elle n'en avait jamais reparlé. Tout le reste de sa vie, encore ici, en Écosse, Aamir l'avait plainte et méprisée d'avoir laissé faire ces hommes, d'avoir abandonné sa dignité pour acheter leur liberté. À présent, son tour était venu.

Elle savait qu'il ne la toucherait plus jamais après ça. Dans le noir, il tâtonna sur le siège brûlant du taxi et saisit la longue main de sa mère morte. Dans la chambre immonde, sur le lit souillé d'urine, il porta cette main à ses lèvres et en embrassa les doigts.

Quand Pat entra dans le salon, Eddy n'y était pas. Shugie ronflait toujours, en grimaçant inconsciemment à cause de l'urine qui piquait sa peau. La sonnerie étouffée d'un téléphone lui parvint de la cuisine.

Eddy se tenait debout près de l'évier. Il n'avait pas allumé. L'écran bleuâtre de l'appareil éclairait la moitié de son visage. Il se pinça les narines, histoire de montrer à Pat que l'état de la maison le dérangeait, lui aussi. Au bout de la ligne, on décrocha sans mot dire.

— Allô, dit Eddy, nerveux et plein d'espoir à la fois. C'est, euh… c'est moi.

La maison était tellement calme que Pat entendit la réponse de son interlocuteur.

— Dites-moi que c'est fait.

L'accent étranglé de Belfast était parfaitement audible dans le silence de la cuisine.

— C'est fait, confirma Eddy d'un ton qu'il espérait professionnel. On a un mec. Un vieux.

— Vieux ? reprit la voix après une pause.

— C'est pas la cible mais on en a un.

Une autre pause. Un ton peu amène.

— Pourquoi pas la cible ?

— Le type était pas là.

— Pas là ?

Eddy commençait à transpirer. Il chercha du soutien dans le regard de Pat.

— Ben non. Alors on a pris le vieux.

— Vieux comment ?

— Soixante balais... ?

Un soupir furieux fusa dans l'appareil.

— Vous aviez dit que c'était dans vos cordes.

— On l'a fait ! On a... euh... ce mec.

— Vingt ans, je vous avais dit !

— Ouais, mais il était pas là... Alors on en a pris un autre.

— Y avait personne de vingt ans ?

Le visage d'Eddy se tendit.

— On a enlevé celui-là.

— Des coups de feu ?

— Un. Pat. Une blessure à la main. Rien de bien grave.

Un son étouffé dans l'appareil, un soupir ou un juron, suivi d'une exclamation assourdie.

— Pardon ? J'ai pas compris…

— Bande d'enfoirés d'amateurs !

Eddy tenait toujours le téléphone contre son oreille, mais la communication avait été coupée. Il se mordit les lèvres, ferma l'appareil et regarda Pat en quête de réconfort.

— Je vais sûrement pas rester dans cette foutue baraque, lança Pat en désignant le tas de sacs puants.

10

Le poste de police de London Road se trouvait en bas de Bridgeton Cross. À proximité du grand parc de Glasgow Green, Bridgeton était une jolie rue avec un certain nombre de maisons classées aux Monuments historiques et un musée. Pendant des années, il avait été question d'en faire un lieu branché, mais Bridgeton s'était obstinément refusé à changer. Les bagarres d'ivrognes y étaient quotidiennes et violentes, des graffitis déclaraient le quartier « libre », et le langage des enfants aurait fait rougir une star du porno.

Le poste de police était assez récent. De l'extérieur, on ne savait pas trop s'il s'agissait d'un immeuble de bureaux de trois étages ou d'une forteresse. Des colonnes ornaient la façade de briques marron terne et les fenêtres s'enfonçaient dans l'épaisseur des murs. Entre la bâtisse et la rue, une rangée de buissons touffus plantés dans de gros pots en ciment empêchait les barjos d'entrer dans le hall d'accueil avec leur voiture.

La porte était toujours ouverte au public, qui pénétrait dans un hall vide, décoré d'affiches sur lesquelles souriaient des policiers des deux sexes, l'air amical et engageant. Pour des raisons de sécurité, il n'y avait jamais personne derrière le comptoir. Le policier de garde se tenait dans un petit bureau d'où il surveillait l'entrée à travers un miroir sans tain et sur les écrans de vidéosurveillance. Il sortait en bras de chemise lorsque le visiteur n'avait l'air ni armé ni ivre, mais au moindre doute il appelait un collègue et prenait sa matraque.

Le chauffeur de Morrow emprunta une rue latérale. Un dernier virage à angle droit l'amena sur le parking réservé aux voitures de police. Un très haut mur hérissé de tessons de verre entourait un bloc de cellules sans fenêtres. Il se dirigea vers l'arrière de ce bâtiment et se gara près des fourgons cellulaires.

— Vous devriez verrouiller les portières, lui conseilla Morrow alors qu'ils sortaient de voiture.

La plupart des policiers ne se souciaient pas de ce genre de détail, mais le portail du parking avait été fracturé une quinzaine de jours auparavant et les caméras vidéo n'impressionnaient pas ceux qui voulaient se payer la tête des flics.

Morrow monta la rampe d'accès. S'arrêtant devant la porte, elle se présenta face à la caméra puis composa le code d'accès. John, dans un uniforme aussi impeccable qu'à l'accoutumée, officiait derrière le comptoir, perché sur un haut tabouret afin de ne pas casser les plis de son pantalon.

Elle sourit en réponse à son bonjour et poursuivit son chemin vers le repaire du sergent de garde. Elle aperçut Omar et Billal, à travers la fenêtre protégée par des barreaux. Assis sur les chaises réservées aux visiteurs, ils attendaient, dans des attitudes totalement opposées : Billal avait un bras posé sur le dossier de sa chaise, l'air blessé. Omar était affalé les coudes sur les genoux, une main pressée sur la bouche comme pour retenir un hurlement.

Le sergent le plus ancien du poste, Gerry, la salua avant de se remettre à compléter ses rapports. Morrow avait assisté, certains week-ends, à des bagarres dans la salle d'attente. Elle avait vu Gerry fendre la foule, séparer les ivrognes avec le calme olympien d'un chirurgien en salle d'opération, sans jamais transpirer. Ses cheveux semblaient un peu plus blancs chaque jour. Il avait commencé à former de nouveaux stagiaires, mais celui qui pourrait le remplacer n'était pas encore né. Il fallait avoir des qualités très particulières pour allier la minutie dans le remplissage de formulaires à la violence explosive.

Morrow répondit à son salut avant d'ouvrir la porte du couloir. À sa vue, Omar se leva, plein d'espoir à l'idée qu'elle allait le soustraire à la mauvaise humeur de son frère.

— Non, dit Morrow en l'arrêtant d'un geste de la main. Je ne viens pas vous chercher, ce n'est pas moi qui vais vous interroger. Je ne fais que passer.

Elle prit, sur sa gauche, le couloir qui menait aux bureaux de la Criminelle. Elle composa le code d'accès et ouvrit la porte, contente de retrouver le long corridor vert.

Le bureau de MacKechnie se trouvait tout au fond, ce qui lui permettait de les voir venir de loin, depuis le seuil de sa porte. Chose qu'il ne faisait jamais, en réalité.

Morrow aimait la police pour la lisibilité de sa structure hiérarchique. Impossible de confondre les supérieurs et les inférieurs, ceux qui avaient le droit de vous gueuler dessus et ceux que vous pouviez enguirlander. C'était clair et c'était logique. Or, elle le sentait, MacKechnie n'était pas à l'aise dans son rôle de patron, il s'excusait de sa position en prétendant être à l'écoute. La direction d'équipe se limitait chez lui à enfiler des mots aussi ronflants que creux : intégration, facilitation, habilitation.

Même à trois heures et demie du matin, le couloir bourdonnait d'activité. Le bureau de MacKechnie était vide, porte ouverte et lumières allumées. On était en train d'aménager une pièce de travail pour les enquêteurs, près de la salle de détente. Deux agents en uniforme apportaient une table, qu'ils durent coucher sur le côté pour franchir l'entrée.

Elle entra dans son bureau, alluma le plafonnier et se débarrassa de son sac à main. L'ordinateur de Bannerman était allumé ; sa bobine retouchée par Photoshop et plantée sur un corps d'athlète bodybuildé servait d'économiseur d'écran. Hilarant. Elle trouvait agaçantes les lueurs rouges de sa souris, qui captaient trop souvent son regard lorsqu'elle travaillait. Bannerman avait des provisions de chewing-gum et de barres protéinées dans un de ses tiroirs. Il devait avoir peur de grossir.

Sur le bureau de Morrow, tout était neuf, bien rangé, impersonnel. Un tiroir plein de crayons soigneusement alignés, un taille-crayon, jamais moins de trois carnets de notes en réserve. Elle les aimait neufs, les jetait après chaque affaire. Elle aimait penser que son bureau aurait pu être celui de n'importe qui, n'importe où, qu'il ne laissait rien transparaître de sa personnalité et avait cet aspect neutre qu'elle s'efforçait de garder en toutes circonstances.

Elle accrochait sa veste au portemanteau près de la porte lorsqu'elle aperçut Harris dans le couloir.

De petite taille, l'inspecteur Harris avait les traits rudes des gens qui vivent au grand air. Sympathique, il s'exprimait avec un léger accent de l'Ayrshire et ses sourcils levés, sa bouche ouverte en « O » lui donnaient perpétuellement l'air surpris. Pour l'heure, il paraissait tout excité.

— Alors ? Grosse affaire, hein ?

— C'est ce qu'on dit ?

— Oh, ça oui !

Il s'attendait sans doute à passer à son poste une nuit semblable à toutes les autres, avec son lot habituel de violences conjugales déprimantes, de bagarres entre poivrots qui se disputaient un paquet de clopes, et voilà qu'il avait droit à une véritable énigme policière.

— C'est l'heure de ma pause, ajouta-t-il. Vous ne venez pas voir ?

— Voir quoi ?

— Bannerman pense que le plus jeune des fils est dans le coup. Il va l'interroger à la 3.

Bannerman avait remarqué l'intérêt qu'elle portait à Omar. Mécontente d'avoir si mal caché son jeu, Morrow prit un air dépité. Harris se souvint alors qu'elle aurait dû diriger cette affaire, en principe, et sans comprendre qu'elle s'en voulait il crut qu'elle en avait gros sur le cœur. Il insista gentiment :

— Allez, venez quand même !

Elle se mordit l'intérieur des joues en s'appliquant à vider son visage de toute expression.

— Et merde, après tout ! Pourquoi pas ? s'exclama-t-elle avec une désinvolture étudiée avant d'emboîter le pas à Harris.

Ils passèrent devant Billal avant de s'engager dans l'escalier qu'ils grimpèrent au petit trot jusqu'au deuxième étage, pour gagner une pièce où flottait toujours une odeur de soupe de légumes.

La brigade au grand complet avait décidé de prendre une pause, apparemment. Les chaises en plastique orange installées par rangs de quatre étaient déjà toutes occupées. MacKechnie avait probablement autorisé l'ensemble des flics de la Criminelle à monter. Un jeune inspecteur laissa sa place à Morrow, au premier rang, tandis que tous les autres soulevaient les fesses de leurs sièges : ils avaient le sens de la hiérarchie.

— C'est bon, fit-elle avec bonhomie. Assis, les gars. Je ne passe pas les troupes en revue.

Elle les observa du coin de l'œil, nota qu'ils se tenaient plus droits, détendus mais en même temps circonspects, attentifs au règlement. Cela lui procura un sentiment de puissance. Elle leva les yeux vers le poste de télévision fixé au mur.

La possibilité de filmer les interrogatoires dans les locaux de la Crime permettait de transmettre l'information au sein de la brigade criminelle. En revanche, tout le monde n'aimait pas travailler devant la caméra, et pas seulement par modestie. Il fallait avoir des couilles pour questionner un suspect en sachant que les collègues allaient regarder en temps réel.

La présence des caméras avait introduit une étrange contrainte dans la conduite des interrogatoires. Ça se passait différemment maintenant, de façon plus prudente, plus guindée. Les policiers s'adressaient avec politesse aux délinquants les plus minables. Ils s'exprimaient sur un ton emprunté, comme s'ils présentaient des preuves au tribunal.

Les choses avaient bien changé. Plus jeune, Morrow avait participé à des interrogatoires aux allures de sarabandes endiablées, où policiers et suspects tournaient férocement autour du pot, de plus en plus vite, jusqu'à ce que quelque chose craque. Aujourd'hui, on avait droit à des quadrilles bien réglés, et les pas de cette danse étaient raides et rapides, jusqu'à ce que l'un ou l'autre s'incline ou capitule, le souffle coupé par la tension.

La manière dont les gens se comportaient face à la caméra en disait long sur l'opinion qu'ils avaient d'eux-mêmes : ceux qui aimaient ça ne doutaient pas d'emporter l'adhésion des spectateurs, mais la plupart n'avaient pas cette aisance. Complètement bloqués, ils étaient obnubilés par la caméra et devaient passer la main à un collègue. Sur les vidéos, Morrow trouvait qu'elle avait l'air fuyant et bien plus coupable que les gibiers de potence qu'elle interrogeait.

La prise de vue était sommaire. Il ne s'agissait pas de saisir les nuances des expressions sur le visage des suspects, mais de fournir la preuve qu'ils n'avaient pas pris de coups. La caméra étant fixée assez haut sur le mur, à l'écran la pièce paraissait plus petite, plus étouffante. En plus, l'image était floue, les couleurs se fondaient dans une palette de gris, de bleus et de jaunes. Le décor, minimal, se composait d'une table au plateau de bois, de quatre chaises, d'un interrupteur et de la porte, restée entrouverte et dont la tranche supérieure était couverte de poussière.

La porte s'ouvrit brusquement devant Omar Anwar. Un murmure d'approbation monta dans la salle où attendaient les policiers. Si elle n'avait pas été là, ils auraient peut-être applaudi, mais ce n'en était pas moins une expression de camaraderie, la première qu'ils partageaient avec elle depuis qu'elle était montée en grade, et sans aller jusqu'à s'y associer elle les encouragea en souriant.

Ses collègues apprécièrent.

Omar se glissait dans la pièce comme un contorsionniste, les hanches en avant. Il ressembla à un point d'interrogation lorsqu'il se pencha pour poser son gobelet en plastique sur la table. Bannerman entra sur ses talons, salué tout bas par quelques-uns de ses fans. Morrow cette fois resta de marbre, ce qu'ils ne manquèrent pas de remarquer.

Un agent ventru, surnommé « Gobby », fermait la marche. Gobby ouvrait rarement la bouche et c'était sûrement pour cette raison que Bannerman avait jeté son dévolu sur lui au lieu de faire appel à elle : Gobby lui servirait de faire-valoir.

— Batman va le coincer, plaisanta un des assistants au fond de la salle.

Ce surnom hyperbolique remplit la bouche de Morrow d'un goût de fiel.

À l'invitation de Bannerman, Omar se posa sur une chaise face à la caméra, assez loin de la table pour pouvoir étendre les jambes. On ne distinguait pas son visage, mais ses mouvements étaient assez expressifs. Visiblement dans ses petits souliers, il tendit la main pour attraper son verre d'eau, puis se ravisa et se tortilla sur son siège pendant que Bannerman ôtait son veston et le disposait soigneusement sur le dossier de sa chaise.

Il prit son temps pour s'installer, relever les manches de sa chemise et évaluer le grand garçon inquiet assis en face de lui. Gobby lui tendit une cassette. Pivotant tous les deux leurs sièges vers le magnétoscope, ils débarrassèrent bruyamment la cassette de son enveloppe de cellophane avant de l'introduire dans l'appareil. Omar, qui n'en menait pas large, les observait échanger des regards et hocher la tête en appuyant sur les boutons. Puis un son aigu envahit la pièce. Les policiers se retournèrent vers la table et attendirent en silence que le bruit cesse.

Omar interrogeait Gobby du regard.

— C'est rien que l'amorce de la cassette, lâcha Gobby en guise d'explication.

Omar lui adressa un sourire éperdu de reconnaissance et se pencha légèrement vers lui. Encouragé par le ton aimable de Gobby, il devait espérer de toutes ses forces trouver en lui un allié.

Gobby détourna les yeux.

Bannerman débuta la séance par un exposé détaillé des événements qui les avaient conduits ici et de la procédure qu'ils allaient suivre. Il précisa à Omar que plusieurs personnes assistaient en direct à l'interrogatoire. Il finissait souvent ses phrases plus lentement qu'il ne les avait commencées, comme pour contrer les « oui, merci, merci, je comprends » empressés d'Omar, dont les traits se contractaient par moments d'inquiétude ou de peur, et dont la jambe tremblait convulsivement sous la table.

Soudain, Bannerman fixa le jeune homme droit dans les yeux.

— Omar, lança-t-il avec un sourire froid, que fais-tu pour vivre ?

— Pour vivre ?

— Oui. Tu as un travail ? Un métier ?

— Je viens de passer ma licence.

— Où ça ?

— À l'université de Glasgow. En droit.

— En droit ?…

Bannerman avait une réplique déjà prête, mais Omar l'interrompit.

— Je l'ai eue avec mention.

— Bien, bien. Et tu n'as pas trouvé d'emploi ?

— Non, je cherche encore. Vous…

— Tu as eu des entretiens, des rendez-vous ?

— Euh, non. Je ne suis pas sûr d'avoir trouvé ma voie, en fait.

Dans la salle, quelqu'un déclara sur le ton de la boutade que ça ferait un emmerdeur de moins. Personne ne rit. Les blagues sur les avocats étaient légion, mais ce jeune mec était un immigré, et les sous-entendus racistes n'avaient plus la cote.

— Raconte-nous ce qui s'est passé ce soir.

— OK.

Omar avala une gorgée d'eau.

— C'est quand tu veux, reprit Bannerman pour lui signifier de se dépêcher.

— OK. Bon, avec Mo…

— Mohammed Al Salawe ? le coupa Bannerman en jetant un coup d'œil à ses notes.

— Oui, Mo. Avec Mo on était dans la voiture…

— La Vauxhall ?

— J'étais avec Mo dans la Vauxhall, juste au coin de la rue. On était restés là pour parler tous les deux et fumer une cigarette en écoutant la radio. Et puis tout à coup il y a eu ce bruit, *pop*, étouffé et fort à la fois. Je n'avais jamais rien entendu de pareil. Et en même temps on a vu comme une espèce d'éclair blanc derrière la fenêtre de Meeshra… (Le débit du garçon s'accélérait, les mots se précipitaient sur ses lèvres.) On s'est regardés, Mo et moi, on n'a rien dit, mais on est sortis de la voiture comme des bombes, on a couru…

— Tu pensais que c'était quoi ?

Omar eut l'air dérouté.

— Le bruit, précisa Bannerman. Tu pensais qu'il venait d'où ?

— J'ai cru que c'était une bonbonne de gaz. C'est stupide, parce qu'on n'a pas de bonbonne pour la gazinière. Mais au Pakistan, il y a encore des crimes d'honneur, ça arrive que la mère d'un type tue sa belle-fille parce qu'elle est adultère, ce genre de trucs, et ça se passe souvent avec des bonbonnes de gaz trafiquées. Je sais que c'est bête, conclut Omar en haussant les épaules, mais c'est ce qui m'est passé par la tête.

— Ta famille est d'origine pakistanaise ?

— Non.

— Pourquoi as-tu pensé à ça, alors ?

— J'en sais rien.

Bannerman redressa légèrement le menton, comme si Omar venait de se trahir et de révéler une information importante.

— Donc, vous avez couru vers la maison. Tu es passé par où ?

Omar se concentra un instant, les yeux plissés pour mieux rassembler ses souvenirs.

— Euh, j'étais sur le siège passager, côté rue. J'ai ouvert la portière, j'ai bondi à l'extérieur (il donna une chiquenaude de la main, comme s'il jetait un mégot), j'ai contourné le capot de la voiture…

— La voiture de Mohammed ?

— Oui, la voiture de Mo, oui…

Il avait perdu le fil.

— Pour aller vers la maison ?

— Oui. J'ai sauté le muret du jardin, je courais. À un moment j'ai glissé mais je me suis rattrapé, je ne suis pas tombé. Je suis arrivé devant la porte…

— Elle était ouverte ou fermée ?

— Euh, fermée.

Morrow était absolument sûre qu'il disait la vérité : il s'exprimait par petites phrases brèves, le regard lointain. Sans doute avait-il baissé instinctivement les yeux pour sauter par-dessus le muret du jardin, écarté les bras dans un réflexe pour retrouver son équilibre et éviter la chute.

— Elle était fermée.

— C'est toi qui l'as ouverte ?

Cela agaçait Morrow, cette manie qu'avait Bannerman de l'interrompre à chaque instant, en fragmentant le flux des souvenirs. D'autant qu'on repérait plus facilement les mensonges quand on laissait parler le témoin, car on était alors plus attentif à ses changements de ton. Mais il y avait la caméra, et Bannerman voulait tenir la vedette. Elle lui enviait son assurance, même si c'était parfois un handicap.

— Oui, acquiesça Omar en lui lançant un rapide coup d'œil. C'est moi qui l'ai ouverte, oui.

— Et ?

— Et…

Omar s'interrompit. Il fixa la caméra et se figea quelques secondes devant cet œil qui le jugeait. Son front se plissa et il détourna les yeux, aussi peu fier de lui qu'un enfant surpris en train de faire une bêtise.

— Qu'as-tu vu au moment d'entrer ?

Omar lorgna à nouveau du côté de la caméra. Il semblait sur la défensive.

— Mes parents étaient dans le couloir. À droite, précisa-t-il en tendant la main comme pour montrer l'endroit. Mon frère Billal aussi, devant sa chambre dont la porte était ouverte. Et il y avait ma petite sœur, Aleesha (sa voix s'étrangla lorsqu'il prononça son nom). Elle était à gauche, la main en l'air. (Levant le bras gauche, il tourna le poignet et resta ainsi une demi-seconde, dans la posture de la statue de la Liberté.) Tout le monde regardait sa main…

Son menton se mit à trembler, il respirait par à-coups.

Bannerman qui feuilletait ses notes d'un air affairé n'avait remarqué aucun des gestes du jeune homme.

— Et les hommes ? insista-t-il vivement.

— Les hommes… (Omar tressaillit.) Ils étaient là, oui, dans le couloir. Un à côté de mes parents, entre eux et moi, et l'autre debout devant Aleesha, en train de l'observer. Il avait baissé son revolver, ajouta-t-il la main pliée à angle droit sur la cuisse.

Morrow se redressa sur son siège.

Omar pointait deux doigts vers le plancher, la main écartée loin du corps.

— Le revolver fumait encore. Le type, je le voyais de profil, sa cagoule lui faisait le bas du visage bizarre, comme s'il avait la mâchoire très longue, mais quand il a fermé la bouche…

— Ils étaient deux, c'est ça ?

— Deux, oui.

— Que faisait l'autre ?

Bannerman ne remarquait rien. Morrow avait envie de traverser l'écran de télé pour lui montrer le poignet d'Omar, plié à quatre-vingt-dix degrés, les mouvements de sa mâchoire. Le type qui avait tiré en était resté bouche bée de surprise, le recul avait projeté son avant-bras sur le côté. Il ne s'était pas préparé à faire feu, il n'avait pas correctement plié le bras, relâché ses muscles. La force du recul l'avait déstabilisé, ce qui signifiait que le coup était parti accidentellement – et peut-être aussi que l'homme ne savait pas se servir d'une arme.

Elle examina à la dérobée les policiers qui l'entouraient. Certains, tendus vers l'écran comme elle, auraient aimé que Bannerman la ferme. Trois, sur huit hommes. Assis au premier rang, deux sièges plus loin, Harris en faisait partie ; il capta son regard. Sa petite bouche étonnée était toute crispée.

Omar avait bravement repris son récit.

— Il a crié « Rob, où est Rob » ? Et puis il s'est précipité vers Mo, et lui a dit « C'est toi, Rob », et après ils ont pris mon père, ils l'ont emmené avec eux.

— Ils t'ont demandé si tu étais Rob ?

— À moi ? (Omar se touchait la poitrine, l'air surpris.) Non, il s'adressait à tout le monde, il répétait « Qui est Rob ? »

— Mais est-ce qu'il te l'a demandé à toi : « Tu es Rob ? »

Une expression d'indignation se peignit sur le visage d'Omar.

— À moi ?

— À toi, oui.

— Euh… en fait ma mère l'a cru parce qu'elle s'est écriée : « Oh non, pas mon Omar ! » Du coup, l'autre n'a pas insisté, vu que si je m'appelais Omar, c'était pas moi, Bob.

Toujours plongé dans ses notes, Bannerman ne remarqua ni la soudaine crispation des épaules d'Omar, ni son léger mouvement de recul. Morrow, en revanche, n'en avait rien perdu. Il venait de se passer quelque chose, mais quoi ? Elle tourna les yeux vers Harris. Penché en avant sur sa chaise, il avait saisi, lui aussi, et il redoublait d'attention.

Ils virent tous les deux Omar allonger le bras sur la table jusqu'à presque toucher les feuilles de Bannerman pour l'obliger à l'écouter.

— Ensuite, ensuite, l'autre, le gros, a attrapé mon père par le cou. (Omar illustra son propos en resserrant les mains autour de son cou, mais le geste était étrange car il serrait fort, avec une détermination farouche, comme s'il cherchait à s'étrangler.) J'ai cru qu'il allait le tuer ! (Desserrant sa prise, il reprit son souffle.) Vraiment ! Il a dit qu'il voulait deux millions en liquide demain soir, et que si on prévenait la police il exécuterait mon père. Et puis il s'est mis à crier « Vengeance pour l'Afghanistan ».

Omar scrutait son vis-à-vis pour voir s'il croyait sa version des faits.

Bannerman avait remarqué le changement de ton, l'excitation.

— Tu connais quelqu'un en Afghanistan ? demanda-t-il calmement.

— Non, rétorqua Omar, manifestement stupéfait.

— Tu y es déjà allé ?

— Jamais.

— Est-ce que ton père a des liens avec l'Afghanistan ? De la famille, des relations d'affaires ?

— Non, aucun. On n'a rien à voir avec l'Afghanistan ! s'énerva Omar en balayant la table de la main.

— Très bien. Ensuite ?

— Ensuite il a attrapé Papa comme ça (son bras se pliait à hauteur du sternum), il l'a soulevé (lui-même se soulevait légèrement sur sa chaise) et il l'a traîné dehors.

La façon dont Omar projetait les bras vers la porte rappela à Morrow un magicien qui cherche à détourner l'attention du public.

— On leur a couru après, Mo et moi. On les a vus démarrer dans une grosse fourgonnette blanche, genre Mercedes. On a pris la voiture de Mo, on les a suivis, mais on les a perdus juste avant l'autoroute. Ils ne conduisaient pas vite. Ils respectaient les limites de vitesse, parce qu'ils n'avaient pas envie de se faire arrêter, j'imagine. On n'aurait jamais dû les perdre, mais on était paniqués. On se guidait avec leurs feux arrière, seulement ils n'ont pas pris le chemin le plus facile, ils évitaient les grands axes. Et puis on a vu une voiture de police, on s'est arrêtés. Je leur ai dit que mon père venait d'être kidnappé, que ses agresseurs l'emmenaient dans une fourgonnette. J'ai parlé de l'Afghanistan, tout, et on a bien failli finir au poste.

Morrow avait noté qu'il avait cessé d'agiter les mains et elle perçut la légère fêlure de sa voix. Omar avait été traité en suspect dans un moment particulièrement difficile pour lui. Cela fait mal, très mal. Cela expliquait l'attitude défiante qu'ils avaient dans la rue, Mo et lui. Ils savaient qu'ils n'avaient pas que des amis autour d'eux, qu'on les considérait comme des étrangers.

Appuyée au dossier de sa chaise, elle laissa son regard errer sur l'assistance. Rien que des experts, le dessus du panier, qui tous fixaient l'écran en espérant tenir le coupable. Omar devait le sentir.

Lorsqu'elle se leva pour partir, quelqu'un, au fond de la salle, cria :

— Assis, devant !

Son indignation s'éteignit dès qu'il se rendit compte que c'était elle qui l'avait provoquée.

Le policier qui lui avait laissé son siège était resté adossé au mur. Il la salua respectueusement.

— Il est bon, n'est-ce pas ?

Il parlait de Bannerman, supposant à tort qu'elle s'entendait bien avec lui.

— Oui. Je peux te dire un mot ? demanda-t-elle tout bas à Harris en lui tapotant l'épaule.

Dans le couloir, ils baissèrent la voix.

— Que s'est-il passé, juste avant qu'il nous abreuve de détails ?

— J'essaie de m'en souvenir, justement, répondit-il, un peu penaud.

— Récupérez la cassette, d'accord ? Dès que possible.

Un pli soucieux entre les sourcils, Harris hocha la tête en direction de la salle.

— Il me semble que c'est quand il a raconté que sa mère disait « pas mon Omar ».

Elle alluma son ordinateur, eut l'impression qu'il mettait dix minutes à démarrer, s'identifia et ouvrit sa boîte mail. On lui avait déjà transmis les enregistrements audio. Elle ne recevrait les transcriptions que d'ici quelques jours, le temps qu'elles franchissent les barrages des procédures administratives, mais l'envoi des enregistrements numériques était instantané.

Ouvrant le dernier tiroir de son bureau, elle attrapa un bloc de papier brouillon neuf, un crayon bien taillé et le boîtier en plastique où elle rangeait ses écouteurs. Elle brancha le câble sur la prise USB et cliqua sur le document en pièce jointe.

Le premier fichier portait un numéro qu'elle inscrivit sur son bloc avant d'étudier l'enregistrement. La personne qui appelait respirait fort. Une opératrice au ton très las lui demanda la raison de son appel.

— On a besoin des secours, répondit-on sur un débit haché, entrecoupé de sanglots mal réprimés. Dites-leur de vite envoyer une ambulance ! Elle saigne, il y a du sang partout !

— Qui saigne ?

— Ma fille. Elle a été blessée par… des hommes. Ils sont entrés chez nous, ils nous ont menacés.

La mère, Sadiqa, avait cette diction claire, typique des années cinquante. En comparaison, l'accent de l'opératrice paraissait rustre.

— Votre adresse, s'il vous plaît ?

Sadiqa s'exécuta. Donner l'adresse qu'elle connaissait par cœur la calmait, semblait-il, mais elle se troubla à nouveau quand une femme se mit à crier, non loin d'elle.

— Oh, mon Dieu, mon Dieu... Ils viennent d'enlever mon mari, mon Aamir...

D'une voix nasillarde et posée à la fois, l'opératrice l'engagea à se calmer. L'ambulance était en route. Non, ce n'était pas une raison pour raccrocher. Elle demanda à Sadiqa d'épeler son nom, celui de son mari, demanda de quel type d'arme il s'agissait.

— Je ne sais pas du tout. Un pistolet ? Noir... gros...

— Ils sont toujours dans la maison ?

— Mais non ! Je vous l'ai déjà dit. Ils ont filé.

— Ils sont partis à pied ou en voiture ?

— Je suis désolée, je n'ai pas vu. Mais mon fils, mon Omar, il les a suivis en courant.

— Est-ce qu'il est rentré ? Il pourrait prendre le téléphone et me dire s'ils étaient à pied ou en voiture ?

Sadiqa ne l'écoutait plus.

— Aleesha, oh, Seigneur, Aleesha perd son sang ! Je vous en prie, faites vite.

Elle lâcha le combiné, qui tomba bruyamment, pour glisser à toute allure quelques mots à quelqu'un. Ensuite, un grand bruit sourd de corps qui s'affaisse. Puis le déclic du combiné qu'on raccrochait.

L'appel avait duré une minute et quatorze secondes. Le deuxième arriva dix secondes après.

Billal appelait de son portable, et la communication était moins nette. En arrière-plan, on entendait Sadiqa répéter une partie de la conversation que Morrow venait d'écouter. Visiblement sous le choc, Billal s'exprimait par exclamations.

— La police ! Vite ! La police ! Et une ambulance !

— Quelle est la raison de votre appel, monsieur ?

— Deux hommes ! Deux hommes !

— Deux hommes qui ont fait quoi, monsieur ?

— Deux hommes sont venus chez nous ! Ils ont enlevé mon père !

— Ils ne sont plus là ?

— Ils ont tiré sur ma petite sœur. Dans la main !

— Ils lui ont tiré dans la main ?

— Oui ! Oui ! Elle saigne vraiment… Mon Dieu… beaucoup ! Tout ce sang… partout.

— Vous les avez vus tirer sur votre sœur ?

— Oui, avec des revolvers ! Des gros calibres, des vrais !

L'opératrice tenta de lui faire épeler ses nom et adresse, mais Billal, très secoué, l'entendait à peine.

— Aidez-nous s'il vous plaît ! Il faut nous aider ! C'est un appel au secours ! S'il vous plaît !

— Nous sommes déjà en route, monsieur, mais….

— Il y a un bébé ici, un nouveau-né ! Ils ont pointé leur arme sur un bébé !

— Ont-ils dit ce qu'ils cherchaient, monsieur ?

— Ob.

Billal avait bougé, il ne tenait pas bien le téléphone et le son n'était pas net. Morrow utilisa la souris pour revenir en arrière et réécouter le passage.

— … ce qu'ils cherchaient, monsieur ?

— Oh ! Quelqu'un qui s'appelle Bob.

La seconde fois, c'était plus clair ; Morrow entendit nettement le B.

Elle inscrivit « Bob » sur son carnet, suivi d'un point d'interrogation.

— Maman ! Elle est tombée…

Billal raccrocha. La conversation avait duré moins d'une minute.

Le dernier appel venait de Meeshra. Elle pleurait à chaudes larmes en se lamentant sur le sort d'Aamir et d'Aleesha. Plus expansive que les deux autres, un peu excitée même, elle paraissait aussi beaucoup plus bouleversée – à la manière, pensa Morrow, d'une tante au troisième degré qui assiste en pleurant aux funérailles d'un enfant tandis que la proche famille évite ces débordements, terrifiée à l'idée que la terre se fende sous l'intensité de son chagrin.

— Ils ont enlevé mon beau-père, ils ont empoigné le pauvre homme et ils sont partis avec lui…

— Pouvez-vous me donner votre…

— Ils l'ont soulevé de terre…

Elle s'interrompit pour prier en sanglotant Dieu tout-puissant de leur venir en aide.

— Pourrais-je avoir votre nom et votre adresse, s'il vous plaît ? Madame ? Vous m'entendez ? Pouvez-vous me donner votre nom, s'il vous plaît ?

— Meeshra Anwar. Ils l'ont kidnappé.

L'opératrice et Meeshra parlaient en même temps, leurs voix s'entrelaçaient.

— Voulaient…

— … épeler vos…

— … crier, cherchant…

— … me dire…

— … un individu appelé…

— … épeler ce nom ?

Elles se turent en même temps, une demi-seconde, puis Meeshra reprit :

— Oui, ils criaient qu'ils cherchaient quelqu'un mais ils ne l'ont pas trouvé, ils ont pris Aamir à la place…

Morrow consulta son carnet. Meeshra évitait soigneusement de prononcer le nom. Elle relut ce qu'elle avait noté de son écriture petite et régulière. Le mot était très court, mais elle avait appuyé si fort pour l'écrire que le bas de la page s'était légèrement relevé. Bob. Elle le caressa doucement du bout du doigt. Bob ?

Après avoir arraché à regret la page du bloc, elle se leva et s'arrêta un instant près de la porte. Elle se félicitait d'avoir été aussi rapide et efficace dans sa recherche d'informations. Dans le couloir, un agent en uniforme discutait avec un inspecteur en civil qui lui montrait quelque chose dans le journal. L'équipe de nuit. Un boulot de jobard dont tout le monde se plaignait, mais une bonne ambiance, qui leur manquait lorsqu'ils étaient promus et ne travaillaient plus que la journée. Les longues heures somnolentes passées ensemble à veiller sur la ville endormie finissaient par les rapprocher.

MacKechnie était encore là. La lumière de son bureau se répandait dans le couloir. Morrow s'immobilisa poliment devant la porte ouverte.

— Monsieur ?

— Je suis à vous tout de suite.

Il les accueillait toujours ainsi, quand ils venaient le déranger, et ensemble ils en riaient derrière son dos. Morrow le vit lancer un regard furtif à son ordinateur.

— Oui ?

— Je viens d'écouter les appels au 999.

MacKechnie fronça les sourcils d'un air accusateur.

— Pour quelle raison ?

— Nous devons tout vérifier, monsieur.

Il poussa un soupir excédé et claqua la langue.

— Sergent Morrow, dit-il, cinglant, je vous ai demandé de travailler avec Bannerman sur cette enquête.

— Bannerman m'a chargée d'écouter les enregistrements.

— Bannerman vous a chargée de ça ?

Elle entra dans le bureau et leva la main dans un geste conciliant.

— Oui, mais ce n'est pas grave. Les gens qui ont passé ces coups de fil ont tous précisé que les hommes armés cherchaient un certain Rob. On les sent embarrassés, quand ils le mentionnent, et je suis à peu près sûre que le fils, Omar, parle de Bob, pas de Rob.

— Hmm.

MacKechnie n'avait pas l'air convaincu.

— Bannerman est en train d'interroger Omar. Vous pensez que cela vaudrait la peine de lui faire passer une note ? De lui demander de le cuisiner là-dessus ?

— Oui, fit-il, avec une assurance venue balayer son incertitude.

En sortant, Morrow s'attarda un instant dans le couloir, un peu déçue de la réaction de son chef. Après tout, elle avait découvert un élément concret, quelque chose qu'ils allaient pouvoir se mettre sous la dent. De retour dans son bureau, elle rédigea à la hâte le mot à transmettre à Bannerman, le signa et le remit à un inspecteur qui somnolait dans le bureau des enquêteurs.

— Inspecteur… ?

— Wilder.

Il se mit au garde-à-vous, ce qui la flatta car c'était la preuve qu'il la reconnaissait.

— Transmettez cette note à Bannerman, s'il vous plaît. Salle 3. C'est urgent.

Il prit la feuille qu'elle lui tendait et s'éloigna d'un pas rapide. La porte claqua derrière lui. Lui, au moins, prenait l'affaire au sérieux.

Épuisée, Morrow retourna s'asseoir à son bureau et parcourut d'un œil las les formulaires qu'elle remplissait. L'excitation de la découverte avait disparu, emportée par la fatigue et les civilités. Elle interrompit à plusieurs reprises sa tâche administrative pour réécouter les appels de Meeshra et de Billal à Police Secours, et chaque fois son assurance diminuait un peu plus.

Elle s'apprêtait à repasser encore une fois la bande lorsque Bannerman ouvrit la porte et s'appuya au chambranle, tel un amant suspicieux revenant des toilettes.

— Tout va bien, Morrow ?

— Très bien.

— Que faites-vous ?

Morrow cilla. Ses yeux la brûlaient.

— Bah… de la paperasse, répondit-elle comme il entrait nonchalamment dans la pièce. Vous avez eu mon mémo ?

— Le mémo ? À propos de Bob. Oui, parfait, merci. Bon travail.

Il se posa sur son fauteuil, déverrouilla le tiroir où il rangeait ses provisions et y préleva une barre de céréales dont il déchira l'emballage avec les dents.

— Et ?

Il haussa les épaules sans répondre. Morrow refréna son envie de se lever et de lui botter les fesses.

— Qu'a dit Omar à ce sujet ?

— En fait, j'avais fini de l'interroger sur ce point. Nous lui poserons la question la prochaine fois.

Ils s'affrontèrent du regard. Bannerman souriait. Il n'avait pas posé la question à Omar parce que l'information venait d'elle. Ce n'était franchement pas professionnel de sa part, mais il fallait laisser passer, ne surtout pas s'amuser à jouer à qui perd gagne avec lui. Morrow se hérissa devant cette logique froide. Bannerman et elle n'étaient pas les seuls concernés : quelque part, transi de peur et de froid dans une fourgonnette blanche, il y avait un petit homme aux prises avec des inconnus malveillants, et l'information qu'elle avait captée pouvait être essentielle.

— Vous ne l'avez pas interrogé ? (Bannerman se passa la langue sur les lèvres.) Venez ici, venez écouter, dit-elle en lui tendant les écouteurs.

Il affichait un air circonspect, mais il ne se leva pas. Au lieu de ça, il posa les pieds sur son bureau et continua à mastiquer sa barre énergétique. L'interrogatoire avait été décevant, toute la brigade l'avait regardé. Il aurait perdu la face si la seule question décisive venait de la note qu'elle lui avait fait passer, mais elle ne voulait pas en démordre, elle était sûre d'avoir raison.

Récupérant l'enregistrement de l'appel de Meeshra sur son ordinateur, elle débrancha les écouteurs et cliqua deux fois. La voix de Meeshra emplit le bureau, parfaitement audible malgré les crachotements de la ligne.

— Elle élude la question, c'est clair. Et Billal a dit Bob au lieu de Rob.

Voyant qu'il ne réagissait toujours pas, elle émit un petit sifflement réprobateur.

— Je ne comprends pas, Bannerman. Je vous ai fait passer une note pour vous informer de ce que j'ai trouvé. MacKechnie est au courant, Wilder vous l'a lui-même remise. Si l'enquête foire, ce sera à cause de vous.

Il la dévisageait, les yeux plissés. Elle se pencha vers lui, par-dessus les bureaux.

— Vous ne pourrez pas dire que je ne vous ai pas averti.

— C'est bon, lâcha-t-il lentement, comme pour la calmer. Merci.

— Si vous voulez tout foutre en l'air, ça vous regarde !

Bannerman eut un sourire condescendant. Il retira le bout de papier qui enveloppait la fin de sa barre de céréales, engloutit ce qu'il en restait. Il allait rapporter cet échange à MacKechnie et plaisanter avec lui à propos du sale caractère de Morrow, en s'ingéniant à conforter MacKechnie dans l'idée que Morrow était impossible, complètement obsessionnelle, dépourvue d'esprit d'équipe.

— Cette animosité entre nous, marmonna-t-il, toutes ces salades pour une histoire de… rivalité professionnelle, on devrait pouvoir dépasser ça, tout de même.

Il déformait tout, rabattait l'affaire sur un registre personnel alors qu'il s'agissait avant tout de la sécurité d'Aamir Anwar.

— Pas si vous vous conduisez comme un connard, non, sûrement pas.

Elle était tellement en colère qu'elle en avait mal au ventre. Les mots avaient jailli sans qu'elle puisse les retenir. Elle s'empourpra. De cela aussi, MacKechnie allait entendre parler.

Il y eut un coup bref, et Harris entra avant qu'on l'y ait invité.

— Quoi ? aboya-t-elle.

Il se figea sur le seuil, presque effrayé, et s'adressa à Bannerman.

— Je viens de revoir l'enregistrement de l'interrogatoire. Omar a dit qu'ils cherchaient Bob, pas Rob.

Sans un mot, Bannerman se leva d'un bond et quitta la pièce en claquant la porte, la laissant seule dans un silence lourd de rancœur. Un bruit de conversation animée s'éleva dans le bureau d'à côté, plusieurs personnes discutaient en riant et elle tendit l'oreille pour essayer de reconnaître la voix de Bannerman, persuadée qu'ils se liguaient tous contre elle, comme d'habitude.

Elle se remit à compléter son rapport. Sa colère se muait en rage froide quand elle entendit soudain des pas pressés dans le couloir, puis une exclamation, un bruit de galopade.

Bannerman fit brusquement irruption.

— On a retrouvé le véhicule. Allons-y.

Ils montèrent dans la première voiture qu'ils trouvèrent dans la cour. Et Bannerman prit le volant. Tous les véhicules en bon état étant déjà dehors, ils devaient se contenter de cette vieille Ford au moteur si bruyant que toute conversation en devenait impossible.

Bannerman se concentrait sur la conduite. Leur mutisme le mettait mal à l'aise, mais convenait parfaitement à Morrow. Elle commença à se détendre lorsqu'ils laissèrent les lumières orangées de la rocade derrière eux. Ils firent en silence le long trajet jusqu'à Harthill sur une route déserte.

Bannerman ne connaissait pas le coin, manifestement. Les nerfs en pelote, l'œil aux aguets, il ralentissait devant tous les panneaux de signalisation, se perdait en commentaires sur le trajet à chaque changement de direction. Morrow se taisait. Arrivés à un rond-point, ils s'engagèrent sur une petite route, puis sur une voie à peine carrossable qui longeait des champs parfois bordés de haies. Elle avait été goudronnée autrefois, mais le passage de quelques hivers rudes ajouté à celui des engins agricoles l'avait complètement défoncée. Ils arrivèrent enfin devant le périmètre délimité.

Un ruban bleu et blanc tendu entre les haies barrait la route. Planté à côté, un flic à grosse bedaine montait la garde, un gars du pays, sûrement, qui se frottait les mains et tapait des pieds pour se réchauffer. Il ne jouait pas la comédie, le malheureux ; il avait le nez qui coulait, il claquait des dents.

Bannerman coupa le moteur.

— Jamais vu de bagnole plus bruyante, maugréa-t-il comme pour lui-même.

— Ça nous a évité de parler pendant environ quarante minutes, c'est bien.

Bannerman tourna agressivement la tête, prêt à s'en prendre à elle, mais ravala sa remarque à la vue de l'expression affable et détendue de Morrow. Assez d'accord, dans le fond, avec ce qu'elle venait de dire, il sourit malgré lui. Elle l'appréciait plus lorsque leur patron n'était pas là.

Ouvrant sa portière, elle se risqua dans le froid mordant.

À Harthill, dans les collines qui entouraient la ville, l'air était plus piquant, le ciel souvent d'une limpidité presque violente. Ce soir-là, une lune géante s'y accrochait. Sur la route, les plaques de goudron ressemblaient à des tranches de nougat. L'autoroute se dissimulait derrière les reliefs et ses lumières dessinaient la ligne d'horizon. Qui qu'ils soient, ceux qui avait conduit la fourgonnette ici connaissaient l'endroit. Tournant les yeux vers le pied de la colline, Morrow aperçut, dans un bosquet d'arbres tordus par le vent, un véhicule qui finissait de se consumer sous les faisceaux des lampes torches des pompiers de la Crime.

Les experts judiciaires ne débarqueraient que lorsque le jour serait levé. Avant, c'était inutile, ils ne pouvaient rien trouver dans le noir. Sauf si d'ici là Oussama Ben Laden déclenchait un massacre à Glasgow, dans les heures à venir tous les effectifs de police allaient converger sur ce site. Pour le moment, seuls deux hommes s'efforçaient d'éteindre le feu tout en préservant un maximum d'indices.

Empêcher le feu de détruire un véhicule qui est en soi une pièce à conviction n'est pas chose simple. La mousse des extincteurs anéantit tous les indices, et l'usage de lances à incendie risque de disperser d'éventuels accélérateurs de feu et d'allumer d'autres foyers. Dans la matinée, on ferait une première recherche d'empreintes, puis on chargerait la fourgonnette sur une dépanneuse, sans l'ouvrir, pour l'entreposer dans un environnement stérile à des fins d'analyse.

— Harthill, commenta Morrow. Ils allaient vers Édimbourg, vous croyez ?

Bannerman haussa les épaules.

— Cet endroit est tellement paumé.

— Raison de plus pour penser qu'ils le connaissaient.

— On ne peut pas vraiment partir de là pour l'enquête, dit-il en tendant le bras vers le sol. Il n'y a pas de traces.

Elle ne put retenir la question qui lui brûlait les lèvres.

— Et Omar, il n'a rien dit d'autre ?

Bannerman la regarda avec curiosité, surpris par son ton mais incapable de l'interpréter.

— Pas grand-chose. Je pensais qu'il était impliqué, mais…

Elle haussa les épaules et se tourna vers le bosquet d'arbres.

— Moi aussi.

Prenant cet acquiescement pour une marque de complicité, Bannerman se rapprocha d'elle à la toucher, avec un soupir. Effrayée par cette proximité qu'elle n'avait pas sollicitée, Morrow détala vers l'agent qui montait la garde près du ruban.

Transi, mais sur le qui-vive, il leur demanda leurs noms, leurs grades, leur affectation, et coucha leurs réponses dans son calepin avec le soin maniaque d'un bleu un jour d'examen. Il n'avait pas dû avoir souvent l'occasion d'en voir de près, des scènes de crime. Bien que sensiblement de leur âge, entre trente et trente-cinq ans, son visage rougeaud et son embonpoint le faisaient paraître plus âgé. On vieillit plus vite, à la campagne.

Morrow passa sous le ruban et se dirigea vers l'entrée du champ en sentant dans son dos la présence de Bannerman. Elle continua d'avancer le regard rivé au sol, en restant soigneusement à l'écart du sentier que les criminels avaient probablement emprunté. Un peu plus loin, un paysan et un agent de police se tenaient compagnie, mais c'est à peine si elle releva la tête en passant devant eux.

La nuit était suffisamment claire pour qu'elle distingue les taches plus sombres des empreintes sur le givre. Il y avait des traces de pneus sur le sentier ; un peu plus haut, une voiture qui avait stationné là avait laissé un rectangle parfait sur le sol gelé. Morrow scruta la route un instant avant de s'accroupir.

Des traces de pas indistinctes dessinaient une piste entre le champ et l'emplacement de la voiture. Elles se chevauchaient et se confondaient par endroits. Morrow parvint à identifier ici les dessins profonds de rangers militaires, taille quarante-cinq ; là des semelles lisses ; ailleurs encore des baskets. Malheureusement, le gel n'allait pas faciliter le relevé.

Bannerman vit ce qu'elle regardait et héla le planton.

— Allez chercher le photographe, pour qu'il fasse des clichés de ces traces avant qu'elles aient disparu.

Aussi choqué et blessé que si on venait de lui passer un savon, l'autre fila au petit trot vers son véhicule pour envoyer un message radio.

Morrow était passée à l'examen des traces de pneus. Des pneus neufs, au dessin net et profond. Mauvais, ça, car si les stries et les zones d'usure des pneus ayant déjà beaucoup roulé sont parfois aussi parlantes que des empreintes digitales, les pneus sortis d'usine ne se distinguent que par la marque, et les fabricants ne sont pas légion.

Derrière elle, Bannerman était arrivé à la même conclusion. Chacun pour soi, ils essayaient de reconstituer la scène en se déplaçant prudemment, en se penchant ici ou là pour étudier un détail infime, en marmonnant tout bas, les yeux fixés au sol. Ils suivirent ainsi la piste des pas jusqu'au passage dans la haie, puis jusqu'aux longs sillons boueux du champ. À partir de là, le sol était trop inégal pour que les traces se soient imprimées dessus, mais çà et là il avait quand même conservé des ébauches d'empreintes assez nettes : le bout d'un pied, un talon, le bord d'une semelle.

Morrow s'en tint à des déductions prudentes : trois paires de pieds, venues dans cette direction sur des traces antérieures, probablement celles de complices qui attendaient. Se retournant, elle tria mentalement ses observations : deux traces en partie surimposées et apparemment imputables à la même paire de chaussures allaient et venaient dans les deux sens.

— Eh bien ? finit par demander Bannerman.

Lui aussi était doué en la matière, alors soit il lui tendait gentiment une perche, soit il comptait reprendre ses idées à son compte. Elle espérait que la deuxième hypothèse était la bonne.

— Deux des hommes portent les mêmes bottes, répondit-elle. J'ai d'abord cru qu'ils avaient retrouvé des complices ici, mais non. En tout on a deux types balèzes, le chauffeur et l'otage. À plus ils ne tiendraient pas dans une seule voiture, sauf à supposer qu'ils aient eu un seul complice ici. L'un des deux en rangers a ouvert la portière côté conducteur, ajouta-t-elle en désignant le large rectangle que la voiture avait protégé du gel. Ils avaient dû planquer une bagnole ici. Il faudra vérifier sur les vidéos de surveillance de la sortie Harthill, contrôler les véhicules qui ont pris l'autoroute à cet endroit…

Bannerman fixait toujours le rectangle sombre.

— Comment savez-vous où se trouvait la portière du conducteur ?

Elle lui montra les traces de pneus.

— Ça se verrait s'ils avaient fait demi-tour.

— Hmm, approuva Bannerman qui semblait agréablement surpris.

Il allait revendiquer la paternité de cette découverte, c'était évident et ce ne serait pas la première fois. Il était connu pour ça, mais les chefs le trouvaient génial.

— C'est la troisième fois d'l'année qu'y crament une bagnole dans mon champ !

Engoncé dans sa veste huilée, le paysan aux traits bouffis de sommeil paraissait excédé. Son accent épais le rendait difficilement compréhensible, et Morrow se surprit à devoir lire sur ses lèvres.

— Ce champ vous appartient, monsieur ?

— Ouais, l'est à moi, ouais.

— Je vais vous demander de bien vouloir rester derrière le ruban. Nous avons découvert des empreintes de pas gelées, et nous aimerions les préserver jusqu'à l'arrivée du photographe.

— Mais l'est à moi, ce champ-là.

— Je sais, mais vous devez aussi comprendre mon point de vue.

D'un discret signe de tête, elle indiqua à l'agent de faction de faire sortir l'agriculteur de la scène de crime.

— L'est à moi, ce champ, répéta le fermier, qui n'en croyait pas ses oreilles d'avoir été ainsi rappelé à l'ordre. C'est chez moi, si j'veux j'y reste. Et pis pourquoi qu'elle vous intéresse tant, c'te fourgonnette, là, alors que z'avez même pas bougé pour les deux autres ? Y z'en ont déjà cramé deux ici, avant celle-là, et vous avez fait quoi ? Rien du tout. Les épaves, c'est moi que j'ai dû les enlever tout seul.

On ne comprenait quasiment rien à ce qu'il disait. Bannerman avait gardé les yeux rivés sur sa bouche trop longtemps. Quand il les détourna enfin, il dut fixer ses pieds pendant quelques secondes pour se remettre de son ébahissement, avant d'interpeller l'agent en uniforme.

— Vous êtes arrivé le premier sur les lieux ?

L'autre acquiesça avec la dévotion d'une groupie pour son acteur préféré. Il avait le teint rougeaud des paysans, et son corps épais n'était pas particulièrement mis en valeur par la veste croisée de l'uniforme, étroitement boutonnée sur son ventre.

— Vous n'avez pas trouvé d'indices ? Un passeport, une adresse ? Pas de lettre avec une photo d'identité sur le sentier ?

— Rien de tout ça, non m'sieur, enfin pour ce que j'en sais jusqu'à maintenant, rien de tout ça.

Le même accent que celui du fermier, presque aussi difficile à comprendre, et une voix hésitante, parce qu'il était intimidé par ce policier venu de la ville.

Bannerman pouffa et jeta un coup d'œil à Morrow pour l'inviter à rire avec lui, à partager cet instant de complicité entre collègues.

— Vous avez parlé avec les experts ? demanda-t-elle.

— Non m'ame, pas encore.

— Comment pouvez-vous savoir, alors ? Emmenez cet homme derrière le ruban.

Laissant Bannerman avec les deux hommes dont il venait de se moquer, elle entra dans le champ en se demandant si elle n'était pas aussi puante que lui.

11

— Sûr que je ne vais m'asseoir nulle part, ici.

Debout dans le salon les bras croisés, Pat jetait un regard dégoûté aux taches suspectes qui maculaient aussi bien le plancher que les murs et le plafond.

Assis sur la partie la moins humide du canapé brun élimé, Shugie dut renverser la tête en arrière pour lever vers lui ses yeux bouffis.

— Comme tu veux, soupira-t-il dans un souffle rauque de vieux fumeur.

— Tu vis dans une porcherie, poursuivit Pat en se penchant vers lui pour le provoquer. C'est dégueulasse, chez toi.

Shugie cilla. Le sang lui monta au visage, mais ce fut tout.

— Si tu le dis.

Bien décidé à le faire sortir de ses gonds, Pat contempla avec écœurement le sol immonde, le canapé, le couloir qui conduisait à la cuisine.

— Une porcherie, oui ! Tu es encore plus dégueulasse que le plus dégueulasse des animaux.

Peut-être parce qu'il était complètement ivre, Shugie accueillit l'insulte avec flegme. Il ferma ses yeux chassieux pour éternuer, et cette action violente qui perturbait le fragile équilibre des forces au fond des orbites lui arracha une grimace. Il se mit à geindre.

— Tu entends ce que je te dis ?

— Ouais, marmonna-t-il, les yeux toujours fermés pour dissiper la douleur. Tu trouves que c'est dégueulasse et t'as pas tort.

— Non, mais regarde-moi ça !

Au prix d'un effort surhumain, Shugie souleva une paupière et suivit d'un œil gonflé la direction indiquée par le doigt de Pat. Au bout de la pièce, au pied d'un mur, une petite chose brune s'était fabriqué un cocon de fourrure blanche à même le plancher.

— C'est quoi, ça ?

— Une orange ? proposa Shugie en haussant les épaules.

— Une orange ?

— Une mandarine ?

— C'est une merde.

Un pas lourd qui ébranlait l'escalier annonça l'arrivée d'Eddy, qui venait de monter la garde devant la chambre où ils avaient enfermé le vieil homme.

— Il y a une saloperie de crotte de chien dans ton salon ! s'exclama Pat en forçant la voix pour qu'Eddy entende.

— Non, soupira Shugie qui ne pouvait pas aligner trois mots sans souffler. Y a plus de trois mois qu'y a pas eu de chien dans cette maison.

— Alors ça fait trois mois qu'elle y est. T'as vu un peu la moisissure !

Shugie secoua la tête.

— Mais non, répéta-t-il sans conviction. C'est rien qu'une mandarine pourrie, un truc comme ça.

Indigné, Pat se tourna vers Eddy mais n'eut pas le temps de parler.

— À ton tour, dit Eddy, un pouce levé vers le plafond.

— Cette baraque…

À bout d'arguments, Pat pointa à nouveau un doigt accusateur vers le petit boudin couvert de fourrure blanche, près du mur.

Shugie tendit les mains vers Eddy.

— Il me fait toute une histoire à cause d'une vieille orange pourrie.

En signe de solidarité, Eddy se laissa tomber près de Shugie sur le canapé. Il se raidit aussitôt, horrifié, et se releva d'un bond, pivota le buste pour regarder le fond mouillé de son pantalon, tendit la main pour essuyer l'urine, se ravisa in extremis.

— Oh, bordel…

Pat le saisit par le bras et l'entraîna rudement hors du salon.

— Viens par ici.

La cuisine paraissait encore plus sinistre dans la froide lueur du matin. La fenêtre au-dessus de l'évier était cassée, il manquait un triangle de verre dans le coin inférieur d'un carreau, le reste des vitres était recouvert d'éclaboussures d'eau sale et d'une épaisse couche de points gris moisis projetés par le mixer. Derrière ce rideau de crasse, le capot argenté de la Lexus brillait au soleil.

Le monceau de sacs-poubelle qui bloquait le passage vers la porte de derrière ne formait pas seulement un magma suintant sur le plancher. Les sacs du dessous étaient collés dans une flaque blanche.

— Je ne reste pas ici, déclara Pat.

Eddy, trop près de lui, se mordait les lèvres.

— Ce n'est pas… sain, insista Pat en regardant par terre.

— Pat…

— Il y a de la merde moisie dans le salon !

Eddy se frotta le nez, ferma les yeux. Lorsqu'il reprit la parole, ce fut sur un ton exagérément patient.

— J'ai eu du mal à trouver cette planque…

— Du mal ? hurla Pat. Ce connard est toujours fourré dans ta saloperie de bar. Tout ce que tu as eu à faire, c'est lui payer à boire pour le convaincre.

— J'ai cherché d'autres endroits…, continua Eddy, les yeux toujours clos.

— Je vois ça d'ici ! Tiens ! Qui veut une pinte d'O'Eighty ? Eh, toi qui sens la pisse, t'aurais pas une baraque ? Je peux y planquer un otage ? Y a des crottes de chien sur le plancher ?

Au lieu de la réponse qu'il sollicitait, Pat se retrouva avec le revolver d'Eddy pointé sur son œil. Eddy s'adressa calmement au canon de son arme.

— Patrick, je me suis donné beaucoup de mal, tu n'as pas l'air de t'en rendre compte.

Pat était comme hypnotisé par le petit cercle sombre.

— J'ai essayé de te raisonner, souffla Eddy, un trémolo dans la voix devant l'énormité de l'acte qu'il s'apprêtait à commettre.

Ses yeux restaient rivés sur la bouche fermée de Pat, comme s'il avait peur de regarder l'œil dans lequel il allait tirer. Il avait les yeux humides, en plus, ces saloperies d'yeux débordaient de panique.

— Bordel, j'ai essayé…

— Edward.

— Bordel, j'ai vraiment essayé !

— Range ce flingue ou je vais te tuer.

— Oh, tu vas me tuer ! (Eddy agitait le revolver qu'il avait peur de baisser, à présent, au cas où Pat se décide à attaquer.) C'est moi qui tiens une arme et c'est toi qui menaces de me tuer ? Tu me menaces ? Salaud, qui es-tu pour oser me menacer ?

Ils savaient tous deux qui était Pat : un Tait, qui en tant que tel n'avait nul besoin de menacer Eddy, car même brouillé avec sa famille un Tait est une menace ambulante. L'arme était maintenant pointée vers son oreille.

— Baisse ton arme, conseilla-t-il calmement.

Ne voyant pas quoi faire d'autre, Eddy obtempéra avec un hoquet de soulagement.

Pat tendit le bras et lui prit le pistolet. Il remit le cran de sûreté et inspira profondément.

— Cette affaire est mal barrée depuis le début. On l'a compris tous les deux.

— Oui, murmura Eddy, le visage baigné de larmes. Oui, je sais que c'est un bide, mais qu'est-ce qu'on va… Tu te rends compte que je me suis assis dans la pisse de ce vieux salaud ?

Il s'essuya les yeux de la main, essuya ensuite sa main sur ses cheveux.

Pat le prit par l'épaule et il se mit à chialer comme une fille sans pouvoir se retenir, avec des gémissements aigus. De l'autre côté du couloir, Shugie croisa les jambes. Pat remarqua les lacets de cuir brun de ses baskets, des lacets faits pour des chaussures de ville. Je ne suis pas comme ça, se dit-il, en sachant pertinemment qu'il était épouvanté à l'idée de leur ressembler.

— Si seulement elle avait pas pris les gamins, sanglotait Eddy. Si seulement elle me laissait voir mes gamins…

Ce n'était pas sa femme qui l'empêchait de voir ses enfants. Ce mensonge avait pris corps au fil du temps, comme tous ceux auxquels Eddy se raccrochait. Pat s'en était longtemps accommodé, mais tout à coup Eddy lui apparaissait tel qu'il était vraiment : un type que le tribunal avait déchu de son autorité parentale parce que ce connard était complètement instable ; un type qui en s'acoquinant avec Shugie s'était sûrement débrouillé pour que tous les clients du bar pressentent qu'il était sur un gros coup ; un type qui plus tard, quand l'affaire serait terminée, se forgerait de faux souvenirs des événements de la nuit précédente et réécrirait l'histoire en donnant à Pat le rôle du pétochard qui avait tout fait foirer. Alors qu'il était en train de larmoyer en s'apitoyant sur son sort. Eddy était incapable d'être honnête. Je suis comme lui, reconnut Pat, je suis comme lui, mais je ne veux plus.

Cessant de s'intéresser à lui, Pat s'évada tranquillement en pensée dans l'entrée rose de la maison qui sentait bon le pain grillé. Il n'était plus dans la cuisine immonde, il avait quitté cette baraque pourrie avec une crotte de chien qui se décomposait dans le salon et la montagne de sacs-poubelle fossilisés dans la cuisine. De retour dans le vestibule rose, il contemplait une mèche de cheveux noirs et soyeux glissant sur une épaule jeune. Tout était propre, dans cet endroit d'où les odeurs écœurantes étaient bannies, où personne ne laisserait jamais une merde de chien moisir sur le plancher. Exactement ce qu'il voulait.

Elle devait être en train de se brosser les cheveux lorsqu'ils étaient arrivés. Assise devant la télévision, en train de brosser ses longs cheveux. Cette image réjouissante lui faisait chaud au cœur, mais elle se fracassa soudain, pulvérisée par le bruyant désespoir d'Eddy.

Pat s'approcha de lui pour le calmer.

— Arrête…

— Ce connard d'Irlandais… Je ne sais pas quoi faire…

— Sortons manger quelque chose, proposa Pat d'une voix sans timbre.

— On peut pas laisser ce minable qui se pisse dessus monter la garde, dit Eddy en jetant un regard vers le salon.

— OK. Mais il faut qu'on bouge.

La main d'Aleesha caressait son visage – cette pauvre main… Il s'empressa de chasser cette pensée. Les doigts d'Aleesha touchaient son visage et les petites bagues dorées scintillaient devant ses yeux.

— Je vais appeler Malki pour qu'il vienne s'occuper de Shugie.

— Mais tu… mais comment… ? Si on s'en va, là, cet enfoiré va sortir prendre une cuite et il va pas pouvoir tenir sa langue.

— Malki va venir. Je vais lui demander d'apporter à boire pour que Shugie reste là, on dira qu'on revient tout de suite. Toi et moi, on ira manger du pain grillé ou…

— Du *pain grillé* ? T'es dingue ou quoi ?

— Après on contactera la famille.

Pat se voyait déjà frapper chez les Anwar. Les deux frères l'accueilleraient en ami, on lui offrirait du thé, il enlèverait sa veste dans l'entrée peinte en rose.

— Je leur demanderai le fric. Je vais régler ça, mec, ne t'inquiète pas. Tiens, pour commencer je vais arranger le coup avec l'Irlandais, conclut-il en tendant le bras vers la poche d'Eddy.

Eddy attrapa son portable, sélectionna un numéro, pressa le bouton d'appel et lui tendit l'appareil.

L'Irlandais dormait. Il décrocha instinctivement et aboya, de très mauvaise humeur :

— Quoi ?

— Nous avons le père, nous allons les appeler ce matin.

— Qui êtes-vous ?

— L'autre.

— Je ne vous connais pas.

Pat l'imaginait, en train de reconsidérer la situation.

— Je vous rappellerai, déclara l'Irlandais en raccrochant.

Eddy reprit le téléphone. Il leva les yeux, reconnaissant.

— T'es un pote…, balbutia-t-il.

Il aurait voulu remercier Pat, se livrer à des démonstrations d'amitié, mais il butait sur des mots qu'il ne prononcerait jamais.

Pat aussi avait sur le bout de la langue des mots qu'il valait mieux ravaler.

Pat pensait que le monde se porterait mieux si on le débarrassait des connards dans le genre d'Eddy.

12

Morrow était toujours assise dans sa voiture lorsque le soleil dépassa la cime des jeunes arbres de Blair Avenue. L'automne avait été chaud et pluvieux, et les jardins éclataient de vie. Les branches des arbres bien entretenus qui ombrageaient la rue commençaient à se dénuder, les haies verdoyantes perdaient leurs feuilles sur les trottoirs. Une pluie légère avait lavé le ciel, maintenant d'un bleu parfait.

Elle n'arrivait pas à bouger ses fesses. Presque trois quarts d'heure qu'elle était là, clouée sur son siège par la fatigue et l'indécision. D'un instant à l'autre, elle allait prendre la clé de contact et sortir de la voiture. Les muscles de son bras se contractaient, son esprit se concentrait sur l'embout en plastique de la clé, elle entendait le petit clic du Neiman qui se bloquait, éprouvait au creux de sa paume la chaleur du plastique de la poignée de la portière. Mais elle restait là.

Elle y était depuis si longtemps qu'elle sentait des fourmis dans ses mains posées sur le volant. Elle avait failli allumer la radio à plusieurs reprises pour se tenir compagnie, mais elle se l'interdisait. Autant admettre purement et simplement qu'elle n'avait aucune envie de se remuer.

Elle aurait pu retourner au poste de police. Bannerman était en train de briefer les collègues, mais rien ne l'empêchait de filer direct dans son bureau. C'était son jour de repos. Elle n'avait qu'à prétendre que l'affaire la passionnait trop pour qu'elle s'en tienne éloignée. Ça ne lui serait pas compté en heures sup et après ? Au moins elle aurait prouvé qu'elle en voulait, au lieu de rentrer bêtement chez elle pour s'occuper de Brian.

Elle leva la tête vers la coquette maison neuve. Toutes les lumières étaient éteintes, les rideaux du salon étaient encore fermés.

Quand elle était petite, elle rêvait de vivre dans une maison propre et neutre, au côté d'un mari propre et terne. Un homme qui n'élèverait pas la voix et qui ne tiendrait pas de propos alarmistes. Un homme qui ne s'amuserait pas à crier « Au feu » en pleine nuit, pour la tirer du sommeil parce qu'il craquait et voulait qu'on s'occupe de lui. Un homme que la police ne viendrait pas arrêter à six heures et quart du matin, et qui ne sèmerait pas des crachats mêlés de sang sur le tapis du couloir au moment de partir sous bonne escorte.

La maison de Blair Avenue était neuve, personne n'y avait encore habité et cela plaisait à Morrow qu'elle n'ait pas de passé. Ils l'avaient choisie pour être tranquilles, parce que le quartier était calme et qu'il y avait plein d'enfants.

La porte d'entrée était peinte en rouge, la boîte aux lettres en cuivre poli brillait gaiement au soleil levant. Elle lui avait tout de suite tapé dans l'œil, cette porte qui, contrairement à celles de trop de maisons neuves, n'était pas en PVC blanc. Ce détail l'avait d'emblée séduite, lors de leur première visite.

— Regarde, Brian.

Il avait souri en la voyant caresser la laque d'un rouge brillant, et elle avait deviné au mot près ce qu'il allait dire :

— Quelle couleur magnifique, en effet.

Le regard posé sur la porte, Morrow sentit ses lèvres répéter les mêmes mots en silence – quelle couleur magnifique.

La rectitude et la solidité qui l'avaient séduite chez lui n'étaient plus qu'un souvenir. Brian était devenu le symbole du chaos qu'elle fuyait.

La silhouette du facteur lui cacha soudain la vue. Il avait laissé le portail grand ouvert et remontait l'allée en fouillant dans sa sacoche, dont il sortit des prospectus et des factures qu'il glissa dans la boîte à lettres. Il ne leva pas les yeux lorsqu'il rebroussa chemin, déjà occupé à trier le courrier de la maison voisine. Dans les arbres, les oiseaux gazouillaient. Sa mallette à bout de bras, un cadre en costume gris traversait la rue pour gagner sa voiture. Les gens commençaient leur journée. Il fallait qu'elle y aille, sinon elle allait se faire remarquer en train de faire le guet devant son domicile.

Elle avait terriblement envie de revoir Danny, de lui parler, de s'abandonner à leur vieille complicité familière. Danny, elle le connaissait par cœur, elle le comprenait, elle savait à l'avance ce qu'il allait dire ou faire. Il n'avait ni lubies ni sautes d'humeur imprévisibles. Danny était égal à lui-même et il trouvait ça très bien.

De fil en aiguille, à cause du quartier où ils avaient été à l'école ensemble, ses souvenirs de Danny la ramenèrent en pensée à l'affaire Anwar. Morrow n'avait encore jamais sollicité son aide, elle avait toujours soigneusement séparé ces deux mondes, mais elle en voulait tellement à Bannerman qu'elle était prête à y songer.

Brian était là, si ça se trouve il était réveillé et il se demandait peut-être où elle était passée, pourquoi elle n'était pas rentrée, pourquoi elle avait coupé son téléphone.

Elle s'aperçut que ses doigts venaient de se refermer sur la clé de contact. Après un instant d'hésitation, elle démarra et s'engagea sur la chaussée pour partir en direction de la ville grouillante de vie.

13

Le trajet, à cette heure matinale, ne dura guère que vingt minutes, mais elle eut l'impression de débarquer dans un autre univers quand elle arriva au pied des immeubles d'appartements de luxe.

Morrow les examina d'un œil critique en tirant sur le frein à main. Flambant neufs et construits à la faveur du boom de l'immobilier, ils commençaient pourtant à être sérieusement délabrés. Plusieurs de ces logements avaient été achetés avec de l'argent sale, à l'époque où les placements dans la pierre s'avéraient juteux. Mais les gangsters ayant rechigné à payer les charges exorbitantes, leurs jolis investissements avaient triste mine.

Les habitants confondaient les ascenseurs avec les vide-ordures, marquaient les meilleures places de parking avec des cônes de signalisation de la police et se dispensaient de régler les factures d'entretien. Le facteur ne s'aventurait plus jusqu'ici, il n'y avait plus de lumière dans les couloirs, les murs des parties communes étaient couverts de graffitis. Un ascenseur – un seul – restait toutefois en état de marche, et personne n'aurait osé pisser dedans ou y mettre le feu : il desservait l'appartement terrasse de Danny.

Dédaignant l'entrée du parking en sous-sol, Morrow se gara dans la rue. Le parking souterrain était plus sûr, mais il fallait sonner Danny pour qu'il lui ouvre et elle préférait ne pas lui laisser le temps de se préparer à sa visite. Il s'empresserait de cacher tout ce qu'il n'avait pas envie qu'elle voie, et ils ne couperaient pas à un échange embarrassant et trop facile sur son agence de gardiennage, les problèmes de tenue des comptes et de direction d'équipe. Toujours à la limite de la légalité, Danny avait créé une chaîne d'agences de sécurité qui verrouillaient leurs territoires respectifs et n'hésitaient pas à pratiquer le chantage et le sabotage pour emporter le marché. Les patrons qui n'utilisaient pas les services de Danny avaient intérêt à avoir une bonne police d'incendie, et les agressions contre leur personnel les amenaient généralement à céder. Danny avait même eu les honneurs de la presse, avec une pleine page sur ses machinations diaboliques. Venir le débusquer chez lui de si bonne heure ne manquait pas de cruauté, mais au moins c'était honnête.

Morrow respira un grand coup. À une centaine de mètres devant elle, l'autoroute était engorgée par les embouteillages du matin. Derrière, il commençait à y avoir pas mal de circulation sur la route qui longeait la rivière, mais la rue où elle avait choisi de s'arrêter était large et déserte. L'endroit était mal choisi, elle le savait. Les voleurs de voitures ne pouvaient pas rêver mieux.

Dans ce quartier des docks, il y avait jadis des bars de marins, des asiles de nuit, des entrepôts gigantesques regorgeant de produits importés des quatre coins du monde, chargés par des dockers qui se servaient au passage. Ce temps-là était bien fini. Des dizaines d'années durant, le bord du fleuve n'avait plus abrité que des hangars vides, qu'on avait fini par raser pour aménager à la place une zone industrielle. Quelques entrepôts de tapis et de meubles avaient néanmoins réussi à résister, jusqu'à ce que le boom de l'immobilier les supplante par des résidences de luxe avec vue sur l'eau. Douze étages de Placoplâtre bourrés de gadgets, du jacuzzi à la cuisine équipée d'une machine à expresso. Tous avec des balcons tournés vers le fleuve d'une des villes les plus défavorisées d'Écosse. Les acheteurs avaient campé toute la nuit pour avoir le privilège d'investir dès le lancement de l'opération. Le marché était si volatile que les promoteurs avaient eu du mal à vendre les derniers lots.

Titubant de fatigue, Morrow se risqua hors de la voiture. Elle resserra son manteau autour d'elle pour se protéger du vent qui montait de la berge et ouvrit le coffre. La bouteille de whisky pur malt traînait dedans depuis deux semaines. Elle l'attrapa, la cala au creux de son coude comme si c'était une poupée, verrouilla la voiture et se dirigea vers la porte d'entrée. La sonnette de Dan : 12.1

— Oui ?

— Salut, Danny. C'est moi.

Elle le sentit hésiter, mais il commanda l'ouverture de la porte. Accompagnée par le claquement de ses petits talons sur le sol en pierre, Morrow se dirigea vers la batterie d'ascenseurs aux portes en acier et appuya sur le bouton d'appel. Les palmiers en plastique d'un vert improbable qui flanquaient l'entrée étaient couverts de poussière et des mégots s'éparpillaient sur les graviers disposés autour. Les toiles vissées au mur prétendaient sûrement à l'abstraction, avec leurs éclaboussures vertes et rouges.

La porte de l'ascenseur coulissa devant deux racailles et une femme active en tailleur pantalon : les racailles se la jouaient, l'air goguenard ; la dame, coiffée et maquillée pour affronter la journée, serrait son sac contre elle.

Morrow s'écarta pour les laisser passer, puis entra dans la cabine et appuya sur le bouton du douzième. Le témoin s'éclaira d'une lueur rose, mais rien ne se passa. Parce qu'il ouvrait directement sur l'appartement terrasse, l'ascenseur ne pouvait démarrer qu'avec un passe, ou la mise en marche d'une commande au dernier étage. Chaque fois Morrow se demandait si Danny n'allait pas lui refuser l'accès. Ça n'était jamais arrivé, mais il en avait le pouvoir. Puis la porte se referma et la cage métallique s'éleva avec une légère secousse vers le toit. Son estomac se contracta à la pensée de le revoir.

L'ascenseur s'arrêta doucement et elle sortit dans l'éclatante lumière du jour. Crystyl était là, cinq bons mètres plus loin. Silhouette parfaite et maquillage impeccable, une cascade de cheveux blonds bien coiffés en arrière, des talons de douze centimètres, un jean moulant, un tee-shirt rose à sequins tendu sur les deux balles de tennis implantées à grand prix pour tenir lieu de seins. Déconcertée par l'apparition de Morrow, Crystyl lui adressa un timide signe de la main avant de lui souhaiter bonjour d'une voix enfantine. Morrow s'avança sur le sol dallé de pierres.

— Salut, Crystyl. Ça va ?

— Oui, super. Et toi, ça va ?

Bien que capable, au prix d'un effort sur elle-même, de se lancer dans une conversation frivole, Alex n'arrivait pas à masquer son ennui en présence de Crystyl. Pas tant à cause de Crystyl elle-même que de son personnage de coquette bling-bling et fleur bleue, sachant que sous cette mince couche de vernis elle avait le cœur assez bien accroché pour se faire entretenir par un homme prêt à tout pour arriver à ses fins. Crystyl faisait celle qui n'était au courant de rien, comme si Danny menait ses affaires dans une dimension parallèle, mais elle n'hésitait pas à dépenser ce fric qui puait la violence, la sueur et la terreur en sottises du style cartes de vœux à la noix et porte-clés fantaisie. Si elle ne s'était pas retenue, Alex l'aurait volontiers giflée en lui disant de se trouver un boulot, n'importe quoi, mais vite.

— Ouais, ça va. Dan est là ?

— Il descend, il en a pour une minute. (Crystyl gloussa bêtement. Trois notes qui se voulaient cristallines et qui crépitaient comme des bouts de verre écrasés sur un trottoir sale.) Euh…, si on… si on se prenait un petit café ?

L'alternative était simple : soit elles restaient plantées là, à se creuser la tête pour meubler le silence, soit elles se simplifiaient la tâche en s'agitant autour de la cafetière. Alex accepta donc la proposition d'un hochement de tête et suivit Crystyl à travers le salon.

Aménagée sur toute la hauteur de l'appartement, cette pièce somptueuse était bordée sur trois côtés par des murs en grès d'un jaune lumineux ; au bout, face à un immense canapé en L, une grande baie vitrée dominait l'embouchure du fleuve et la mer d'Irlande. Ici comme dans le reste de l'espace, la déco privilégiait les nuances jaunes et couleur pierre, les meubles chics et chers semblaient avoir été choisis pour un appartement témoin. C'était le cas : Danny avait acheté meublé. Alex était allée chez Crystyl des années auparavant, à l'époque où elle commençait à sortir avec Danny. Tout chez elle était rose, et cela avait semblé à Alex à peu près aussi obscène que si on l'avait invitée à visiter une maquette de vagin surdimensionnée à des fins pédagogiques.

Crystyl la précéda dans la cuisine. Des lampes halogènes éblouissantes étaient encastrées dans le plafond surbaissé. Les plans de travail en granit noir brillant alignés sur les quatre murs se rejoignaient près d'un réfrigérateur à deux portes surmonté d'un fronton en bois, qui lui donnait des allures de mausolée consacré à la bouffe.

— Je vais nous préparer un bon petit café. J'adore le vrai café. Il n'y a rien de meilleur, hein, tu ne trouves pas ?

Alex se contenta d'une moue évasive.

Ayant épuisé son répertoire à propos du café, Crystyl se mit à chantonner pour ne pas laisser s'installer un silence qui la terrifiait. Elle avait raison : il n'y avait pas plus efficace que le silence, comme technique d'interrogatoire ; face à quelqu'un qui se tait, la plupart des gens normaux et innocents essayent de relancer la conversation. Les habitants de Glasgow vendraient leur propre mère plutôt que de rester assis bouche cousue devant un parfait inconnu. Alex n'était pas là pour faire parler Crystyl, mais elle ne trouvait simplement rien à dire.

Crystyl sortit du placard une boîte en métal argenté de café Illy. Elle retira l'opercule de métal et resta sidérée.

— Oh ! dit-elle.

— Qu'y a-t-il ?

— Ça ne va pas, ça ne va pas du tout.

Alex s'approcha et regarda dans la boîte. Du café en grains.

— Il n'y a plus qu'à le moudre.

— Là-dedans ? fit Crystyl en désignant le robot.

— Tu n'as pas un moulin à café ?

Crystyl contempla la machine à expresso fixée au mur.

— Il y en a un là, tu crois ?

Il y avait un bouton pour amener l'eau chaude dans le filtre à café, et un bec pour faire mousser le lait. Crystyl pressa différentes touches en essayant de déchiffrer les symboles. Ses gestes devenaient fébriles. Elle ouvrit une petite trappe sur le côté de l'appareil, et en extirpa le tuyau d'eau, un peu jauni parce qu'il n'avait jamais servi.

— Ça va peut-être marcher si on met les grains là-dedans ?

Alex éprouva soudain un élan de compassion pour cette femme stupide.

— Laisse tomber, va. Je veux bien une tasse de thé, à la place, si tu en prends une aussi.

— Mais je voulais du café.

Crystyl regarda par-dessus l'épaule d'Alex et son visage s'éclaira.

— Bonjour chéri.

Alex n'avait pas entendu Danny arriver. Il était habillé pour sortir et faisait ostensiblement tourner les clés de sa voiture autour de son index. Sous la veste matelassée qui élargissait sa carrure, il avait tout d'un repris de justice qui aurait mis son temps de prison à profit pour s'entraîner aux haltères. Sa tête rasée et la longue cicatrice qui lui balafrait la joue ne contredisaient pas cette impression.

— Quel bon vent t'amène ? demanda-t-il en retenant un sourire.

— Je viens te rendre visite, répliqua-t-elle en se mordant la joue pour ne pas répondre au sourire qu'il ne lui avait pas adressé.

— À sept heures et demie du matin ?

— J'ai bossé toute la nuit, je rentrais à la maison. J'ai eu envie de passer te voir avant que tu partes au travail à ton tour.

Il fit la moue.

— Encore un peu, tu m'aurais raté.

— Ouais.

Ils hochèrent tous les deux la tête. Ils auraient préféré pouvoir se rencontrer plus facilement.

— Et Bébé ? demanda-t-il.

— Pas de nouvelles, dit-elle très vite pour éluder la question. (Cette blague était idiote. Elle se força à respirer et, comme lui, sourit dans le vague.) Non, je plaisante. Il va bien. Ça va. Tiens, je t'ai apporté un cadeau.

Elle posa la bouteille de pur malt sur le comptoir. Il effleura l'étiquette avec un petit rire.

— C'est gentil.

Ahurie, Crystyl les regardait. Danny ne buvait pas.

— Je suis une gentille fille. Joyeux anniversaire, Danny.

— Et moi, j'ai oublié le tien.

— Ça n'a pas d'importance, répondit-elle avec sincérité.

La main sur la bouche pour étouffer un cri, Crystyl bouscula presque Alex en se jetant sur Danny. Elle le prit dans ses bras, se pressa contre lui en frottant ses seins sur son torse, le frappa pour rire de son petit poing.

— L'anniversaire de ta petite sœur ! se mit-elle à piailler. Mais quel salaud, Danny, quel foutu salaud. Ouais, c'est mal de dire des gros mots, je sais, mais vraiment tu le mérites, hein !

— Tu as raison poupée, dit Danny en pinçant légèrement sa taille minuscule. Bon, faut que j'y aille, je raccompagne Alex en bas. Tu es garée dans la rue ? demanda-t-il en se tournant vers elle.

— Oui.

Il comprit pourquoi et en fut, peut-être, légèrement blessé. Crystyl qui s'était élancée devant eux trottinait à travers le salon en faisant danser sa queue-de-cheval sur ses épaules. Elle s'arrêta exactement à l'endroit où elle se tenait à l'arrivée d'Alex – sans doute parce qu'elle s'imaginait que l'éclairage la mettait en valeur et que celui qui la regarderait avant d'entrer dans l'ascenseur penserait à elle avec affection au moment d'écraser les doigts d'un récalcitrant dans la portière d'une voiture.

— À tout à l'heure, chéri, minauda-t-elle.

Et elle lui envoya de loin un baiser que Danny, se prêtant machinalement au jeu, fit semblant d'attraper.

Les miroirs qui couvraient les quatre pans de la cabine leur renvoyaient leur image : tous les deux grands, et du même blond, du même âge (trente-quatre ans), avec les mêmes joues à fossettes que leur père. Des fossettes qui leur donnaient encore l'air doux et enfantin, mais dont ils savaient, pour avoir vu leur père vieillir, qu'avec le temps elles se transformeraient en rides profondes. Leur père avait l'air de s'être fait taillader le visage par un maniaque de la symétrie. Cela étant, ils ne se ressemblaient pas : Alex tenait de sa mère ses yeux et son menton ; la sienne avait légué à Danny non seulement sa bouche, mais aussi sa moue réprobatrice et mesquine.

Ils avaient trois mois de différence. Leur père était un vrai don juan, à l'époque, et il entretenait simultanément toutes ses petites familles. La mère d'Alex était naïve, mais l'amour passionné qu'elle lui portait s'était définitivement refroidi à l'arrivée du bébé. Bien que plus jeune, la mère de Danny n'en était pas à sa première désillusion. Danny n'avait pas été élevé dans la honte et la colère, comme Alex, mais il avait appris très tôt que les hommes cognaient et buvaient.

Alex et Danny s'étaient rencontrés lors de leur première rentrée scolaire. On aurait dit des jumeaux, tout le monde le leur serinait sans penser à mal. Ils s'étaient fiancés dès le premier jour de classe, mais leurs amours prirent fin brutalement le jour où leurs mères respectives se croisèrent à la sortie de l'école. Le souvenir le plus net qu'Alex ait gardé de sa petite enfance était ce retour à pied à la maison, à travers le parc. Sa mère en pleurs, et le sang qui tombait goutte à goutte de sa bouche sur le sentier gris. Elle avait déchiré son chemisier au cours de la bagarre, on voyait son soutien-gorge.

On ne changeait pas d'école, en ce temps-là. Danny et Alex firent donc toute leur scolarité ensemble, de la maternelle à la troisième. La menace que leurs mères en viennent à nouveau aux mains était leur épée de Damoclès à eux.

En cinquième, Alex fut bien contente d'apprendre que la mère de Danny avait succombé à son alcoolisme. Lui s'était sûrement frotté les mains à la mort de sa mère à elle, mais c'était pure supposition de la part d'Alex : elle avait seize ans, alors, et elle allait au lycée alors que Danny avait arrêté au collège.

Plus tard, elle s'était félicitée de ne pas porter le nom de McGrath. Sa mère l'aurait souhaité, mais son père n'avait pas voulu la reconnaître. En fait, c'était une chance, car si elle avait hérité du patronyme paternel, le jury du concours d'entrée dans la police se serait renseigné sur sa famille et on aurait écarté sa candidature.

Ils avaient atteint le neuvième étage quand elle se décida à parler.

— Je voulais te demander un truc.

Alex alluma son portable et fit défiler les images jusqu'à la photo qu'elle avait prise dans la rue la nuit précédente : Omar derrière le ruban de police, un peu flou mais parfaitement reconnaissable, une cigarette à la main, l'air piteux. Elle le montra à Danny.

— Tu connais ?

— Non, fit Danny après avoir scruté la photo. (Il lui rendit l'appareil.) Tu as des nouvelles des copains ?

— Aucune. Et toi ?

— Lan Gallagher s'est marié le mois dernier.

— Ça ! Qui diable a bien pu l'épouser ?

— Bah, tu sais… Plus t'es moche, moins t'es regardant.

Son sourire creusa ses fossettes. C'est avec ce sourire-là que les McGrath enjôlaient leurs conquêtes.

Sans attendre que la porte coulisse entièrement, Danny sortit de la cabine et traversa rapidement le hall en direction d'une porte marquée parking ; Alex lui emboîta le pas.

Elle s'engagea à sa suite dans un couloir aux murs et au sol en béton couverts de traces d'humidité, violemment éclairé par des lampes fluorescentes. Danny l'attendait trois mètres plus loin, plaqué contre le mur derrière le premier angle du couloir.

— On a fait mettre des caméras partout, expliqua-t-il, un doigt tendu vers le plafond. À cause des problèmes dans les parties communes. Comme je sais où elles sont… prudence !

Déçue d'avoir la confirmation de ce qu'était réellement Danny, Alex se tassa sur elle-même, mais sans tenir compte de ce reproche muet Danny la saisit par le coude et l'attira près de lui, puis il s'empara du téléphone qu'elle tenait toujours à la main et il examina la photo d'Omar.

Alex éprouvait un sentiment bizarre, à être aussi près de lui sans le toucher. Elle sentait son souffle sur son cou et cela lui rappelait leur adolescence – le jour où il avait voulu lui apprendre à fumer du hasch, à cette fête dans la chambre de Bosco Walker, et où elle avait vomi sur ses baskets toutes neuves. Il était mort de rire parce que ses belles baskets étaient bonnes à jeter. Bosco, Lan et tous les autres appartenaient à une autre vie, une vie à laquelle Alex avait depuis longtemps tourné le dos et qu'elle aurait voulu effacer de sa mémoire. Chaque fois pourtant qu'un de ces souvenirs engloutis remontait à la surface, il était si vif et si prenant qu'il lui paraissait bien plus réel que le présent terne de son quotidien.

Danny lui rendit son portable.

— Ce petit mec vit dans les quartiers sud.

— Je sais. À ton avis, c'est…

« Une racaille », aurait-elle dit si elle avait parlé avec un collègue, mais elle ne pouvait pas prononcer ce mot devant Danny.

Il l'aida.

— De la mauvaise graine ?

— Oui.

— Sûrement pas, c'est une famille bien. Le père tient une épicerie. Les deux fils étaient à Saint-Al, je crois même qu'ils sont allés en fac.

— Oui, dit-elle. Le plus jeune a fait son droit.

— Tiens, tiens.

Alex regretta immédiatement de lui avoir fourni cette précision. Danny pouvait garder certaines informations en mémoire des années avant de s'en servir.

— Tu le connais d'où ? demanda-t-elle.

— Il faisait partie des Young Shields quand il était gamin. Après, il en est sorti, ça fait un bail que j'ai plus eu de ses nouvelles.

La plupart des adolescents immigrés entraient dans une bande à un moment ou à un autre, essentiellement pour se protéger des exactions des bandes rivales. Sans qu'on puisse en inférer quoi que ce soit sur les qualités ou les défauts d'Omar, cela signifiait simplement qu'il avait été môme et qu'il avait eu peur. Pour autant qu'Alex s'en souvienne, cela revenait au même.

— Son frère aussi ?

Danny fouilla dans sa mémoire.

— Bill ?

— Oui.

— Un gros garçon tranquille. Il est toujours resté à l'écart.

Quelqu'un venait d'ouvrir la porte donnant sur le hall, des pas résonnèrent dans le couloir et un jeune homme branché surgit devant eux. Surpris de les voir si près l'un de l'autre dans ce coin reculé, il détourna rapidement le regard et s'éloigna.

Alex fit les gros yeux à Danny qui s'était gratté le nez lorsque le jeune homme était passé devant eux. C'était devenu une manie, chez lui, de se cacher derrière sa main quand on le dévisageait, et en réalité ce tic le trahissait, tout comme les petits silences qu'il marquait systématiquement avant d'admettre qu'il avait été à tel ou tel endroit, ou comme son habitude de repérer les issues dès qu'il entrait quelque part.

— Tu ne me prends pas pour un indic, hein ?

— Non.

Il y avait belle lurette que Morrow avait complètement coupé les liens avec sa famille et il n'était pas dans son tempérament de demander de l'aide – surtout à Danny. Elle avait éveillé sa curiosité, néanmoins, et tant qu'il n'aurait pas compris pourquoi elle était venue le voir il allait se poser des questions. Elle-même aurait été bien incapable d'expliquer sa démarche.

— Papa est mourant, dit-il brusquement.

— C'est vrai ?

— Il a été transféré à l'infirmerie de la centrale. Cancer. Il n'en aurait que pour quelques mois.

— C'est vrai ? répéta-t-elle en baissant la tête, les mâchoires serrées. Il a demandé à nous voir ?

— Non. Enfin, je n'en sais rien. Pourquoi ? Tu m'as entendu dire qu'il t'avait demandée ?

— Non.

Ils échangèrent un drôle de petit sourire.

— Pourquoi tu poses la question, alors ?

— Comme ça.

— N'empêche. S'il n'en a plus pour longtemps, il risque de ne pas avoir le temps de voir tous ses enfants.

— Il en a combien, d'après toi ?

— Va savoir !

— Ça t'est déjà arrivé de croiser quelqu'un et de te demander si tu étais son demi-frère ?

— Sûrement pas ! s'esclaffa Danny. Et toi ?

— Non plus.

Ils mentaient l'un et l'autre et ils le savaient, et pour une fois c'était bon d'être complices et de ne pas faire semblant.

— Ça va, toi ?

Il avait parlé aussi vite qu'on rote, comme si la question lui brûlait les lèvres.

— Ça va, répondit Alex avant de se reprendre, choquée par sa désinvolture. Je vais bien.

— Le petit… (Le cœur d'Alex se serra, puis elle se rendit compte qu'il regardait son téléphone.) Tu voulais savoir…

Elle haussa les épaules et s'aperçut qu'elle avait du mal à respirer.

— J'ai simplement pensé que tu pouvais peut-être m'aider, parce que ça s'est passé près de la maison, tu sais… Dans notre ancien quartier…

Elle ne pouvait pas se résoudre à le regarder, de crainte qu'il décèle la panique dans ses yeux.

— Il faut que j'y aille, dit-il sans esquisser un geste.

— Moi aussi, dit Alex qui ne bougea pas non plus.

Ils ne pouvaient pourtant pas s'éterniser ici. Elle s'écarta la première.

— Bon anniversaire, Danny.

— Merci.

Danny resta planté là et la suivit des yeux.

— Appelle-moi, lança-t-il dans son dos.

— Non, répliqua-t-elle en posant la main sur la poignée de la porte. On n'a rien à se dire, tu sais bien.

— Appelle-moi et tiens-moi au courant, pour Bob.

Alex revint vivement sur ses pas. Adossé contre le mur, Danny n'avait pas bougé d'un iota.

— Bob ?

Il claqua dans ses doigts.

— Bob, oui. Le petit jeune de la photo.

— Omar ?

— Ouais. On l'appelle Bob dans le quartier.

14

Il faisait jour, Aamir en était sûr, et il aurait parié que le soleil brillait, dehors.

La nuit avait été tellement effrayante, et ses muscles étaient restés tendus si longtemps qu'il avait fini par s'endormir d'épuisement, sa menotte dans la main de sa mère. Lorsqu'il se réveilla, un filet de salive collait la taie d'oreiller à sa joue. Il se redressa sur le lit et tira sur l'enveloppe en tissu. Il ne gardait qu'un souvenir confus des événements de la nuit.

Ils avaient roulé longtemps avant de passer du camion à la voiture et de reprendre la route. Il était sûrement très loin de chez lui – dans les Highlands, peut-être, ou bien à Manchester ou peut-être même à Londres. Quelque part là-bas, par-delà cette taie en tissu synthétique qui lui couvrait le visage, il y avait ses enfants et son épouse, son petit-fils nouveau-né et Aleesha qui avait tant perdu de sang qu'elle était peut-être morte.

Aleesha. Une sale gosse : trop gâtée et têtue, désobéissante. Il l'adorait. Elle tenait de sa mère son esprit rebelle et son énergie, mais c'est justement parce que

Sadiqa avait un fichu caractère qu'il en était tombé amoureux. Il essaya de prier pour Aleesha, en vain : son cœur était fermé à Dieu.

Omar l'avait trahi. Étant lui-même le cadet de la famille, Aamir avait toujours eu une préférence pour Omar. Aamir soupira et implora sa propre mère : pourquoi Omar lui faisait-il subir ça ?

Peut-être parce qu'il se droguait ? Omar était le seul de ses trois enfants à avoir un profil de junkie. Des tas de jeunes drogués venaient à la boutique pour essayer de voler ce qui leur tombait sous la main ou pour s'acheter des sucreries. Aamir avait depuis longtemps son opinion sur eux. Selon lui, il y avait autant de gens sympas parmi eux que dans la population générale, et si en effet ils devenaient désagréables quand ils étaient en manque ou désespérés, on pouvait dire ça de n'importe qui. En tout cas, il y avait une solderie de l'autre côté de la rue, une supérette un peu plus loin et c'était plus facile de voler là-bas que dans sa boutique. Aamir préférait les junkies aux alcooliques.

Omar était là, hier soir, et il les avait laissés prendre son père à sa place. Seul Billal avait tenu bon. Le seul de ses enfants qu'il n'aimait pas vraiment. Aamir n'était pas, comme à son habitude, en train de chercher des excuses à Omar. Il le comprenait vraiment. Lui-même n'avait pas agi autrement avec sa mère, il les avait laissés abuser d'elle pour payer sa liberté. Elle ne le lui avait pas reproché. Aamir non plus ne reprochait rien à personne.

Elle avait peur, elle aussi. Il serra les doigts de sa mère pour la réconforter et lui chuchota de ne pas s'inquiéter. Il comprenait à présent qu'elle se soit sacrifiée pour lui. Jadis, quand il était jeune, il lui reprochait de ne pas s'être battue jusqu'à la mort, mais à présent il comprenait.

Aamir n'avait pas endossé de gaieté de cœur le rôle de père de famille. Il en voulait beaucoup à ses enfants, mais toute l'animosité et la rancœur accumulées jour après jour au fil des ans s'étaient volatilisées en une nuit. Loin des siens, séparé d'eux par une mer de regrets impossible à franchir, il se rendait compte qu'ils étaient bons, que les valeurs qu'il avait essayé de leur inculquer en les surveillant, en les sermonnant, en s'emportant contre eux, ils les portaient en eux depuis toujours. S'il pouvait les revoir ne serait-ce qu'une fois avant de mourir, il embrasserait la tête de son petit-fils et frotterait son nez dans les cheveux duveteux du bébé ; il expliquerait à Omar qu'il n'était pas vraiment en colère contre lui ; il sourirait à Aleesha et il applaudirait son extravagance magnifique. Puis, couché dans le noir auprès de Sadiqa, il ne penserait pas qu'elle était trop grosse, qu'elle faisait pencher le lit de son côté et qu'elle sentait l'huile de friture. Il resterait tranquillement allongé en appréciant pleinement l'obscurité paisible, la douceur des draps, la petite lumière verte du radio-réveil qui se reflétait sur le plafond.

La pensée de son propre lit amena un sanglot dans sa gorge, réveillant la douleur dans ses côtes meurtries.

Ils étaient deux, et l'un des deux parlait d'une voix étranglée de colère. L'autre participait moins ; il était même plutôt gentil lorsque son copain n'était pas là. L'homme à la voix étranglée était venu dans cette chambre la nuit dernière. Il lui avait donné un coup vicieux dans le flanc et avait méchamment ricané parce qu'Aamir avait le souffle coupé. Il lui avait ordonné de rester sur le lit, de ne pas chercher à enlever la taie d'oreiller. Aamir avait obéi. À la boutique, il avait un système de surveillance vidéo et il savait que ça ne coûtait pas cher. Il y en avait peut-être un dans cette pièce aussi.

Il s'imagina à quoi il ressemblerait, vu par une caméra accrochée au plafond : un petit homme gris, les jambes croisées sur un grand lit gris. Une taie d'oreiller sur la tête. Propret, soigné, couché à côté d'une grosse femme avec une fleur de sang s'épanouissant sous les fesses, en train de sécher ses larmes avec le bord de son sari et de sangloter, par habitude plus que par vraie tristesse.

Elle examinait les alentours en portant le regard loin, le plus loin possible, avec autant d'avidité que si perchée sur l'impériale d'un autobus elle découvrait une ville étrangère. Sa mère lui serrait la main très fort mais elle n'avait pas peur, non, il n'y avait pas de soldats armés de fusils pour vérifier leurs passeports britanniques. Elle lui serrait fort la main parce qu'elle était excitée et contente qu'ils soient ensemble pour voir tout ça, enfin, et parce que, enfin, il lui donnait la main. Elle tendit le bras vers la fenêtre, sourit d'un sourire terne, et le film s'arrêta.

Il y avait une fenêtre, elle avait raison. Il l'apercevait à travers les plis du tissu. Et il y avait une porte en face du lit. Fermée. Les hommes étaient passés par là, il s'en souvenait maintenant. Quand il toussa, Aamir entendit le bruit de sa toux rebondir sur les murs et il en déduisit que la pièce était petite. Une chambre d'homme. Jamais une femme n'aurait supporté cette odeur de cheveux et de pieds sales. Une femme aurait ouvert la fenêtre pour aérer, elle aurait changé les draps de temps en temps.

Il souleva légèrement le bord de la taie d'oreiller pour examiner le lit et le rabattit aussitôt. Dégoûtant. Il ne voulait pas voir ça. Ces draps jaunis là où l'homme s'allongeait, raides de crasse et d'urine. Des draps que personne ne changeait jamais.

Le dégoût le prenait à la gorge, la saleté le paniquait, et pourtant il était essentiel de garder la tête froide. Aamir était un homme intelligent, il exerçait un métier prosaïque et il avait appris à contrôler ses sentiments par sa seule volonté, à calculer mentalement ou à dresser un inventaire de mémoire pour garder l'esprit vigilant. Il s'obligea à penser au déroulement d'une journée ordinaire au magasin en commençant par le début, quand il arrivait à six heures et demie du matin pour regarnir les rayons, puis servir les clients. Il les décrivait à sa mère en s'arrêtant surtout sur les odeurs différentes de ces gens, en les cataloguant, à partir de ces odeurs, en fonction de leurs problèmes : la boisson ou la drogue, la maladie mentale, la paresse, les animaux incontinents qui faisaient leurs besoins dans la maison.

Il était neuf heures et demie, à cinq minutes près. Aamir n'avait pas de montre, mais ses trente-cinq années d'expérience du commerce, chez son oncle d'abord, puis à son propre compte, avaient développé chez lui un sens du temps presque infaillible. Les choses devaient commencer à se calmer, à la boutique, on approchait du moment où Johnny leur préparait une tasse de thé, avant la ruée des écoliers qui viendraient faire provision de chocolat et de gâteaux. Il n'arrivait pas à se rappeler le visage de Johnny, il pouvait juste évoquer sa présence. Serein, toujours prêt à l'épauler, il voyait les mêmes choses que lui, entendait ce qu'il entendait, partageait ses journées.

Aamir se raidit. On venait d'ouvrir la porte, en face du lit, et une forme grise se penchait dans la pièce.

— Vous avez faim ?

Ce n'était pas l'homme à la voix étranglée, mais l'autre.

— Vous avez faim ? répéta l'homme en détachant les syllabes, comme s'il croyait qu'Aamir ne parlait pas anglais.

— Oui, répondit Aamir. Merci. Je mangerais volontiers un morceau.

Il avait choisi la formule exprès, pour montrer qu'il avait de l'instruction, mais elle donnait l'impression au contraire qu'il cherchait ses mots et que l'anglais était sa seconde langue. En fait, c'était la troisième.

— D'accord Pépé.

L'homme s'approcha, les bras chargés.

— Voila, euh… du pain. Pas grillé, désolé, mais ça se mange quand même. J'ai un soda aussi.

Abordant le lit par le côté droit, il se baissa pour poser par terre ce qu'il avait apporté. Aamir souleva, à peine, le bord de la taie d'oreiller. L'homme arrêta doucement son geste.

— Pas de blagues, Pépé. Vous pouvez l'enlever si vous voulez mais pas tant que je suis là, d'accord ?

— Bien sûr.

— Pas de blagues, surtout. (Il se redressa et baissa la voix.) Vous avez bien dormi au moins ?

Aamir répondit sur le même ton.

— Mais oui fiston, pas trop mal.

— Désolé, ça pue ici, hein ? Désolé. C'est plutôt crade, ici. Mais dès que votre famille aura casqué vous allez rentrer chez vous, vous en faites pas. Vous avez besoin d'aller aux toilettes ?

— Non, pas encore. Est-ce que ma petite fille va bien ? Sa main…

— Je ne sais pas, avoua l'homme après un temps d'hésitation perceptible. Je vais me renseigner et je vous donnerai des nouvelles. Il faut boire, aussi, hein ? Oubliez pas le soda.

Rassuré sans doute par le hochement de tête d'Aamir, l'homme ressortit en traînant des pieds.

Aamir écouta la porte se refermer, et les pas s'éloigner dans l'escalier. Non sans maladresse, il souleva la taie d'oreiller en penchant le buste vers le bord du lit. Une cannette ouverte d'Irn-Bru, deux tranches de pain de mie posées l'une sur l'autre sur une page de journal, entières au lieu d'être coupées en triangle. Du travail d'homme. Il effleura la cannette du bout des doigts. Chaude. Il n'aurait pas dû rompre aussi tôt le jeûne du Ramadan, mais comment être sûr qu'on lui apporterait autre chose plus tard ? Il pouvait imaginer ses journées, sa vie peut-être était en jeu, et à soixante-dix ans il était assez vieux pour être dispensé de jeûner. En plus, il n'y avait personne ici à qui montrer l'exemple.

Il attrapa la cannette et remit la taie d'oreiller en place, en s'enfermant sous sa petite tente blanche. Un goût acidulé très sucré. C'était bon. Il but jusqu'à la dernière goutte avant de passer au pain, souleva à nouveau la taie mais plus qu'il n'en avait l'intention, assez pour voir cette fois le mur près du lit : la tapisserie arrachée jusqu'à mi-hauteur laissait apparaître l'ancien papier peint.

À genoux derrière lui, sa mère le dégagea à deux mains de la taie d'oreiller et en replia le bord au-dessus de son front. Une pièce immonde. Des magazines froissés jonchaient le sol, *Loaded, FHM*, mais aussi des revues pornos comme *Escort, Fiesta*. Rien que des vieux numéros, à en juger aux couvertures. Aamir en avait à la boutique, mais pas beaucoup parce qu'ils se vendaient moins bien depuis que tout le monde avait Internet. Des rideaux crasseux occultaient la fenêtre. Ils n'étaient pas complètement tirés et la tranche de lumière blanche qui passait par la fente éclairait la poussière.

La main de sa mère lui caressa le dos, tandis que du bout des doigts elle lui transmettait une de ses idées irrésistibles.

— Vas-y, Ammy, murmura-t-elle. Va à la fenêtre, explique-moi où nous sommes.

Les yeux d'Aamir allaient de la porte fermée à la fenêtre, puis retour. Il se débarrassa complètement de la taie d'oreiller et s'immobilisa un instant, craignant qu'ils se ruent soudain dans la pièce et se jettent sur lui, si jamais ils avaient installé une surveillance vidéo. Rien ne se passa.

— Vas-y, Ammy.

Il la regarda, la peau flasque des joues, la peau incroyablement douce sous ses bras, ses longs cils. Aleesha avait les mêmes cils.

Fixant toujours la porte, il balança les jambes sur le côté gauche du lit et se leva prestement. Il était à quelques centimètres du rideau grisâtre. Son cœur cognait à grands coups, la peur lui raidissait la nuque mais il voyait la rue.

— Une rue, dit-il.

Mal entretenu, le jardin était entouré de haies gigantesques dont on s'était occupé autrefois, mais qui poussaient maintenant n'importe comment au-dessus d'une allée bétonnée et d'herbes aplaties par le vent. Un tas de déchets, bouts de plastique, cannettes de Tennant délavées par le soleil, boîtes de carton mouillées, jonchaient le terrain pentu. La maison devait ressembler à celles qui s'alignaient sur le trottoir d'en face, construites sur deux étages pour des familles modestes, avec des toits d'ardoise noire et des baies vitrées au rez-de-chaussée. Un quartier de logements sociaux qui se mourait peu à peu, comme il en existait à Glasgow.

Par-delà les toits des maisons voisines, il fut surpris d'apercevoir des collines. Des hauteurs fières que l'on ne rencontrait ni autour de Manchester ni de Londres, des reliefs typiquement écossais. Il connaissait ce paysage. Il plissa les paupières. Castlemilk. Les hauts plateaux, le château d'eau, Cathkin Brae. Aamir ferma les yeux pour convoquer ses souvenirs. Quand il les rouvrit, il sut qu'il ne s'était pas trompé. Il était au sud de Glasgow, à moins d'un kilomètre de chez lui. Son oncle habitait tout près d'ici, lorsqu'ils étaient arrivés en Grande-Bretagne, dans une maison préfabriquée de Prospecthill. Il contemplait souvent ce paysage par la fenêtre de la cuisine. Le cœur battant, Aamir songea qu'il allait pouvoir rentrer à pied, ou par le bus 67. En poussant un peu, il pouvait aller à la boutique.

— Si près !

Il triomphait. Sur le lit, sa mère se couvrit la bouche et se mit à rire doucement, heureuse de son soulagement.

Aamir était aux anges. S'ils arrivaient maintenant pour le tuer, s'ils entraient tous les deux et s'ils le frappaient, il aurait moins peur, il aurait moins mal. Parce que le magasin et ses rayons garnis des marchandises qu'il avait sélectionnées, étiquetées, cataloguées, la petite salle de prière aménagée dans l'arrière-boutique, les autocollants sur la porte, le rayon de bonbons et de gâteaux qu'il avait mis en place, le monde ordonné qu'il avait créé de ses propres mains et qu'il avait savouré pendant des années, était tout près, à un jet de pierre.

— La boutique n'est pas loin du tout, dit-il à sa mère.

La rue était tranquille, mais ils devaient être à proximité d'un grand axe, car il percevait le bruit de la circulation. Des bus – le 67, peut-être – passaient derrière, chargés de voyageurs qui allaient dans le centre, à Langside, à Rutherglen ou à l'Asda.

Un mouvement capta son regard : un homme mince en survêtement blanc, coiffé d'une casquette, venait de tourner furtivement au coin de la haie et se hâtait le long de l'allée. Il serrait contre sa poitrine un sac en plastique bleu qui semblait lourd. À sa forme, Aamir devina qu'il contenait des cannettes de bière. La visière de la casquette restreignait la vision de l'homme, mais Aamir s'écarta tout de même de la fenêtre quand il approcha de la maison. Il tendit l'oreille, mais n'entendit pas la porte s'ouvrir. Le nouveau venu était probablement passé par-derrière.

Aamir épiait les bruits de la maison. S'ils buvaient un sac entier de cannettes de bière, ils seraient peut-être moins vigilants ; Aamir pourrait en profiter pour partir sur la pointe des pieds et rentrer chez lui, à la boutique.

La tête pleine de ces pensées, il prit peu à peu conscience d'un ronronnement de moteur. La rue était vide, et un instant, il pensa que le vent avait tourné, charriant les bruits de la ville vers lui. Puis il vit une voiture s'arrêter au bout de l'allée.

— Maman ! souffla-t-il impérieusement. Maman !

Elle était derrière lui mais elle ne le touchait pas. Elle regarda par-dessus l'épaule d'Aamir et vit elle aussi la voiture de police.

— C'est merveilleux, Ammy, dit-elle en regagnant le lit.

La voiture tangua quand le conducteur serra le frein à main. La portière conducteur s'entrouvrit, un pied se posa sur le trottoir.

Aamir retourna s'allonger sur le lit à côté de sa mère. Il rajusta la taie d'oreiller sur leurs deux têtes, ramena ses genoux vers sa poitrine et retint sa respiration : la police venait les sauver.

Ils n'avaient plus qu'à attendre.

15

Assise dans la voiture qui refroidissait lentement, Morrow fixait le mur blanc de la cour de London Road. Elle ne pouvait pas préciser qu'elle tenait le renseignement de Danny, et encore moins qu'il était son demi-frère. Dans la police, la frontière entre « les autres » et « nous » était sacrée, et Danny lui ressemblait tellement que tout le monde soupçonnerait qu'ils avaient un lien de parenté. Cela étant, Bannerman boudait la piste qu'elle lui avait indiquée, et s'il s'avérait qu'elle menait quelque part il s'en attribuerait tout le mérite. Il fallait qu'elle informe MacKechnie sans avoir l'air de faire cavalier seul.

Elle verrouilla la portière et monta la rampe qui menait à la porte blindée. Son cœur se mit à battre plus normalement quand elle composa son code d'accès sur le pavé numérique. C'était chaque fois la même chose : l'ordre et la discipline du commissariat calmaient son agitation. De l'autre côté de la porte, elle savait quelles tables seraient occupées, qui était responsable de tel ou tel travail, qui pouvait l'épauler et qui il valait mieux éviter. Les nuits d'insomnie, il lui arrivait de se projeter en imagination devant cette porte.

Elle traversa le bureau d'accueil et le couloir en pensant que Danny lui avait décidément fourni un renseignement capital et que lorsqu'on veut réaliser ses ambitions on ne s'amuse pas à servir de marchepied à ses rivaux. Il était impératif de réfléchir, de dresser un plan.

Les toilettes pour handicapés étaient vides. Elle s'y enferma, baissa la lunette et s'installa sur le siège. Il fallait attendre le moment propice pour communiquer ce qu'elle avait appris, en s'y prenant de telle façon que personne ne puisse nier qu'elle en était la source. Elle s'abstiendrait de citer Danny et elle en ferait part à MacKechnie en présence de Bannerman. Il fallait qu'ils soient ensemble.

Fermant les yeux, elle revit la porte rouge de Blair Avenue et décida de se secouer. Penchée au-dessus du lavabo, elle s'observa dans le miroir. Les yeux creusés, des cernes de fatigue, un pli amer au coin de la bouche… Elle était bien partie pour avoir l'air aussi revêche que sa mère.

Morrow remit de l'ordre dans sa tenue et sans plus regarder son reflet repoussa ses cheveux en arrière. Bien, et maintenant lave-toi les mains. Elle ouvrit le robinet et fut surprise par l'image de ses doigts potelés sous le filet d'eau claire, des doigts qui se pliaient curieusement en savourant cette nouvelle sensation. Elle lorgna à nouveau vers le miroir. À côté, en minuscules caractères, quelqu'un avait écrit « BDC ».

Furieuse, elle envoya à plusieurs reprises de l'eau sur le mur. Attrapa une poignée de serviettes vertes dans le distributeur, les roula en boule pour frotter le graffiti. Puis sa colère s'évanouit aussi vite qu'elle lui avait fondu dessus et elle s'éloigna d'un pas. Les lettres, bien qu'un peu atténuées, étaient toujours lisibles. BDC. Un sigle débile, un pauvre leitmotiv que les policiers entonnaient pour dénoncer la disparition de l'ordre et de la morale, une excuse commode pour saloper le travail et fuir les responsabilités. BDC : Boulot de Con.

Elle se remit à frotter l'inscription avec du savon, en utilisant cette fois des serviettes humides. Sans plus de succès. Vaincue, elle se résolut à essuyer les traces de savon bleu sur le mur, puis se rinça les mains sous le robinet.

Elle ramassa ensuite les serviettes éparpillées sur le sol, s'essuya les mains, tira le verrou et ouvrit la porte, si brusquement que le montant heurta le mur. Se dirigeant d'un pas décidé vers l'accueil, elle appuya sur la sonnette scotchée au comptoir, les yeux fixés sur la glace sans tain. Il y avait du monde derrière, on l'observait, elle le savait.

Le jeune bleu qui se présenta, l'air contrit, avait sûrement été désigné par le sergent de garde. Morrow pointa un index accusateur vers les toilettes.

— Vous êtes allé là-bas récemment ?

L'atmosphère devait être à la détente, là-derrière, et il mit quelques secondes pour réagir.

— Pardon ?

Morrow lui décocha un regard furibond.

— Excusez-moi, madame, allé où ?

— Les toilettes pour handicapés. Vous avez vu le mur ?

— Le mur ? répéta-t-il en fronçant les sourcils.

— Dans les toilettes à côté du miroir. Le graffiti sur le mur, c'est vous ?

Il se renfrogna.

— Pourquoi aurais-je fait ça ? demanda-t-il simplement.

Elle n'avait rien à répondre. Bien sûr que ce n'était pas lui. Il était peut-être idiot, jeune, nouveau, mais il n'allait pas vandaliser les parties communes puisque c'est évidemment sur lui qu'on rejetterait la faute en premier.

— C'est grotesque ! commenta Morrow en le toisant.

Elle se conduisait d'une manière insensée, elle en avait conscience. Tournant les talons, elle se dirigea vers les bureaux de la Criminelle et tapa rageusement son code d'accès, puis elle poussa la porte de l'épaule et, de loin, apostropha le jeune policier :

— Allez me nettoyer ça. Je ne veux plus le voir.

— Bien, madame, acquiesça-t-il humblement.

La porte claquait déjà derrière elle. Au fond du couloir, le bureau de MacKechnie était plongé dans le noir. Le chef n'était pas là, peut-être même avait-il quitté le bâtiment. En revanche, sur sa droite, il y avait de la lumière dans son bureau et la porte était ouverte. Merde. Elle serra les poings au fond de ses poches.

Bannerman était à sa place, les cheveux savamment coiffés et fixés avec du gel, un costume propre sur le dos. Fatigué, manifestement, mais d'attaque pour la journée. Un mug à l'effigie d'Elvis était posé devant lui, un emballage de barre énergétique frôlait son coude.

— Bannerman, lança-t-elle à la cantonade pour l'avertir de sa présence.

Il plissa les yeux, méprisant.

— Morrow. Vous n'avez pas assisté à mon briefing.

— Eh bien, dit-elle d'un ton hésitant, j'ai…

— Je ne vous y avais pas autorisée. On a un million d'appels à passer ce matin. Vous ne pouvez pas aller et venir comme bon vous semble.

Il lui enjoignait de rentrer dans le rang, mais venant de lui l'ordre était abusif puisqu'ils avaient le même grade.

— C'est mon jour de repos, en principe.

Il leva une main pour la faire taire et détourna la tête en fermant les yeux.

— MacKechnie a supprimé les jours de repos. Vous avez reçu son mail.

Stupéfaite, elle le vit se lever et se diriger vers le bureau des enquêteurs, la main toujours levée en signe de refus. Ce sont toujours les mous qui cognent le plus fort, songea-t-elle. Ils laissent la chaîne de commandement se relâcher pour se rapprocher des troufions de base, et quand il faut resserrer les boulons ils vous crachent dessus et vous humilient. BDC.

Dans le bureau des enquêteurs, les tables étaient disposées en fer à cheval. Cinq inspecteurs se dispersaient autour, les uns au téléphone, les autres plongés dans leurs papiers, tous devant un ordinateur portable allumé. Trois d'entre eux ne faisaient pas partie du commissariat ; on les avait sans doute envoyés en renfort, signe que l'enquête était prioritaire. Des flics chevronnés, des moyens à la hauteur – le rêve, quoi !

Elle ne repéra pas tout de suite MacKechnie, qui l'observait, adossé à un mur latéral. Le visage de Morrow s'éclaira, mais au lieu de lui rendre son sourire il traversa la pièce, la tête rentrée dans les épaules comme sous une averse de grêle, et sortit dans le couloir en traînant Grant dans son sillage.

Grant referma soigneusement la porte derrière eux. Elle imaginait parfaitement le frisson d'excitation des collègues, leurs regards entendus, son nom murmuré à l'oreille de ceux qui avaient raté la scène, et leurs spéculations à tous : pourquoi M. Transparence, ainsi qu'on surnommait MacKechnie, avait-il besoin de s'isoler pour lui parler ?

Bannerman tendit la main vers son fauteuil pour inviter MacKechnie à s'y asseoir. Ils avaient parlé d'elle, tous les deux, et après s'être mutuellement monté la tête sur les motifs de son absence, ils s'étaient rabattus sur une explication paranoïaque. MacKechnie se laissa tomber de tout son poids sur le siège avec un soupir de martyr. Ce devait être dur, se dit Morrow, d'associer son idéal gentillet de hiérarchie non violente avec l'attaque franche et directe. Décontractée, une fesse en appui sur sa table, elle releva le menton avec insolence.

— Sergent Morrow, vous êtes libre de ne pas approuver mes choix s'agissant de la direction de cette enquête, mais jamais, ajouta-t-il en martelant chaque mot, jamais je n'aurais supposé que vous vous en arrogeriez la responsabilité.

— Monsieur, j'ai…

— N'allez pas vous amuser par pur entêtement, parce que vous vous sentez dépossédée, à entraver son bon déroulement…

Il l'avait prise au dépourvu. S'ils l'avaient accusée d'avoir mauvais esprit, voire insultée en la traitant de pauvre idiote ou de débile, elle aurait réagi, mais elle ne s'attendait pas à être accusée de se conduire en victime.

— Monsieur…

— Je vous rappelle que la vie d'un homme est en jeu.

— Je coopère, dit-elle. Je n'ai rien fait de mal, que je sache. Je n'avais pas l'intention de manquer le briefing de ce matin.

MacKechnie ferma les yeux et se frotta le nez. Il avait passé l'âge de rester debout toute la nuit, pensa-t-elle, cette espèce de vieux schnock bon pour la préretraite et la paperasse. Il était temps qu'il passe la main, qu'il se trouve une planque dans l'administration et qu'il laisse le vrai boulot aux vrais flics. Autant de petites insultes qu'elle garda pour elle, mais qui la maintenaient en forme, la tête haute et le regard assuré.

— Monsieur, je n'ai pas reçu le mail à temps, autrement…

Il lui coupa la parole :

— Bannerman, l'inspecteur Bannerman vous a pourtant dit et répété que vous aviez toute votre place, n'est-ce pas ? (Elle resta impassible.) N'est-ce pas ?

— Oui, monsieur, murmura-t-elle entre ses dents.

— Puis-je en conclure que vous allez lui prêter main-forte pour résoudre cette enquête, et lui accorder enfin l'importance qu'elle mérite ? Je vous rappelle que l'homme pris en otage appartient à notre collectivité.

Morrow ne cilla pas devant ce mensonge appuyé, mais elle ne manqua pas de noter la petite contraction apparue aux commissures de la bouche du chef, micro-expression qui trahissait le fond de sa pensée : quelle générosité de sa part d'inclure un petit immigré barbu dans sa définition de la collectivité.

— Excusez-moi, monsieur, dit-elle en s'adressant au mur, mais en réalité je n'ai pas chômé. Je ne suis pas rentrée chez moi de la nuit, j'ai rencontré des contacts informels et j'ai découvert un fait concret susceptible d'orienter nos recherches.

MacKechnie s'éclaircit la gorge.

— Je vous écoute, fit-il un ton plus bas, presque déçu.

— La famille a menti à propos de ce Rob que les agresseurs réclamaient. Sur les enregistrements du 999, Billal parle de « Bob », Meeshra élude la question de l'opératrice, et Omar cite également Bob dans l'interrogatoire conduit par Grant. C'est sur le DVD. Harris aussi a remarqué ce détail.

— Harris ?

— Oui, monsieur, Harris. Et ce matin, un informateur m'a appris qu'Omar avait fait partie des Young Shields, et que son nom de rue était Bob.

MacKechnie et Bannerman se taisaient, songeurs, et sans doute envisageaient-ils la possibilité qu'elle ait fabriqué cette histoire de toutes pièces. Était-elle capable de s'inventer un mystérieux indic pour confirmer son hypothèse sur Bob ? Était-elle assez folle pour oser un truc pareil ? Quelqu'un rit bruyamment à l'autre bout du couloir, une porte claqua. Morrow obligeait MacKechnie à jouer les arbitres. Même si pour finir elle avait gain de cause, il allait lui en vouloir à mort.

Il tenta de reprendre l'avantage.

— Bannerman, qu'a dit Omar à ce sujet ?

Bannerman se troubla.

— Nous, euh… Je n'ai pas eu la note…

MacKechnie l'observa un instant avant de s'adresser de nouveau à lui avec un calme de mauvais augure.

— Dois-je comprendre que Wilder ne vous a pas donné cette note ?

Wilder allait piquer sa crise si Bannerman laissait croire qu'il avait mangé la commission.

— Non, monsieur, dit Bannerman d'une voix blanche. Wilder me l'a effectivement remise…

Morrow décida d'intervenir. Elle pouvait être magnanime puisqu'elle gagnait le combat sans coup férir.

— Ça s'est joué à la minute près, monsieur : entre le moment où Wilder est arrivé et la fin de l'interrogatoire.

Un front uni. MacKechnie ne pouvait pas se permettre de les punir tous les deux au beau milieu d'une enquête. Il toussota.

— Pouvons-nous avoir confirmation de ce surnom, Bob ? Votre informateur est enregistré en tant que tel ?

— Non, c'est un contact occasionnel.

C'était un peu court. MacKechnie cligna des yeux et lui demanda d'un ton brusque :

— Jusqu'où êtes-vous prête à aller, Morrow ?

— Si vous voulez, monsieur, je vous passe les enregistrements tout de suite, comme ça vous pourrez vérifier qu'ils disent bien Bob. Quant au reste, pour l'instant je ne peux rien avancer avec certitude.

MacKechnie jeta un regard accusateur à Bannerman.

— Quand Wilder vous a-t-il remis cette note ? Souvenez-vous que je peux visionner l'interrogatoire.

Bannerman se racla la gorge.

— J'ai reçu la note mais je n'ai pas questionné Omar à ce sujet.

— Pourquoi ?

Bannerman n'allait pas s'en sortir tout seul. Morrow accourut à la rescousse.

— Il s'est passé beaucoup de choses, la nuit dernière, mais ce n'est pas plus mal, dans le fond. On va le prendre par surprise, monsieur.

— Oui, on va creuser dans ce sens, poursuivre les recherches, renchérit Bannerman.

— On tient un indice, monsieur.

Étourdi par cet échange d'amabilités, MacKechnie réagit en sortant de ses gonds.

— Vous deux… Bannerman, je préfère ne pas m'appesantir sur ce qui a pu vous amener à penser que votre collègue, inspectrice comme vous, n'avait rien de mieux à faire que d'écouter les enregistrements des appels d'urgence…

— Monsieur, je pensais sincèrement qu'il pouvait y avoir là quelque chose d'important, dit Bannerman, le rouge aux joues, en regardant Morrow d'un air de chien battu.

— Il avait raison, monsieur. Son intuition était bonne, il y avait effectivement quelque chose.

Bannerman saisit la balle au bond.

— C'est probablement après avoir passé les appels que ces gens se sont mis d'accord pour parler de Rob, et non de Bob. Aleesha était inconsciente. Ce serait sans doute judicieux de l'interroger ce matin.

— Oui, ce serait judicieux, approuva Morrow en retenant un sourire.

MacKechnie détourna les yeux.

— Inspecteur Morrow, comment expliquez-vous votre absence de ce matin ?

— Je suis désolée, je n'ai pas regardé mes mails avant de partir.

— Vous devez le faire.

— Oui, monsieur. Je m'excuse, monsieur. À quel jeu jouent ces gens, à votre avis ?

— C'est toute la question, s'empressa Bannerman. S'ils ont autant d'argent que ça de côté, ou une somme approchante, à qui va-t-il aller ? Qui connaît-on dans cette communauté qui pourrait nous renseigner sur eux ?

— Mahmood Khan ? suggéra MacKechnie.

— Non, dit Morrow, il ne nous donnera que la version officielle.

— Exact, confirma Bannerman, il vérifiera s'ils ont payé leurs cotisations avant de nous dire quoi que ce soit.

Elle avait gardé ses distances pendant vingt ans, mais maintenant, tout comme lorsqu'elle avait interrogé Danny, elle se surprenait à chercher à qui ils pourraient s'adresser. Le nom lui vint spontanément aux lèvres.

— Ibby Ibrahim.

Ils la dévisagèrent avec curiosité.

— Ibby Ibrahim ? répéta MacKechnie. Parce que vous croyez qu'il acceptera de nous rencontrer ?

Morrow déglutit.

— Je... je connais Ibby. Mais il faut que je le voie seule.

Impressionnés, ils se regardèrent avant de se retourner vers elle.

— D'où le connaissez-vous ? s'enquit MacKechnie.

Elle revoyait Ibby, âgé de dix ans, en train de sangloter dans la cour de récréation au milieu du cercle terrifiant que les autres enfants formaient autour de lui, et dans lequel elle se trouvait.

— Une enquête, mentit-elle. Il y a quelques années.

— À propos de quelle affaire ?

MacKechnie paraissait réellement impressionné.

— Ah, c'est un peu difficile à expliquer…

S'ils avaient été plus proches d'elle, ils auraient insisté pour qu'elle leur révèle ce qu'il en était. Ils l'auraient pressée de questions, ils l'auraient charriée pour rire, ils auraient supputé. Le coup d'œil éloquent qu'ils échangèrent signifiait simplement qu'ils en discuteraient ensemble plus tard, quand elle ne serait plus avec eux.

— Bon, bon.

MacKechnie se rabattait sur un terrain plus sûr. Il se leva et contourna le bureau pour s'approcher d'elle. Il avait déjà oublié à quel point il était en colère quelques minutes plus tôt.

— Voyez ce que vous pouvez trouver avant de l'interroger. Plusieurs agents ont été chargés du porte-à-porte, mais je tiens à ce que vous passiez tous les deux à la boutique pour interroger le vendeur. Voyez ce qui se passe là-bas, s'il y a des paris, un trafic de drogue ou toute autre activité illicite, et lucrative. Et, Bannerman, traitez en priorité cette histoire de Rob/Bob.

— Monsieur, j'aimerais accompagner Morrow chez Ibrahim, dit calmement Bannerman. Je pourrais la briefer en chemin.

— Il vaut mieux que je sois seule avec Ibby, insista Morrow, peu désireuse de passer plus de temps que nécessaire avec Bannerman.

— J'aimerais le voir en chair et en os. Juste au cas où, à l'avenir…

Avenir purement hypothétique, évidemment. En plus, c'était du gâchis de mobiliser deux inspecteurs pour une simple visite, mais MacKechnie approuva.

— Allez-y en tandem, d'accord. Où en est l'équipe, par ailleurs ?

Bannerman lui tendit un rapport.

— Nous sommes en train de vérifier les vidéos de surveillance de l'autoroute M8 pour identifier les véhicules ayant pris, dans un sens ou dans l'autre, la bretelle proche de l'endroit où on a découvert la fourgonnette. Les experts du labo sont sur place. On étudie les empreintes. On vérifie s'il y a des visas afghans sur les passeports de tous les membres de la famille. Deux inspecteurs font du porte-à-porte chez les voisins et recueillent les témoignages. Morrow et moi pourrions aller à l'hôpital, et passer à la boutique dans la foulée.

— D'accord. Morrow, pensez à consulter vos mails désormais.

Elle acquiesça d'un signe, en essayant de prendre un air contrit.

— Si tout cela est vrai, reprit MacKeechnie, le dos tourné à la porte, il n'y a pas eu d'erreur sur l'adresse. Les deux agresseurs s'intéressaient aux Anwar, et à Omar en particulier. Ce que nous devons découvrir, c'est pourquoi quelqu'un a pensé qu'ils avaient deux millions à dépenser. (Il posa la main sur la poignée, mais suspendit son geste.) Bon travail, Morrow, ajouta-t-il avant de quitter la pièce.

— Oui, bon travail, renchérit Grant en rougissant.

À sa place, elle y aurait sans doute mis moins de bonne grâce.

16

Par bravade, Shugie s'était assis sur le canapé humide du salon et il feuilletait nonchalamment un vieux journal datant du mois de juillet.

Dans la cuisine, Eddy était perché sur un tabouret, Pat avait posé le bout de ses fesses sur une caisse en bois déglinguée dont l'un des côtés était frappé du mot « Fragile ». À bonne distance l'un de l'autre, ils faisaient penser à des voiliers en panne sur une mer déserte. Ivres de fatigue, ils luttaient contre le sommeil. Quelqu'un – sûrement pas Shugie – avait un jour décidé de poser un plancher flottant, mais un ancien dégât des eaux avait déformé les lattes. Gauchies et recourbées aux deux bouts, elles rendaient le sol traître. Sous la crasse qui les recouvrait, Pat constatait qu'elles présentaient toutes le même nœud, semblable à une tache de graisse, au même endroit.

Eddy attrapa une tranche de pain dans le paquet. Il avait mangé du pain sec toute la nuit, parce que c'était tout ce que Shugie avait pensé à acheter comme nourriture solide avec les quarante livres d'acompte qu'Eddy lui avait données. Le reste, il l'avait investi dans des cannettes de bière.

Pat inspira profondément par le nez, il allait parler. Eddy détourna les yeux.

— Mec, il faut qu'on bouge.

— Laisse tomber, maugréa Eddy.

— Il faut le planquer ailleurs.

Au lieu de répondre, Eddy brandit le paquet de pain comme si c'était la solution. Pat secoua la tête. Il ne pouvait rien avaler. Il avait l'impression que des particules de l'urine de Shugie entreraient dans sa bouche et son estomac s'il mangeait. Forcément. L'odeur, c'est fait de particules après tout.

Il entoura ses genoux de ses bras et frissonna. Puis il pensa à la jeune fille et se demanda comment elle allait. Mais Shugie n'avait pas de radio, encore moins de télé. Ils ne savaient pas si l'on parlait d'eux aux informations. Si l'affaire était dans les journaux, il y avait sans doute une photo d'elle. Il était plus que probable qu'elle ait été transportée à l'hôpital Victoria. À moins d'un kilomètre de là, dans un lit propre.

Prêt à tout pour revivre la sensation de chaleur qu'il avait éprouvée lors de leur première rencontre, Pat l'imagina couchée dans son lit d'hôpital. Les cheveux étalés sur les oreillers, elle sentait bon, une odeur de pêche, ou de fleurs. Peut-être qu'elle pensait à lui. Pat secoua doucement la tête. Non. Il l'avait salement blessée : si elle pensait à lui, ce n'était pas avec tendresse. Une fille comme elle ne sortirait jamais avec un gars comme lui. Le père avait été contrarié que l'on frappe à sa porte en pleine nuit. La maison était propre, rose, accueillante. C'était une famille bien. Même s'il ne l'avait pas blessée accidentellement, elle ne sortirait jamais avec lui. Son père le lui interdirait.

Il s'imagina, pénétrant dans le service. Bien sapé, dynamique, il portait un énorme bouquet. Mais en le reconnaissant, elle eut l'air horrifiée. Déçu de la tournure que prenait son rêve, il décida de revenir dans l'entrée de sa maison. La ceinture de son jeans soulignait sa taille fine. Il se souvint soudain qu'il avait eu chaud, dans ce vestibule. En regardant sa taille, il pouvait apercevoir la bordure de laine noire des ouvertures de la cagoule. Il avait une cagoule. Elle n'avait pas vu son visage !

Pat se redressa. Il souriait, il riait. Elle ne savait pas à quoi il ressemblait. Elle n'avait pas vu son visage !

De retour à l'hôpital Victoria, Pat pénétra dans un service qui n'existait pas. Il sourit à une jeune fille qui ne se rappelait pas de lui. Timide, elle détourna les yeux, mais il lui tendit un énorme bouquet de fleurs magnifiques, et elle tomba raide dingue de lui.

Il était allé une fois dans cet hôpital, sans doute pour voir une de ses nièces qui avait été opérée des amygdales. Souriant au plancher sale, il entra dans le hall, prit un ascenseur, pénétra dans le service. Il pourrait toujours prétendre qu'il était venu voir quelqu'un d'autre, mais au moins il l'apercevrait. Ce serait une bêtise, tout de même, une folle imprudence.

S'il y allait – mais il n'irait pas –, il se contenterait de la regarder. Après, il s'approcherait d'elle et lui dirait un truc gentil, un compliment sur ses beaux yeux, peut-être, pour qu'elle se sente bien malgré sa main estropiée.

Assailli par les particules d'urine de Shugie dans la cuisine crasseuse, Pat laissait ses pensées s'envoler et il imaginait une conversation romantique et muette avec

Aleesha, à côté de son lit, un thé qu'ils partageraient à la cafétéria de l'hôpital, avec des petits gâteaux et des sourires. Il l'inviterait à monter dans une voiture qu'il ne possédait pas, il l'amènerait dans des coins où il n'était jamais allé, des endroits baignés de soleil.

Mais une fille comme elle, une fille qui sentait le pain grillé et la bonne chaleur d'une maison confortable, n'irait jamais avec quelqu'un comme lui. Son père s'y opposerait. Elle ne pourrait pas le suivre tant qu'elle vivait avec son père, tant que son père était vivant.

Pat et Eddy se redressèrent en entendant quelqu'un toquer à la vitre au-dessus de l'évier. Le visage souriant de Malki apparaissait derrière. Pat sourit. Malki s'éclipsa avant de surgir aussitôt après sur le seuil, dans un survêtement blanc avec deux rayures bleues parallèles sur une jambe et sur la tête une casquette blanche.

— T'as fait les magasins ?

Dans le monde d'Eddy, s'acheter des fringues était un truc de gonzesses. Malki ne répondit pas. Écœuré par le tas de sacs-poubelle qui s'empilaient près de la porte, il se faufila dans la pièce en soulevant son beau survêt neuf au niveau des genoux pour ne pas le salir au contact des ordures.

— Putain, c'est l'enfer ici. Tu parles d'une turne ! maugréa-t-il.

Pat faillit lui sauter au cou, tant il était heureux de le revoir.

— C'est super sympa d'être venu !

Malki lui tendit un sac en plastique bleu.

— Tu m'appelles pour me proposer du fric, je viens en courant, mec. Mais me dis surtout pas que je dois toucher ces cochonneries. Je pourrais jamais.

Pat inspectait le contenu du sac.

— Quatre bières, c'est pas suffisant pour que Shugie tienne toute la journée, observa-t-il.

— Il faudra qu'il s'en contente, grommela Eddy en se levant.

— Il sortira s'en acheter. Et vu qu'il sera déjà bourré, il risque de déballer toute l'histoire.

— Tu veux qu'on l'attache à son canapé ou quoi ?

Eddy se mettait en rogne. Pat et Malki échangèrent un regard, puis Malki se tapa sur le front, comme s'il venait d'avoir une idée lumineuse.

— Il y a peut-être un autre moyen…

— Te mêle pas de ça, junkie de mes deux !

— Toi, tu es sous stéroïdes, rétorqua crânement Malki.

Pat s'interposa pour calmer le jeu.

— Malki veut simplement dire qu'on devrait aller chercher d'autres bières pour Shugie.

— Ça va, j'ai compris.

— En tout cas, c'est *Monsieur* Junkie de mes deux, que je m'appelle.

C'était une vieille blague, mais elle ne fit rire personne. Eddy avait l'impression d'avoir marqué un point. Il tendit un revolver à Malki.

— Tiens, prends ça, et va monter la garde devant la porte de la chambre.

Malki tenait l'arme entre le pouce et l'index comme si c'était une capote usagée.

— Euh… Eddy, je touche pas aux armes, mon pote.

— Et comment que tu vas le retenir s'il essaie de s'échapper ?

— Le vieux d'hier soir ? demanda Malki en tendant l'arme à Pat.

Plus rapide, Eddy reprit le revolver.

— Exact, fit-il.

— Il va pas essayer de s'enfuir, si?

— Ben, on n'en sait rien. C'est pour ça qu'il te faut une arme, tu piges? dit Eddy, provocateur.

— Non mec, je touche pas à ça.

— Prends-moi ce putain de flingue, ordonna Eddy en essayant de le lui mettre de force entre les mains.

Malki esquiva.

— Moi, je suis un troubadour, pas un guerrier.

— Et s'il tente de se barrer? Tu feras quoi? Tu vas lui chanter une chanson pour qu'il rentre gentiment dans sa piaule?

— Garde ton fric, mec.

Eddy et Pat dévisagèrent Malki. Il n'allait pas changer d'avis. Il s'apprêtait à sortir, mais Pat lui barra le passage, les yeux fixés sur Eddy.

— Allez, t'entête pas.

Eddy n'en revenait pas. Ça le dépassait, qu'on puisse refuser cette chance inouïe de tenir quelqu'un en respect avec une arme de poing.

— Il faut qu'on téléphone, reprit Pat, très calme.

Eddy leur tourna le dos en ricanant et fourra l'arme dans la poche de son pantalon.

Pat indiqua à Malki de le suivre dans le salon où Shugie, assis au bord du canapé, s'absorbait dans la lecture de pronostics de courses de chevaux terminées depuis longtemps. Shugie toisa le jeune junkie avant de se renfrogner, vexé, semble-t-il, par l'incompétence évidente du remplaçant qu'ils lui avaient trouvé. Malki, lui, avait le sens des usages.

— Bonjour. Ça va bien?

Shugie ne répondit pas.

Pat entraîna Malki au pied de l'escalier.

— Tu montes la garde devant la porte jusqu'à notre retour, OK ?

— C'est le type d'hier soir ?

— Oui, répondit Pat qui avait hâte de s'éloigner.

— Vous lui avez donné à manger ?

— Ouais. Du pain et un soda.

Malki sortit prestement de la poche de son survêtement un sachet de bonbons, taille familiale.

— Et voilà de quoi bouffer !

— Super ! Allez, grimpe !

Pat souriait. Il était heureux que Malki soit là, avec sa bonne humeur inaltérable, et heureux de constater qu'il avait la même opinion que lui sur cet endroit répugnant.

Malki s'arrêta sur la deuxième marche de l'escalier.

— Même tarif que la nuit dernière ?

— Oui.

Malki reprit son ascension, mais soudain ils se figèrent en entendant frapper à la porte d'entrée. Ils échangèrent un coup d'œil, puis Malki bondit à l'étage, aussi souple et silencieux qu'un chat, pendant que Pat traversait en hâte le salon. Il se colla contre la porte de la cuisine, imité par Eddy qui vint se tapir tout près des sacs-poubelle.

— Merde ! soupira Pat.

— Et Malki ?

Pat tendit un doigt en direction du plafond. À la porte, les coups redoublaient et Shugie glissa la tête dans la cuisine. Trois coups secs. Shugie haussa les sourcils.

— Vas-y et fous-les dehors, lui ordonna Eddy.

— Oui mais s'ils insistent ?

— Tu te débrouilles, tu les fous dehors.

Shugie passa dans l'entrée en traînant des pieds.

Ils retinrent leur souffle en entendant la porte grincer sur ses gonds, au fond du couloir, puis ils perçurent un murmure indistinct, une question à laquelle Shugie répondit par l'affirmative. À nouveau la voix étrangère, un ton formel. Cette fois, Shugie répondit non.

Puis les gonds protestèrent à nouveau violemment. Eddy et Pat poussèrent un soupir de soulagement avant de réaliser avec un temps de retard que la porte, au lieu de se refermer, venait de s'ouvrir en grand. Des pas résonnaient dans le couloir, ces gens entrés dans la maison se rapprochaient d'eux.

Eddy se jeta sur la porte qui donnait dans le jardin et ils filèrent dehors, gauches et rapides à la fois, s'accroupirent sous la fenêtre de la cuisine en priant pour que le capot de la Lexus reste invisible derrière les vitres sales. Les genoux ramenés contre la poitrine, ils écoutèrent les herbes hautes bruisser méchamment autour d'eux. À travers le carreau cassé, ils entendirent les pas s'arrêter dans la cuisine. Trois personnes.

— Est-ce que quelqu'un vit ici avec vous, monsieur Parry ?

Eddy et Pat se regardèrent. Une voix de flic. Shugie avait introduit des putains de flics dans la cuisine ! Pat se recroquevilla et ferma les yeux. Dans la chambre d'hôpital de la jeune fille, le soleil s'éteignait et ses cheveux étalés sur l'oreiller n'étaient plus que cendres.

Un flic jeune qui parlait fort. Manque d'expérience.

— … en ce qui concerne une bagarre au Brian le week-end du quatre ?

— Non, non. Je me suis pas battu, non, j'ai pas souvenir, nia Shugie entre deux râles de fumeur.

— Admettons, monsieur Parry, dit le policier. Mais à en juger par la puissante odeur d'urine qui imprègne votre domicile, je suis au contraire persuadé que vous vous souvenez fichtrement bien de cet incident.

Le second policier rigolait doucement en répétant les mots de son collègue : « puissante odeur d'urine ».

— Par conséquent, monsieur Parry, à notre regret nous n'allons pas nous attarder longtemps dans cette porcherie de merde. (Il eut un petit rire étouffé.) Et merci, mais nous n'accepterons ni thé ni biscuits.

— Ni biscuits ! ricana le second policier en écho.

Shugie se taisait. Il encaissait ces amabilités en silence quand un choc sourd ébranla le plafond de la cuisine.

— Il y a quelqu'un d'autre dans la maison ?

C'est l'autre qui venait de parler. Shugie ne répondit pas.

— Monsieur Parry…

Shugie se mit à radoter tout seul :

— Vous avez le culot de…

— Est-ce qu'il y a quelqu'un d'autre dans ce taudis, Parry ?

— … manque de respect, et tout, vous vous plaignez que ça pue mais à quoi qu'elle ressemble votre baraque à vous, hein ?

— Viens Paul, on va voir, dit le premier policier, le rigolo.

— C'est mon copain, intervint Shugie. Il… il est en train de cuver.

— C'est bien de répondre quand on vous parle, très bien.

— Laisse-le, va. Cassons-nous avant de choper une saloperie.

— T'as raison… Jamais rien vu d'aussi dégueu.

Ils s'éloignaient, suivis de Shugie qui marmonnait entre ses dents. Puis la porte d'entrée se referma dans un claquement.

Pat releva la tête.

— Je vais craquer… mes nerfs vont lâcher si on reste ici. Même si c'est toi qui as le contact, Eddy, je risque autant que toi sur ce coup et j'ai pas envie de me retrouver en taule.

Eddy leva la main. Pat crut qu'il allait s'énerver, mais non. Il n'en menait pas large, lui non plus.

— On va téléphoner, d'accord, après on l'emmènera ailleurs.

— Où ?

— T'as qu'à décider, après tout. T'as qu'à trouver une meilleure idée que moi puisque t'es tellement plus malin.

— À Breslin.

Eddy cilla. Il ouvrit la bouche comme pour parler, puis serra les lèvres, dépité que Pat ait trouvé une meilleure solution.

— OK. On va téléphoner.

La sandwicherie était minuscule, à peine plus profonde que sa devanture peu engageante, avec, accrochée dans la vitrine, une ardoise annonçant qu'on y servait du thé et des sandwichs à la mayonnaise. Pat avait demandé à Eddy de s'arrêter là, parce qu'il y avait aussi des journaux.

Il avança sur le trottoir avec la démarche légère d'un amoureux en train d'organiser un rendez-vous fortuit.

Des ouvriers en bleu de travail poussiéreux se pressaient devant le comptoir. L'atmosphère était poisseuse, pleine de fumée grasse. Pat se dirigea vers le présentoir à journaux avec une nonchalance étudiée. Elle était là. Elle le regardait.

Une mauvaise photo prise avec un téléphone portable, qui la montrait de face – juste la tête et les épaules, floues mais tout de même assez nettes pour qu'il y voie ce qu'il avait envie d'y voir. Les longs cheveux noirs partagés par une raie au milieu, le grand nez, courbé tel un doigt qui fait signe d'approcher. Des dents blanches parfaites, les yeux mi-clos dont lui seul pouvait déchiffrer l'expression. Elle était blessée, mais ses jours n'étaient pas en danger. Le premier paragraphe de l'article parlait d'une famille respectable. Ils ne savent rien, se dit Pat.

Elle faisait la grimace, sur la photo, elle gonflait les joues et fronçait les lèvres avec une petite moue adorable, pas vulgaire du tout. Pat prit un exemplaire sur le présentoir. Le contact du papier grossier était aussi doux qu'un baiser sur ses doigts, la fumée grasse sentait le miel, les taches de graisse sur le mur étaient des étoiles scintillantes. L'existence de cette fille rendait supportable toutes les bassesses de cette vie. Il plia le journal et le glissa sous son bras, aussi radieux que s'il l'avait prise, elle, par le bras, puis, s'approchant du comptoir, il commanda deux sandwichs aux œufs et au bacon avec deux sodas, et tendit l'argent au patron gras comme un cochon.

Il lut l'article pendant qu'on préparait sa commande. Elle s'appelait Aleesha, elle avait seize ans, elle allait au lycée, à la Shawlands Academy, et tous ses copains de classe l'adoraient. Pat savait qu'elle avait la cote, il le savait. Elle avait perdu plusieurs doigts et elle était hospitalisée en soins intensifs à l'hôpital Victoria. Bouche bée de stupéfaction, il replia lentement le journal. Il savait qu'on l'avait transportée au Victoria. Il l'avait deviné. C'est comme s'ils communiquaient par télépathie, tous les deux, comme s'il avait lui-même fixé le lieu de leur prochain rendez-vous.

Il avait lu que sa main était terriblement abîmée. Il compatissait à sa douleur, il la plaignait de devoir vivre avec cet affreux handicap, mais malgré tout il était content de l'avoir blessée : maintenant, elle ne serait plus jamais parfaite et inatteignable. Grâce à lui, sa photo faisait la une des journaux et il pourrait la regarder chaque fois qu'il en aurait envie.

Sa commande était prête. Le temps qu'il regagne la voiture, une grosse tache de graisse s'étalait sur le sac en papier. Eddy le pria de faire gaffe à ne pas tout saloper; c'était une bagnole de location, ils devraient dédommager l'agence s'ils la rendaient avec des sièges tout tachés.

— T'as qu'à étaler le journal sur tes genoux et poser le sac dessus, dit-il.

Sans l'écouter, Pat glissa le journal soigneusement plié dans le vide-poches de la portière. Son jeans aurait des taches, mais ce n'était pas grave.

— Qu'est-ce qu'ils racontent dans le canard?

Pat se remémora l'article pour aller droit à l'essentiel.

— Son état est stable. Elle est à l'hôpital, en soins intensifs.

Cessant de mastiquer, Eddy le fixa.

— L'état de qui ?

— De la fille.

— Ah, la meuf sur qui t'as tiré ?

Pat tourna la tête vers la vitre. C'était dur d'entendre Eddy en parler si légèrement, comme d'une broutille sans importance.

— Il paraît qu'ils ont des indices.

Eddy mordit dans son sandwich avant de tendre la main vers la portière de Pat.

— Tu me montres ? fit-il, la bouche pleine.

Pat hésita. Il n'avait pas envie qu'Eddy pose ses pattes sur son journal, mais il se raisonna et, prenant sur lui, le lui donna mine de rien.

Ils terminèrent leurs sandwichs en silence. Pat surveillait discrètement le journal. Il s'essuya soigneusement les doigts avant de le prendre, quand Eddy le lui rendit. Il le replia de façon à laisser la photo apparente. Elle le regardait, calée dans le vide-poches. Eddy redémarra et ils se mirent en quête d'une cabine téléphonique qui ne soit pas dans le champ de vision d'une caméra. La ville grouillait de caméras, il y en avait partout, c'était pire que les rats.

Eddy finit par se garer dans une rue calme, à bonne distance de la cabine, au cas où ils seraient filmés. Ils scrutèrent les alentours à la recherche de caméras fixées sur les réverbères ou sur les façades des maisons. C'était un quartier résidentiel, tranquille, avec de beaux arbres et des buissons fleuris en bordure des maisons.

— Parfait, dit Eddy en mettant le frein à main et en détachant sa ceinture de sécurité.

— Non, laisse, dit Pat en lui touchant le bras. J'y vais.

— Pourquoi ?

— Tu as déjà subi tellement de pression…

Eddy apprécia la façon dont il le formulait.

— D'accord. Fais-leur peur, surtout, hein ? Précise bien qu'on veut les deux millions ce soir.

— Et on les rappellera pour fixer le lieu de la remise de rançon ?

C'est ce qui était décidé, ils en avaient parlé des centaines de fois, mais il voulait qu'Eddy se sente dans la peau du chef.

— Ah oui, c'est vrai… Le lieu du rendez-vous. On les rappelle plus tard, c'est ça. Quand ils auront le fric ?

— Ouais, quand ils auront le fric.

Pat sortit de la voiture. Il n'oublia pas d'emporter son journal.

17

Les maisons anciennes bordaient une rue longue et étroite cernée par les champs. Les pierres, roses autrefois, avaient viré au rouge sang au cours des années à cause des gaz d'échappement des voitures et des bus qui traversaient la vallée. La ville elle-même avait disparu. Cette voie flanquée de constructions de part et d'autre serpentait jadis parmi d'autres rues, mais ses voisines tombées en ruine avaient été détruites, les familles de mineurs, de dockers et d'ouvriers d'usine qui y vivaient autrefois avaient été transvasées dans des villes nouvelles.

La boutique des Anwar n'aurait jamais excité l'intérêt des passants près de leurs sous. La devanture de ce pauvre pas-de-porte avait dû être bleu marine, sous sa couche de poussière terne, et l'inscription épicerie-journaux avait pâli du rouge au rose. La vitrine était sale, le comptoir couvert d'autocollants pour des journaux, des magazines et des bandes dessinées. Le panneau en plastique bleu où s'affichaient des photos de crèmes glacées se tassait sur lui-même, tout gondolé, trop loin pour qu'on puisse déchiffrer ce qu'il y avait dessus, trop vieux pour être encore valable.

L'immeuble se dressait juste en face, et sa porte d'entrée ne parlait pas en faveur de ses habitants. Des graffiti tracés au feutre et bourrés de fautes d'orthographe souillaient le panneau de verre armé. À côté de l'interphone, les étiquettes à peu près illisibles étaient disposées n'importe comment dans leurs encoches. Une grosse tache d'un jaune sombre, peut-être de la peinture, s'étalait sur les dalles de terre cuite qui couvraient le sol.

Niché au milieu des étiquettes en désordre, le nom « J. Lander » se distinguait par ses caractères tapés à la machine. La languette de plastique qui le recouvrait était étonnamment propre, comme si quelqu'un s'occupait régulièrement de la nettoyer. Morrow appuya sur le bouton.

— Oui ?

— Monsieur Lander ?

— Lui-même. (Une voix de tête, mais ferme, aussi nette que l'étiquette à son nom.) Qui est là ?

— Bureau de la Criminelle de Strathclyde, monsieur Lander. Nous voudrions vous poser quelques questions à propos de M. Anwar.

— Entrez. (La porte s'ouvrit dans un déclic, pendant qu'il leur donnait les indications.) Deuxième étage, première porte à gauche.

À l'intérieur, l'immeuble était mieux tenu, même si son état laissait à désirer. Pas de monceaux de sacs-poubelle ou de meubles abandonnés dans l'entrée, mais la rampe en plastique blanc censée aider les handicapés avait perdu ses fixations et pendait lamentablement, aussi abîmée sans doute que le locataire qui l'avait réclamée. Au-dessus des plinthes, on avait essayé d'enrayer la progression du salpêtre à l'aide d'une épaisse couche de peinture rouge bordeaux boursouflée par l'humidité. L'empreinte d'un talon laissait une grosse écaille, les marches étaient couvertes de traces de pas blanchâtres laissées par les pieds innombrables qui avaient marché dans le plâtre.

La cage d'escalier leur renvoya l'écho d'une porte qui s'ouvrait. Des pas claquèrent sur le palier, un homme se pencha par-dessus la rampe.

— Bonjour !

— Bonjour, répondit Morrow qui devançait Bannerman. Monsieur Lander ?

— Oui. Venez. Par ici, dit-il comme s'ils risquaient de se perdre.

Petit, âgé d'une soixantaine d'années, il appuyait ses grosses mains à la rampe. Un gilet marron, un pantalon gris avec des surpiqûres sur le devant, une moustache blanche bien taillée, aussi étroite que la bouche, des cheveux gris disciplinés par de la brillantine. Sûr maintenant qu'ils l'avaient bien vu et savaient où aller, il se recula légèrement.

Arrivée la première sur le palier, Morrow franchit derrière lui la porte peinte en marron. Il n'y avait pas un grain de poussière devant chez lui, le paillasson qui proclamait « Bienvenue » était bien calé contre la barre de seuil.

Elle se risqua dans un vestibule vert mousse tandis que Lander, à l'entrée du salon, attendait patiemment que Bannerman arrive. Lorsque Grant pénétra à son tour à l'intérieur et referma derrière lui, Lander hocha la tête d'un air approbateur, en laissant échapper un petit *hum* satisfait et les précéda dans le salon, prêt à les recevoir.

Dans le couloir, un bol où l'on déposait les clés était posé sur l'unique étagère, au-dessus du radiateur. La patère fixée à la porte d'entrée ne pouvait guère supporter qu'une écharpe. Pas de manteaux abandonnés en vrac sur des chaises, pas de cabas pour les courses ni de sac-poubelle suspendu à une poignée en attendant qu'on le descende.

Morrow suivit Bannerman dans le salon.

Une table basse supportait un vieux poste de télévision. Un petit canapé en velours orange faisait face à un fauteuil. Tous deux étaient vieux, mais en bon état. Accrochée au bras du fauteuil, une pochette en tissu contenait la télécommande et le programme télé. Rien, dans ce salon, qui ne soit utile ou indispensable. Pas d'étalage de bibelots, de souvenirs du bon vieux temps, de journaux en attente de lecture. Un ordre impeccable, même pour un vieux garçon. Un ordre de caserne, ou de prison. Morrow nota dans un coin de sa tête de vérifier s'il avait un casier judiciaire.

Tous les trois debout devant le canapé, ils formaient un triangle équilatéral parfait. Bannerman encouragea Morrow du regard. Il lui laissait le soin de commencer, se réservant sans doute pour les questions importantes.

— Asseyez-vous je vous en prie, dit leur hôte en désignant le canapé.

Ignorant l'invitation, Morrow prit délibérément place sur le fauteuil. Lander cilla. Cela l'obligeait à s'asseoir à côté de Bannerman sur le canapé, pris en sandwich entre ses deux visiteurs. Il remonta son pantalon sur ses genoux avec une irritation perceptible et se posa sur les coussins.

Morrow observait le décor. Le radiateur électrique était surmonté de photographies sous verre. Toutes montraient Lander en uniforme militaire, entouré le cas échéant de camarades en tenue, à croire qu'il ne s'était jamais marié, n'avait ni enfants ni petits-enfants, ni même un souvenir de sa vieille mère.

— Vous étiez dans l'armée, monsieur Lander ?

Bannerman leva les yeux, soudain intéressé.

— Oui, répondit-il d'un ton sec. Vingt ans dans les Highlanders d'Argyll et de Sutherland. Dix ans de service dans le premier bataillon, les dix autres dans la compagnie E. La compagnie E fait partie de l'armée de terre, précisa-t-il à toutes fins utiles.

Morrow aussi avait le goût de l'ordre. Elle avait d'ailleurs envisagé d'entrer dans l'armée.

— Une vocation ?

— Oui, dit-il pensivement. Une vocation, oui. (Assis très droit, il se tapota les genoux et se tourna vers Bannerman.) Mais vous êtes là à propos d'Anwar, n'est-ce pas ? Est-ce qu'on sait qui l'a enlevé ?

Ils n'étaient pas là pour répondre à ses questions, mais Bannerman avait assez de métier pour ne pas rebuter de but en blanc les témoins qu'il interrogeait.

— Eh bien, monsieur Lander, je suppose que vous avez lu les journaux. Nous ne sommes pas en mesure de vous donner beaucoup plus…

— Il a été enlevé par des hommes armés qui demandent une rançon ?

— C'est exact…

— Et Aleesha a été blessée à la main ?

— … Mais je peux vous confirmer que M. Anwar a été kidnappé la nuit dernière et que les agresseurs exigent une rançon, en effet. Vous qui le connaissez, cela vous paraît plausible ?

Lander respirait fort par le nez, comme s'il était en proie à une émotion qu'il cherchait à dissimuler.

— À part ce que j'ai entendu à la radio, tout ce que je sais, c'est que ce matin j'ai reçu un coup de fil de son cousin (le mot semblait lui brûler les lèvres), me prévenant que ce n'était pas la peine que j'aille au travail aujourd'hui car M. Anwar avait passé une mauvaise nuit. Il a fallu que je me renseigne par moi-même. Son cousin y est, en ce moment, ajouta-t-il en pointant le menton vers la fenêtre. Il tient la boutique pour lui.

— Est-ce que M. Anwar est apprécié par les habitants du quartier ?

— Apprécié ? Eh bien, beaucoup de gens viennent à la boutique, dit Lander, les yeux perdus sur la moquette immaculée.

— Toujours les mêmes ?

— En gros, oui. Il y a un arrêt de bus devant, alors ceux qui descendent en ville entrent souvent pour acheter le journal, mais en dehors des heures de pointe, la clientèle est essentiellement locale.

— Depuis combien de temps travaillez-vous pour lui ?

— Quatorze ans. Presque quatorze ans, pas tout à fait.

— Vous avez des horaires précis ?

Lander haussa les sourcils.

— Eh bien, théoriquement j'embauche à six heures et demie et je finis à midi et demi, mais il est assez fréquent que je reste plus longtemps ou que j'y retourne l'après-midi. Je leur donne un coup de main à l'heure du déjeuner, parce qu'il y a toujours du monde, je regarnis les rayons. Quelquefois, j'y vais pour suivre les matches de cricket avec M. Anwar.

— C'est un peu un ami, si je comprends bien ? glissa Morrow.

— Tout à fait, répondit gravement Lander. Un très bon ami.

— Êtes-vous payé pour ces heures supplémentaires ?

L'idée le heurtait, manifestement.

— L'après-midi ?

— Oui.

Il laissa échapper un petit rire sans joie.

— Payé pour suivre les commentaires du cricket à la radio ?

— Lorsque vous faites des heures supplémentaires, est-ce que vous êtes payé en conséquence ? répéta lentement Morrow.

L'expression de Lander se durcit.

— Non. Je suis payé uniquement pour le travail que j'effectue dans la matinée. Ce que je fais en plus pour M. Anwar, je le fais par amitié.

— Et par loyauté aussi, j'imagine ?

Dans sa bouche, c'était un compliment, mais il lui en voulait trop pour se laisser amadouer. Sous la moustache, la bouche se pinça.

— Par amitié.

— Je vous pose simplement quelques questions, monsieur Lander, dit-elle d'une voix douce. J'ai pour mission de retrouver M. Anwar et de le ramener chez lui sain et sauf. Je prends cette affaire très au sérieux.

— Très bien.

Morrow comprit tout à coup qu'il avait surtout très peur pour son ami.

— Vous gagnez combien de l'heure ?

Lander était un peu gêné.

— Je suis payé deux cents livres par semaine, net, quel que soit le nombre d'heures effectuées.

— Je vois. Ce n'est pas énorme pour trente heures par semaine.

— Trente-six. Quelquefois même quarante-deux, quand je travaille le week-end, mais cela me convient.

— Comment ça ?

— J'apprécie les horaires, la proximité, la compagnie de M. Anwar.

— Vous vous entendez vraiment bien, donc ?

Fixant un point par-delà l'épaule de Morrow, il prit un ton solennel pour déclarer :

— Nous sommes amis depuis quatorze ans, M. Anwar et moi. Au fil du temps, nous sommes devenus aussi proches que des frères. Il est comme un frère pour moi, insista-t-il en ponctuant ses paroles d'un geste de la main.

Puis il se tut et toussota, gêné. Morrow se sentait en empathie avec son embarras, son incapacité à pleurer sur commande. Pas plus que lui, elle ne croyait que l'expression permanente des émotions soit une preuve de sincérité. Elle aurait aimé vivre à l'époque bénie où il suffisait de dire oui à un homme le jour du mariage pour qu'il s'en souvienne encore dix ans plus tard.

Lander savait se contrôler, il ne serait pas facile de le prendre à contre-pied. S'affaissant un peu dans le fauteuil, elle imprima un pli sarcastique à sa bouche.

— Ah, oui, je commence à voir ce qui vous rapproche tous les deux.

— Vraiment ? s'emporta-t-il soudain.

— Mais oui, mais oui. Je vois ça assez bien.

— Et que voyez-vous ?

La tactique de Morrow portait ses fruits. Son ton narquois et ses sous-entendus le mettaient hors de lui. Elle agita effrontément la main.

— Vous travaillez ensemble, vous aimez tous les deux le cricket.

— Exact, admit-il. Parfaitement exact.

Il pointa un index vers elle, puis retint son geste et se calma aussi subitement qu'il s'était énervé.

Morrow l'observa sans rien dire pendant quelques secondes.

— Ces derniers jours, ou ces dernières semaines, vous n'avez pas remarqué des allées et venues autour de la boutique ?

— Beaucoup de gens traînent dans le quartier.

— Un inconnu ? Quelqu'un d'un peu trop curieux ?

— Dans quel sens ?

— Qui aurait cherché à se renseigner sur M. Anwar ? Sur le chiffre d'affaires du magasin, sur la recette ?

Il réfléchit un instant.

— Non, lâcha-t-il enfin. Non, je ne vois personne. Nous avons pas mal de clients un peu louches. Des ivrognes, des drogués, des types pas nets, mais ils sont tous du quartier. Même si on ne les connaît pas personnellement, on sait d'où ils sortent.

— Comment ça ? intervint Bannerman.

— On connaît leur famille, on sait comment s'appellent leur mère et même leur grand-mère.

— Vous n'avez pas reçu d'appels téléphoniques bizarres ?

— Non.

— M. Anwar avait-il des dettes ?

— Non.

Il répondait un peu trop vite, sans prendre le temps de réfléchir. Que les questions soient ou non pertinentes, Johnny Lander ne parlerait pas. Il ne dirait rien qui puisse nuire à Aamir ou salir sa réputation. Sa loyauté l'en empêchait.

— À votre avis, pourquoi s'en est-on pris à lui ?

— C'est une erreur d'adresse, affirma-t-il.

— Qu'est-ce qui vous le fait penser ?

— Les Anwar sont des gens modestes. Pratiquants. Ils donnent beaucoup d'argent aux organisations caritatives, et entre nous ça irait mieux si tout le monde était comme eux.

— Quelles organisations ?

— Les ONG qui s'occupent des catastrophes, des tremblements de terre…

— Des organisations humanitaires ?

— C'est ça.

— L'Afghanistan ?

— On n'en a jamais parlé. Le Pakistan, oui, je crois…

— Ils ont des relations en Afghanistan ? De la famille ?

— Pas à ma connaissance, non. Ils viennent d'Ouganda.

— Et vous ? Vous avez servi là-bas ?

— Non. J'étais à la retraite lorsque ça a commencé.

Elle tenta une autre approche.

— Diriez-vous que vous êtes un homme loyal ?

— Oui.

Aucun doute, aucune hésitation.

— Mais vous n'avez jamais fondé de famille ?

— Non.

— Êtes-vous ami avec la famille de M. Anwar ?

— Non. Seulement avec lui.

— Mais vous avez probablement rencontré sa famille ?

— À peine. Quand ils allaient encore à l'école, Billal et Omar venaient travailler tous les deux à la boutique, le samedi, mais je ne les connais pas vraiment.

— Vous avez travaillé avec eux tous les samedis pendant des années et vous ne les connaissez pas bien ?

— Non, je n'ai pas travaillé avec eux. Leur père travaillait avec eux. Je ne venais pas lorsqu'ils étaient là. Il n'y a pas vraiment de place pour trois, derrière le comptoir, et comme j'aime bien pêcher… ça m'allait.

— Vous avez sûrement beaucoup entendu parler d'eux, au moins ?

— Non, M. Anwar ne parle pas souvent de sa famille.

— Cela ne vous paraît pas curieux ?

— Non, pourquoi ?

— La plupart des parents parlent volontiers de leurs enfants. Pas M. Anwar ?

— Il ne parle que de la boutique.

— N'est-ce pas un peu ennuyeux ?

— Et du cricket. Nous parlons aussi des matches de cricket.

— Oh, mon Dieu ! Ça c'est d'un ennui mortel !

Lander apprécia la plaisanterie et s'autorisa un sourire réservé.

Bannerman prit la parole.

— Vous êtes toujours dans l'armée de terre ?

— Non.

— À quelle date l'avez-vous quittée ?

— En avril 1993.

— Il y a un bout de temps, alors ?

— Oui.

— Vous avez toujours des relations dans l'armée ?

Morrow avait deviné où il voulait en venir : les armes et l'équipement des deux agresseurs pouvaient laisser penser qu'ils avaient des accointances dans l'armée, mais ces types ne savaient pas manier leurs armes et leurs erreurs de débutants excluaient qu'ils aient suivi un entraînement militaire.

— Non. Je connais des hommes qui étaient dans ma compagnie en même temps que moi, mais nous n'avons pas de contacts réguliers.

— Occasionnels, alors ? L'un d'eux vous a-t-il vu à la boutique ?

Il réfléchit sérieusement.

— Personne.

— Aucun d'entre eux n'est jamais entré dans le magasin ?

— Qu'est-ce qu'ils viendraient y chercher ? Ils vivent presque tous à Stirling. Si vous ne me croyez pas, vous pouvez contacter le quartier général et demander leurs adresses. Je vais vous donner le téléphone.

Il allait droit au but. Sa tournure d'esprit militaire l'engageait à leur répondre sans remettre en cause leur autorité. La plupart des témoins s'efforcent de saisir le raisonnement qui guide l'enchaînement des questions afin d'établir une sorte de complicité avec la personne qui les interroge. C'était rafraîchissant d'avoir affaire à Lander.

— Vous avez appris le maniement des armes, à l'armée ?

Bannerman fronça les sourcils pour la mettre en garde, comme si elle en disait trop. À côté de lui, Johnny Lander carra les épaules.

— Bien sûr. Quel intérêt d'avoir une armée si les soldats ne savent pas se servir de leurs armes ?

Le mal était fait, et Morrow continua sur sa lancée.

— Des armes de poing ?

— Naturellement. Mais si vous pensez que j'ai quelque chose à voir avec l'enlèvement de M. Anwar, vous vous trompez lourdement. C'est un bon ami à moi, je vous l'ai dit, et il ne me viendrait certainement pas à l'idée de lui faire du mal, de quelque façon que ce soit.

Sa tirade le laissait un peu essoufflé et il paraissait ulcéré. Morrow esquissa un geste d'apaisement. Si elle avait osé, elle lui aurait tapoté le genou.

— Nous ne pensons rien de tel, monsieur Lander, mais les hommes qui l'ont enlevé étaient armés et c'est une piste que nous ne pouvons pas négliger.

— Je vois, dit-il encore perturbé.

— Nous devons absolument le retrouver. C'est notre travail et nous sommes prêts à remuer ciel et terre.

— Bon, acquiesça-t-il, la bouche pincée. Bon. C'est… c'est quelqu'un de bien. Si je peux faire quelque chose…

Il les croyait sur le point de partir, il commençait à se lever, mais Morrow l'arrêta d'un geste.

— Qui rentre dans l'armée de terre, aujourd'hui ?

Il se rassit.

— D'anciens militaires qui n'ont pas envie de raccrocher. (Il fit la moue, un doigt pointé sur sa poitrine.) De pauvres types chargés de familles qui ont besoin d'argent. D'autres... (il haussa les épaules) qui ont vu trop de films d'action. Ceux-là ne tiennent pas longtemps.

— Pourquoi ?

— Ils voudraient devenir des héros, mais le boulot ne leur convient pas. La discipline. Ils ne supportent pas. Ça n'a pas grand-chose à voir avec la popularité. Il ne s'agit pas d'être gentil.

Il sourit à Morrow d'un air entendu.

— Que deviennent-ils ? demanda Bannerman.

— Ils abandonnent ou alors on les flanque dehors. C'est difficile de faire bien, poursuivit-il à l'adresse de Morrow en baissant la voix. C'était difficile, pas vrai, ce que vous avez essayé de faire tout à l'heure ? De me bousculer pour me sortir les vers du nez ?

Elle l'écoutait attentivement. Il approcha son visage du sien.

— Quand on devient vieux, souffla-t-il, on a beaucoup de mal à trouver des gens avec qui on a envie de partager des choses.

— J'ai le même problème en ce moment, chuchota-t-elle en retour.

Il lui sourit, sans arrière-pensées cette fois, et se renfonça dans son siège.

— Vous pensez que vous allez le retrouver vivant ? demanda-t-il d'une voix mal assurée.

Elle haussa les épaules.

— Les agresseurs cherchaient un certain Bob, dit-elle en guettant sa réaction.

— Vous voyez que j'avais raison. Ils se sont trompés d'adresse.

Il les raccompagna dans l'entrée, ouvrit la porte et leur serra la main en sacrifiant à l'échange de politesses rituelles entre gens bien élevés – ravi de vous avoir rencontré, si je peux quoi que ce soit, n'hésitez pas à m'appeler. Penché sur la balustrade, il les suivit des yeux dans l'escalier et agita la main pour un dernier au revoir lorsqu'ils levèrent la tête.

Morrow quittait à regret l'univers net et bien rangé de M. Lander, et c'est sans enthousiasme qu'elle suivit Bannerman dans la rue bruyante et humide. Lander était un soldat, il soutenait ses engagements avec une volonté farouche, aveugle, il guidait sa conduite sur ses impératifs moraux. Elle l'enviait. Il n'avait probablement jamais été tenté de contester l'armée, et il l'avait sûrement bien servie. Elle, quand elle était entrée dans la police, son père et tout ce qui lui restait de famille lui avaient tourné le dos, se sentant trahis. Il y avait douze ans de cela, et elle se demandait encore si le désir de couper les ponts avec eux n'avait pas dicté son choix. Elle s'imagina vieille et seule dans une maison impersonnelle, assise dans un silence désespérant. Un bus passa en grondant dans la rue.

Dehors, le crachin glacé semait la grisaille partout.

— Vous n'auriez pas dû mentionner les armes.

— Les kidnappeurs de la nuit dernière n'ont pas été entraînés au maniement des armes, répondit-elle en resserrant les pans de son manteau.

— Qu'est-ce que vous en savez ?

— Omar a eu ce geste, vous vous rappelez ?

Elle écarta sa main de côté à un angle de quatre-vingt-dix degrés, comme Omar la veille au soir, au cours de l'interrogatoire.

— Et après ?

— Vous ne croyez pas que c'est à cause du recul de l'arme ? (Il regardait fixement sa main sans pouvoir se résoudre à admettre qu'elle avait raison.) Il dit par ailleurs qu'il a d'abord cru que le type avait le visage particulièrement long, sous la cagoule, jusqu'à ce qu'il ferme la bouche. (Elle ouvrit grand la bouche en mimant l'abasourdissement.) Le coup venait juste de partir.

— C'est une idée, grommela Bannerman.

— Il y a plus. Pensez à la chronologie : la jeune fille a été blessée à un moment sans rapport aucun avec les négociations. Il n'a pas tiré pour faire monter la pression ou pour prouver leur détermination. C'est une erreur, aussi tragique que stupide.

Bannerman aurait voulu être ailleurs, ça se voyait. Elle haussa les épaules.

— Bon, ce n'est jamais qu'une hypothèse, mais… Vous n'aimez pas être pris en défaut, n'est-ce pas ?

Elle descendit du trottoir. Les autobus passaient dans un vacarme assourdissant. Les automobilistes klaxonnaient en les contournant avant de reprendre leur file pour éviter la collision avec ceux qui arrivaient en face. Bannerman s'accrochait à ses basques.

— Dans ce cas c'est… c'est encore pire, non ? S'ils ne savent pas se servir d'une arme, ils risquent de tirer sur n'importe qui, n'importe quand.

La circulation s'était calmée. En face, le feu venait de passer au rouge et les voitures étaient immobilisées derrière un bus qui déchargeait ses passagers.

— Si on est optimiste, dit-elle en se faufilant entre l'arrière du bus et la voiture qui le suivait, on peut aussi penser qu'ils vont se tirer dessus.

Toute poisseuse, la porte de la boutique aurait eu besoin d'un coup de chiffon. Elle s'ouvrit dans un tintement grêle et ils entrèrent dans le petit local qui sentait la poussière et le renfermé. À droite, un mur couvert de présentoirs à journaux et de magazines, le porno tout en haut, les bandes dessinées à hauteur d'yeux des enfants. Au fond, une vitrine de bouteilles où était entreposé un assortiment de boissons gazeuses couchées comme des bouteilles de vin, près d'un casier destiné aux bouteilles consignées. Les rayons qui occupaient le centre exposaient des articles de première nécessité, des shampoings au thé, de la lessive aux couches pour bébé. Les articles plus chers, le beurre de cacahuète par exemple, étaient disposés face au comptoir, suffisamment près pour que la personne qui tenait la caisse puisse réagir aux tentatives de vol à l'étalage. Au-delà du comptoir qui courait sur la moitié de la pièce, ce qui n'était pas excessif, les cigarettes, les alcools bon marché et le café étaient hors de portée des voleurs.

La menue monnaie échangée dessus pendant vingt ans avait tellement usé son revêtement en plastique blanc que par endroits on voyait le bois du meuble au travers. Derrière, il y avait deux tabourets hauts, encore collés l'un à l'autre comme si les duettistes venaient de quitter la scène. Un petit transistor argenté réglé sur les ondes courtes était posé sur le bas des étagères. Morrow se dit qu'il devait être confortable d'observer le monde du haut de ce perchoir.

L'homme qui tenait le magasin était trop jeune pour s'abriter derrière sa barbe et ses manières surannées comme s'il jouait un rôle. Il l'observait avec une certaine impatience mais n'ouvrait pas la bouche.

— Bonjour. Êtes-vous le cousin de M. Anwar ?

— Oui, répondit-il avec un accent prononcé.

— Inspecteur Morrow. Je fais partie de l'équipe qui enquête sur l'enlèvement de votre cousin.

— Oui, opina-t-il sans serrer la main qu'elle lui tendait.

Elle avait l'impression qu'il analysait un par un chacun des mots qu'elle venait de prononcer.

— Je vous présente le sergent Bannerman. Comment vous appelez-vous ?

— Ahmed Johany. John, précisa-t-il gentiment devant son air d'incompréhension.

— John ? rit-elle.

— Ici, on m'appelle… John.

Le sourire s'attardait sur ses lèvres mais ses yeux étaient empreints de tristesse, comme s'il portait le deuil d'Ahmed Johany et souhaitait qu'il ait lui aussi une place dans la boutique.

Bannerman se pencha par-dessus l'épaule de Morrow.

— Monsieur Johany ?

Il montrait du doigt l'angle du plafond, au-dessus du comptoir. Levant la tête d'un même mouvement, ils remarquèrent le petit point rouge qui clignotait sur la caméra vidéo.

— Est-ce… ?

— Une caméra.

— Vous conservez les enregistrements ?

— Seulement une semaine. Deux maximum…

— Et ensuite ?

— On remet dans l'appareil. (Il sourit comme pour s'excuser.) C'est moins cher.

— Pouvez-vous nous confier celles de la semaine dernière ?

Il accepta, mais il paraissait inquiet à l'idée de les laisser seuls pendant qu'il irait les chercher dans l'arrière-boutique. Bannerman sortit sa plaque et la lui tendit. Ahmed secoua la tête, gêné d'avoir douté d'eux, et détala vers le fond du magasin, sans pouvoir cependant s'empêcher de leur jeter des regards furtifs par-dessus son épaule. Vingt secondes plus tard, il revenait avec une pile de cassettes poussiéreuses. Il se faufila derrière le comptoir, rassuré d'avoir retrouvé son poste, et attrapa un sac en plastique bleu pour y mettre son butin. Tout ne rentrait pas dedans, et après avoir vainement essayé il dut se résoudre à en prendre un deuxième.

Morrow suivait chacun de ses gestes, aussi précautionneux que s'il emballait des œufs tant il prenait soin de ne pas déchirer le mince emballage.

— Vous travaillez ici depuis longtemps ?

Embarrassé par la question, il tendit les sacs à Bannerman.

— Depuis... aujourd'hui. Pas en Écosse, s'empressa-t-il d'ajouter. Je suis arrivé en Écosse il y a quelques années. Mais le magasin, aujourd'hui, oui.

Sa méfiance, son doux sourire passif renvoyaient un reflet déformé du quartier dans lequel ils se trouvaient, ou du milieu d'origine de Johany. Morrow eut honte. Elle repensa aux injures racistes qu'elle avait vues petite fille sur la vitrine d'un magasin, à cette boutique de Patrick où une pancarte précisait : *Ce magasin est géré par des Écossais.*

La porte qui venait de s'ouvrir derrière eux laissa entrer, avec les bruits de la rue, une bouffée d'air vicié et une dame âgée à la permanente impeccable.

— Où est-il ? s'exclama-t-elle avec indignation, en regardant tour à tour Bannerman et Johany.

Comme Johany se taisait, Morrow prit les devants.

— Qui ça ?

— Le petit bonhomme, dit-elle en désignant le comptoir. Il est malade ou quoi ?

— Pardon ? demanda sévèrement Morrow.

La femme la toisa.

— Qui êtes-vous ? Vous avez racheté la boutique par hasard ?

— Non. Qui êtes-vous ?

— Qui je suis ? (Elle était sidérée qu'on lui pose la question.) Je viens tous les jours. Je suis là tous les jours. Où il est le petit bonhomme ?

— Quel petit bonhomme ?

— Ce brave type, là, le petit immigré noir comme le charbon.

— M. Anwar ? corrigea Morrow.

— C'est ça son nom ?

Elle entrebâilla la porte pour surveiller si son bus arrivait, puis virevolta avec une vivacité étonnante.

— Alors quoi ? Il est malade ? Il est à l'hôpital ?

— M. Anwar ne pourra pas venir travailler aujourd'hui. Vous êtes cliente ici depuis combien de temps ?

— Vingt ans et quelques. Pourquoi ?

— Et vous ne connaissez pas son nom ?

— Il ne connaît pas le mien non plus. Dites-lui quand même que la petite dame qui lui prend toujours des cartouches de Kensitas et quatre petits pains lui envoie bien le bonjour et lui souhaite un bon rétablissement. Et aussi que ma petite-fille est sortie de la maternité. Elle a eu un garçon. Je dis ça juste… parce que… au cas où il demanderait, acheva-t-elle avant de sortir, sa belle assurance envolée.

18

Dans le salon couleur pêche de la maison de ses parents, Omar Anwar, terrorisé, contemplait la pluie couler sur les vitres quand le téléphone sonna dans le couloir. La sonnerie, stridente, n'était pas la même que d'habitude. Il entendit la porte de la chambre de Billal s'ouvrir à la volée, puis un bruit de course pataude.

— Omar ! Va répondre, bon sang !

Se levant d'un bond, Omar se précipita dans le couloir. À bonne distance l'un de l'autre, les deux frères fixaient le drôle d'appareil vert installé par la police à la place du leur. Un vieux modèle à la coque un peu sale, avec un cordon en caoutchouc recouvert d'une pellicule grisâtre qui cédait facilement sous l'ongle. Il fallait tenir l'écouteur loin de l'oreille tellement le son était fort, et dès qu'on parlait dans le combiné on entendait l'écho de sa propre voix. Les conversations étaient enregistrées sur un magnétophone branché derrière. Ils s'attendaient à un équipement plus high-tech, et en voyant cette vieillerie ils avaient eu le sentiment que la police ne se souciait pas vraiment de leur père.

Billal se pencha brusquement, appuya sur le bouton d'enregistrement du magnétophone, vérifia que la bande tournait et décrocha l'appareil en l'approchant de son oreille avec précaution, comme s'il ne s'était jamais servi d'un téléphone et n'était pas certain de ce qu'il fallait faire. Il écouta, hocha la tête et tendit à bout de bras l'appareil à Omar. Il surveillait le microphone comme s'il en avait peur.

Omar le reconnut à sa voix. Il l'avait suffisamment entendu, la veille.

— Qui est-ce ?

— C'est moi, Omar. Qui êtes-vous ? C'est vous qui étiez là hier soir ?

— Passe-moi Bob.

Omar jeta un regard embarrassé au magnétophone.

— Moi c'est… euh… Omar.

— On a ton père.

— Oui, oui. C'est bien vous qui étiez là cette nuit ?

— On a ton père. On veut deux millions, en coupures usagées, et il nous les faut aujourd'hui.

— Je sais, oui, on est tous au courant. Personne n'a intérêt à faire traîner en longueur, on est d'accord pour régler ça vite. Comment va mon père, il va bien ?

Omar était le premier surpris de son amabilité, de la politesse qu'il témoignait à ce type qui avait menacé sa famille, tiré sur sa sœur et kidnappé son père. Sadiqa l'avait bien élevé – trop bien, pensait-il, car ses bonnes manières le mettaient en porte-à-faux.

— T'inquiète pas, petit. Ton père va bien, très bien même. Ne te fais pas de soucis.

Il était poli, lui aussi. En arrière-fond, Omar entendit passer un bus, ou une voiture : son interlocuteur l'appelait d'une cabine.

— Ta sœur va bien ?

— Ma sœur ?

— Aleesha, qui a reçu une balle. Elle va bien ?

— Ça va, elle est à l'hôpital.

— Et sa main ?

Sidéré, Omar jeta un coup d'œil à Billal, qui ne le lâchait pas du regard. Ses yeux s'embuèrent.

— Oh, ça c'est affreux. Elle a perdu le pouce et l'index, plus une phalange du majeur. On va lui greffer un orteil à la place du pouce. Maman pense que ça va faire un drôle d'effet, mais le pouce, c'est le doigt le plus important, vous comprenez, sans pouce…

— Oui, je comprends. Ne t'inquiète pas.

— C'est vrai quand même que ça va faire bizarre.

— Hmm… Elle pourrait peut-être mettre des gants ?

Omar haussa les sourcils, interloqué.

— Peut-être…

— Des gants fantaisie, avec une couleur différente pour chaque main…

— Une couleur différente ?

— C'est juste une idée comme ça, mais pourquoi pas ? En tout cas, euh… dis-lui… dis-lui de notre part qu'on est désolés.

Intrigué par la perplexité qu'il lisait sur le visage de son frère, Billal lui tapota le bras en formulant une question muette. Omar se détourna.

— Très bien. Je lui dirai ça, que vous êtes désolés.

— Merci, c'est sympa. Bon, alors…

La voix devint moins nette. Omar eut l'impression qu'il s'apprêtait à raccrocher et ne pensait plus à la rançon.

— Hé, vous ne vouliez pas nous demander quelque chose ?

— Ah si, c'est vrai. Écoute bien : on veut les deux millions en billets usagés ce soir.

— Vous savez, on est prêts à faire tout ce que vous voudrez, d'accord ? Je veux vous aider, je veux vraiment que tout aille bien, que mon père rentre à la maison sain et sauf et tout. Le problème… (Il avait débité ces mots très vite et il dut s'interrompre pour reprendre son souffle.) Allô ? Vous êtes toujours là ?

— Ouais.

— Le problème c'est que nous n'avons pas tout cet argent.

— Vous n'avez pas tout… ?

— Non, mais voilà ce que je vais faire : je vais tout de suite aller à la banque, d'accord ? Je vais retirer tout ce que je peux pour vous le donner ce soir, et c'est de bon cœur que nous vous le donnons. Tout ce que je vais pouvoir retirer, d'accord ? En échange de mon père.

— C'est que… Combien tu crois… ?

— Je n'en ai aucune idée, franchement. Je peux emprunter, aussi, mais là, tout de suite, je dois pouvoir sortir quarante briques. (Il avait dit ça sur une intuition, quarante « briques », parce qu'il lui semblait que ça faisait plus riche que quarante mille livres.) Ça ne sera peut-être pas exact au centime près, mais quoi qu'il en soit nous vous donnerons le tout avec joie, d'accord ? Vous nous rappelez cet après-midi ? Vers dix-sept heures, pour fixer le rendez-vous ?

— Quarante briques, c'est pas assez, petit. (Il tenait l'appareil trop près de sa bouche, ce faux ami, et son souffle résonnait dans l'appareil.) Écoute-moi bien : on sait qui tu es.

— Quoi ?

— On sait qui tu es, répéta-t-il en détachant les mots. Tu piges ? On sait qui tu es.

Omar lorgnait vers le magnétophone qui enregistrait la conversation.

— Franchement, je ne vois pas de quoi vous parlez, mais alors là pas du tout. Passons, d'accord ? Si vous rappelez dans deux heures, je serai revenu de la banque et je vous en dirai plus, OK ?

— On sait qui tu es, martela son interlocuteur avant de raccrocher.

Pat rejoignit Eddy dans la Lexus. Les mains posées sur le volant, il affichait un sourire satisfait.

— Qu'est-ce qu'il a dit ? demanda-t-il d'une voix traînante.

Son clin d'œil était trop appuyé, son sourire trop large pour être spontané. Pat comprit qu'il était reparti dans son trip et se voyait plus en gangster qu'en divorcé qui faisait du lard au volant de sa voiture de location.

— On a parlé, Bob et moi, répondit-il en attachant sa ceinture de sécurité. Il va apporter tout ce qu'il peut. Quarante mille, mais il pense pouvoir en récupérer plus. Il faut le rappeler à cinq heures pour fixer le rendez-vous. Tout ça devrait être bouclé assez vite, je crois.

Eddy hocha lentement la tête et lui adressa un nouveau clin d'œil. Il était tellement imprégné par son rôle que ça le grisait. Il félicita Pat, comme un patron un employé dont il est content.

— Bien, mec, bon boulot. Il essaye pas de nous griller, le nègre ?

Pat tressaillit.

— Quoi ?

— De nous entuber à propos du fric, le nègre ?

Eddy venait de démarrer, il déboîta doucement. Pat hésitait, cherchait ses mots. Il ne voulait pas rebondir sur le terme, pour ne pas alimenter l'atmosphère générale de folie et d'ignorance. Il aurait aimé que Malki soit dans la voiture avec eux.

— Il ne sait pas trop ce qu'il va pouvoir gratter de plus, mais il va faire son possible.

— Ouais… Ouais, il nous entube, le nègre.

Dieu du ciel ! Eddy prenait maintenant l'accent américain. Pat se passa la langue sur les lèvres, prêt à protester, mais il n'en eut pas le courage. Il tenait son journal à deux mains sur sa poitrine, comme une femme tient son sac le soir dans une ruelle sombre.

— Ouais, ben on va voir ce qu'on va voir. Ces salauds vont passer à la caisse, c'est sûr…

Poursuivant son délire, Eddy continuait à déblatérer avec son accent de cow-boy. Maintenant que l'arrangement était conclu, il avait repris confiance en lui. À son côté, Pat l'étudiait, en émettant de temps à autre des grognements évasifs peu compromettants.

Sa résolution était prise : quelle que soit la somme que la famille leur remettrait ce soir, Pat accepterait l'argent et quitterait Eddy. Il était temps de tirer un trait sur toutes ces années passées à l'écouter et à lui remonter le moral, à réécrire l'histoire pour l'arranger à sa sauce. Pat avait d'autres choses à faire, d'autres projets plus intéressants.

Ils empruntèrent une succession de petites rues tranquilles avant de rejoindre l'artère principale. La circulation était dense, en ce milieu de matinée, et ils avançaient par à-coups, en se faufilant entre les véhicules. À un moment donné, Eddy dut piler parce que le feu passait au rouge, et il s'arrêta à hauteur d'une Mini flambant neuve à la carrosserie bleu métallisé. Le capot argenté de la Lexus attira l'attention de la conductrice, elle tourna la tête. Ses yeux étaient cachés par le toit de la Mini, on ne voyait de son visage qu'une belle bouche charnue dessinée par le rouge à lèvres. Elle souriait, Eddy se lâcha.

— Mate un peu la meuf, elle me mate, mec !

Pat s'abstint de tout commentaire.

— Hé, Pat, mec, vise un peu la meuf, t'as vu ça ?

Pat ne le regardait pas.

— Mec…

Eddy suivit son regard par-delà le tableau de bord, par-delà le capot, par-delà les feux tricolores, jusqu'à une rotonde couverte de tuiles vertes et blanches. Une petite construction bizarre, un peu comme une cabane de jardin au milieu du flot des voitures. Sur la vitrine, une inscription tracée à la main annonçait « Le Battlefield Rest ».

— T'as déjà mangé là ? demanda Eddy.

Pat se taisait toujours, Derrière eux, quelqu'un klaxonna, le feu était repassé au vert. Eddy insulta l'impatient et démarra.

Pat ne s'intéressait pas à la rotonde vert et blanc, sa vision le transportait plus loin, jusqu'à un parking entouré d'un mur bas qui précédait un grand bâtiment victorien. Construit en virgule autour des voitures, c'était l'hôpital Victoria.

— Hé, mec, tu es plus avec moi.

Eddy avait raison. Les yeux rivés sur la bâtisse, Pat laissait ses pensées dériver loin de la voiture, des allusions racistes, du triste jeu d'acteur, de l'odeur tenace de la pisse de Shugie sur le pantalon d'Eddy.

Son précieux journal sous le bras, Pat était dans l'ascenseur de l'hôpital Victoria. Il tenait un bouquet de fleurs jaunes à la main, il sentait dans sa paume la fraîcheur des tiges humides, à travers le papier. Et il portait un costume.

19

Pour une raison ou pour une autre, peut-être parce que Bannerman croyait qu'elle avait vraiment cherché à le soutenir, à propos des enregistrements d'appels, ou peut-être parce qu'ils étaient tous les deux fatigués et en avaient assez de se disputer, à leur grande surprise ils acceptèrent tacitement de déposer les armes, pendant le trajet jusqu'à l'hôpital Victoria. Bannerman conduisait prudemment, il n'ouvrait la bouche que pour combler les blancs de son rapport, lorsqu'un détail lui revenait. Il lui donnait scrupuleusement ces précisions, et à plusieurs reprises Morrow constata qu'il arrivait avant elle aux conclusions. Il était plus malin qu'elle n'avait voulu le croire.

— Il faut comprendre pourquoi ils ont choisi Harthill pour faire brûler le véhicule. Soit ils allaient à Édimbourg, soit ils connaissent bien le coin et ils nous ont délibérément lancés sur une fausse piste.

— On a pu récupérer le numéro de série de la fourgonnette ?

— Piquée chez un concessionnaire de Cathcart. Un vol tout ce qu'il y a de banal.

Il leva le pied à l'approche du carrefour de Gorbals Cross.

— Si l'un d'eux est voleur de voitures professionnel, ça pourrait expliquer pourquoi ils l'ont brûlée là-bas. Le fermier a signalé plusieurs incendies de voitures chez lui.

— Oui, c'est peut-être un endroit connu pour y abandonner les voitures. Ils l'avaient peut-être testé avant, ils savaient qu'il faudrait des heures avant que quelqu'un donne l'alarme.

— Le système de mise à feu ?

— Professionnel. Vous connaissez l'effet boule de feu qu'on observe parfois ? demanda-t-il en arrondissant le bras au-dessus de sa tête jusqu'à effleurer le plafond de la voiture.

— Quand le réservoir est plein et qu'il explose au lieu de se consumer ?

— Exactement. (Ils étaient sur la même longueur d'ondes et ça le tranquillisait.) Rien de tel ici. Ils ont aspergé l'intérieur d'essence et le véhicule a tellement bien brûlé qu'il n'y a rien à en tirer, ni fibres ni cheveux, rien.

— Est-ce qu'on a vérifié si les Anwar avaient des visas pour l'Afghanistan ?

— Aucun lien. Apparemment, en tout cas. La mère et le père sont des réfugiés ougandais. Toute leur famille vient de là-bas, à part un couple de cousins éloignés d'origine pakistanaise, mais qui eux aussi ont quitté l'Ouganda.

— Mo et Omar ont probablement raison, c'est un cliché, cette allusion à l'Afghanistan. On imagine bien ces types sortir un truc de ce genre, s'ils sont assez bêtes pour utiliser une arme dont ils ne savent même pas se servir…

Le feu passa au vert. La voiture traversa le carrefour et s'engagea dans Vicky Road.

— Ils ont tout de même fait une grosse bourde : on a retrouvé une boulette de papier d'aluminium, sous les arbres.

— Non ! s'exclama-t-elle avec ravissement. Non !

— Eh si, répondit-il sur le même ton. De l'héroïne. Mais ne nous emballons pas trop, car même si ce sont les kidnappeurs et pas les voleurs de voitures qui l'ont abandonnée sur les lieux, il n'est pas si facile de remonter une piste à partir d'un bout de papier.

— Les hommes armés n'étaient pas drogués.

— Non. D'ailleurs on n'en a retrouvé qu'une, avec des traces de goudron à l'intérieur.

— Il n'y a peut-être qu'un addict, dans le lot. Les autres n'auront rien remarqué.

— Un toxico sérieux ?

— Oui, le genre à prendre sa dose tout seul dans son coin.

— C'est bien possible, oui. Vous avez peut-être raison.

— Hmm.

— Hmm. (Il lui jeta un regard en coin, se mordit la lèvre.) Finalement, ça vous va de faire équipe avec moi ?

Morrow s'éclaircit la gorge, secoua la tête.

— Désolée de vous avoir traité de con. J'étais fatiguée…

Il tiqua.

— Vous n'êtes pas allée jusque-là. Vous avez simplement déclaré que si je me conduisais comme… un con, nous ne risquions pas d'avancer, c'est tout.

Cette différence sémantique lui tenait à cœur, visiblement.

— C'est vrai, reconnut Morrow. C'est exact.

— On a bien failli se mettre des bâtons dans les roues, tous les deux, n'est-ce pas ? Se marcher mutuellement sur les pieds au lieu de coopérer. C'est la direction d'équipe qui ne va pas.

Cette critique à peine voilée de MacKechnie était une main tendue, ou un piège. Morrow manquait de sommeil, elle n'avait pas les idées claires, elle en avait assez de devoir toujours deviner où Bannerman voulait en venir et elle dut prendre sur elle pour contenir son irritation.

— Vous savez, Grant, je vous trouve très impliqué dans votre carrière… (Elle s'interrompit et s'obligea à respirer, hésita. Il attendait qu'elle poursuive.) Mais… pas autant dans le service, vous comprenez ? J'ai l'impression que je… (Elle agita les mains devant elle, comme si elle ouvrait un livre.) … que je me donne plus à fond, vous comprenez ? Que je mets plus d'énergie que vous dans cette affaire…

Bannerman le prit bien.

— Vous savez, mon père était flic.

— Ah, bon.

— La police, c'est un peu ma famille.

— Hmm.

Morrow se gratta la joue, un tout petit peu trop fort. Il avait un papa flic et après ? Ce n'est pas pour ça qu'il était meilleur qu'elle.

— À force de grandir dans ce milieu, on finit par bien le connaître – un peu mieux que les autres, peut-être. On sait à quoi ressemble le boulot, ce qui arrive en fin de carrière. Les nouvelles recrues sont trop idéalistes, elles se lancent à corps perdu, au début, et après, forcément elles n'ont plus la foi.

— Je ne suis pas une nouvelle recrue.

— Non, mais vous ne venez pas d'une longue lignée de policiers. En un sens, remarquez, vous avez de la chance parce que vous allez tout découvrir par vous-même. Simplement… ça risque de vous faire un choc, vous savez.

— BDC, lâcha-t-elle tout à trac.

— BDC, confirma-t-il d'un hochement de tête. La différence, c'est que je sais ce que je peux supporter, comment jouer mes billes. Je connais les limites de ce métier. Vous, il vous manque cet instinct de tueur…

— De tueur ? répéta-t-elle, éberluée.

— La connaissance intime du système, qui permet d'enclencher le mécanisme pour que le boulot soit fait correctement.

Elle avait beau ne pas comprendre, elle avait un mauvais pressentiment sur ce qui allait suivre.

— De toute façon, dit-il en coupant soudain court à ses explications, en admettant qu'Omar et Bob ne font qu'un, qu'est-ce qui a bien pu pousser ces gens à penser qu'il avait deux millions de livres à jeter par la fenêtre ? Il a vingt et un ans, il est étudiant, il ne gagne pas sa vie. Comment pourrait-il avoir tout cet argent ?

— Ça, je n'en sais rien.

Bannerman se concentrait sur la conduite, et Morrow qui l'observait se rendit compte que les propos qu'ils venaient d'échanger ne lui posaient aucun problème. L'instinct du tueur. Quelque part au fond d'elle-même, elle sentit qu'il lui avait confié ce qu'elle avait toujours pensé de lui – qu'il ne bossait que pour lui et comme ça l'arrangeait.

— Quel cauchemar, ce carrefour, marmonna-t-il entre ses dents, les yeux fixés sur le pare-brise.

— Prenez à droite, dit-elle rapidement pour ne pas laisser la conversation retomber. Après, c'est tout de suite à gauche.

Il suivit ses indications et s'engagea sur le parking réservé aux visiteurs, dans l'enceinte de l'hôpital, trouva enfin une place libre tout au fond, près du mur. Il retira la clé du contact et sortit de la voiture. Le vent soufflait.

Toujours méfiante, Morrow resta un moment plantée à côté de sa portière, à l'étudier par-dessus le toit. Il regardait le Battlefield Rest, une ancienne station de tram de l'époque édouardienne transformée en restaurant.

— On dirait une boutique de glaces au bord de la mer. Pourquoi ce nom ?

— Vous ne connaissez pas l'histoire ?

— Non.

— La reine Mary Stuart a livré sa dernière bataille ici. Contre l'armée de son fils. Elle a perdu.

— Ils se battaient pour quoi ?

— La religion. Enfin, je crois, ajouta-t-elle prudemment.

— Et la reine a dormi là ?

La station de tramway avait été construite pendant la Grande Guerre, trois bons siècles après l'exécution de la reine Mary Stuart. D'abord interdite, Morrow s'aperçut que Bannerman ne plaisantait pas.

— Non, répondit-elle. Elle est juste entrée manger des lasagnes.

Bannerman ne réagit pas. Il se retourna et se dirigea vers l'hôpital. Morrow aurait bien aimé avoir un ami à qui raconter cette anecdote, au bureau.

Le hall fourmillait d'activité, et les ascenseurs fonctionnaient sans interruption, aspirant les groupes de personnes qui attendaient devant pour les relâcher aux différents étages. Bannerman sortit ses notes pour les consulter au moment où ils entraient dans la cabine bondée. Ils se casèrent tant bien que mal près d'une femme encombrée d'une poussette et d'un bébé obèse. Une petite fille blonde qui devait bien avoir trois ans et qui dormait profondément, la tête inclinée sur la poitrine. Ses vêtements étaient trop justes, son ventre boudiné débordait du tee-shirt. La sacoche accrochée à la poussette était pleine de papiers de bonbons et de bouteilles de jus de fruits vides.

La mère, à l'inverse, était un paquet de nerfs pétri d'angoisse. Vive et frêle, elle avait les cheveux tirés en queue-de-cheval et dégageait une odeur de parfum bon marché mêlée à des relents de tabac froid.

Morrow remarqua la moue de reproche que Bannerman lui adressait en regardant les emballages vides. Quand l'ascenseur s'arrêta au deuxième étage, la jeune femme empoigna la poussette avec un air dégoûté et la bascula brutalement sur les roues arrière pour sortir, en secouant sans ménagement le gros bébé.

— Nourrir ses enfants avec des cochonneries pareilles, grommela Bannerman lorsque les portes se refermèrent.

Morrow s'abstint de l'encourager dans ses certitudes de bien-pensant. Bannerman n'avait pas d'enfants. Il n'y connaissait rien, cet imbécile, il aurait mieux fait de s'abstenir.

— Vous avez les dépositions ? demanda-t-elle froidement.

Ouvrant son dossier, il en sortit trois feuilles de papier. La première, au nom d'Aleesha, ne contenait rien puisqu'elle n'avait pas pu être interrogée. La seconde était celle de Sadiqa, prise à l'hôpital, sans doute pendant que sa fille était en salle d'opération. Quand les agresseurs avaient fait irruption, Sadiqa était dans la cuisine. Elle avait entendu du bruit, elle était venue voir ce qui se passait. L'ascenseur s'arrêta au cinquième. Morrow se glissa hors de la cabine sans interrompre sa lecture. Des hommes armés les menaçaient, ils l'avaient obligée à rejoindre les autres dans l'entrée. Ils avaient blessé Aleesha. Ensuite Omar était arrivé, elle avait hurlé, ils avaient emmené Aamir.

Morrow souriait lorsqu'elle releva les yeux.

— Elle précise bien qu'ils ont demandé Bob.

— Je sais, concéda Bannerman dans un soupir. J'ai lu ça ce matin. Je me sens vraiment bête.

Elle lui rendit les papiers dans le couloir au moment où ils arrivaient devant le service, associés dans une camaraderie de bon aloi qu'elle s'appliquait à entretenir. Il fallait qu'il ait confiance en elle. Lorsqu'elle tendit le bras vers la sonnette, elle perçut le petit sourire qui flottait sur ses lèvres. Cela l'inquiéta. Une vague de fatigue l'envahit. Elle n'avait pas dormi de la nuit et la journée commençait à peine.

— Oui ?

La voix jaillie de l'interphone interrompit le cours de ses pensées. Une jeune infirmière binoclarde les observait derrière la vitre de son bureau, à une distance incommensurable.

— Inspecteur Bannerman et inspecteur Morrow, du commissariat de Strathclyde. Nous venons voir Aleesha Anwar.

— Très bien.

L'infirmière commanda l'ouverture de la porte et s'avança à leur rencontre.

Deux agents montaient la garde devant la chambre d'Aleesha, l'un assis sur une chaise près de la porte, l'autre appuyé au mur d'en face. Ils ne se gênèrent pas pour reluquer l'infirmière.

Morrow et Bannerman lui montrèrent leurs insignes. Elle n'y jeta qu'un coup d'œil.

— Chambre 1C.

Sans un mot de plus, elle tourna les talons et les conduisit à la chambre qui faisait face au bureau des infirmières.

Une baie vitrée permettait de surveiller l'intérieur de cette pièce depuis le couloir. Les nombreux câbles qui en sortaient étaient branchés aux moniteurs posés sur un chariot métallique. L'agent assis devant la porte se leva à leur approche, son collègue se redressa, le doigt sur la couture du pantalon. Bannerman leur accorda dix minutes de pause et ils s'éclipsèrent sans demander leur reste, après l'avoir remercié.

Derrière la vitre, Aleesha dormait, soutenue par plusieurs oreillers. Les épais bandages enroulés autour de sa main gauche ne masquaient pas la mutilation : il lui manquait trois doigts, et seul l'index était clairement dessiné. Les autres avaient été amputés au niveau de la première articulation. Les pansements sur les moignons des deux doigts du milieu étaient teintés d'un fluide jaune translucide.

Elle est vraiment jolie, pensa Morrow. Jeune et vulnérable, avec une peau parfaite et cette grâce naturelle qu'on n'apprécie que lorsqu'on l'a à jamais perdue.

Ils se glissèrent dans la chambre. Malgré le doux éclairage des veilleuses, la lumière crue du couloir révélait l'aspect clinique et froid de la pièce. Près du lit, entre la fenêtre et la blessée, Sadiqa somnolait sur un fauteuil violet au dossier inclinable, couverte jusqu'au cou d'une couverture en polaire rose. Ses nombreux kilos de trop s'étalaient en plis épais sous son menton et sur son ventre impressionnant qui s'affaissait de chaque côté.

Le fauteuil était recouvert d'un plastique imperméable. En position inclinée, le dossier s'abaissait tellement que la personne couchée dessus avait les pieds plus hauts que la tête. Pour avoir déjà dormi dessus, Morrow savait à quel point ce genre de siège est inconfortable.

Sadiqa qui venait d'entrouvrir les yeux ne vit d'abord que leurs chaussures. Se rendant compte qu'ils ne faisaient pas partie du personnel de l'hôpital, elle leva la tête.

— Madame Anwar, je suis l'inspecteur Bannerman, et voici l'inspecteur Morrow, de la police criminelle. Nous étions chez vous, hier soir.

Encore à moitié endormie, Sadiqa s'agita sous la couverture. Morrow s'avança d'un pas.

— Je ne crois pas vous avoir vue hier soir, madame Anwar. Je suis Alex Morrow.

Sadiqa dégagea son bras droit pour serrer la main qu'Alex lui tendait. Elle était en chemise de nuit.

— Enchantée, dit-elle en essayant de rassembler ses esprits.

— Le moment est peut-être mal choisi, mais nous aurions aimé vous parler.

Elle se redressa sur le fauteuil, comme si les événements de la veille lui revenaient brusquement en mémoire.

— Aamir ?

— Non, nous n'avons toujours pas de nouvelles. Nous voulions simplement vous demander quelques précisions qui pourraient nous aider à le retrouver.

— Bien sûr, laissez-moi juste…

Tentant de s'extirper du siège, Sadiqa poussa des talons sur le repose-pieds, mais son poids la clouait sur place. Elle dut utiliser ses bras pour parvenir à se soulever et ramener le dossier en position droite. Visiblement embarrassée, elle désigna son ventre d'un geste mécontent, comme s'il ne faisait pas partie d'elle.

— Trop gros, bougonna-t-elle en se levant enfin.

La couverture tomba sur le sol, découvrant sa chemise de nuit rose éclaboussée de sang séché. Elle glissa les pieds dans ses chaussons.

— Vous ne voulez pas vous changer, madame Anwar ? demanda Morrow.

— Et comment ? répondit Sadiqa que la suggestion contrariait. Je n'ai rien pour m'habiller.

— Vos fils pourraient peut-être vous apporter des vêtements ?

C'était une impertinence. Seule Sadiqa avait le droit de blâmer ses enfants. Elle jeta un regard glacé à Morrow et grommela quelques mots à propos du bébé.

— Vous devez tous être sous le choc, bien sûr, intervint Bannerman en jouant les intercesseurs.

— Oui, reconnut Sadiqa en levant les yeux vers lui. Oui, on est tous très choqués.

Après un coup d'œil à sa fille endormie, elle les poussa tous les deux vers le couloir et referma soigneusement derrière eux. Puis elle les prit chacun par un coude pour les obliger à tourner le dos à la vitre devant laquelle elle s'immobilisa de façon à continuer à veiller sur la blessée.

Bannerman chercha une chaise du regard.

— Nous pourrions aller nous asseoir quelque part ?

— Non, répondit Sadiqa les bras croisés sur la poitrine. Restons ici, je ne veux pas la quitter. Rien ne vous empêche de me poser vos questions ici, n'est-ce pas ?

Morrow reconnut la diction nette et guindée qui l'avait frappée, sur les enregistrements. Sadiqa s'exprimait comme une speakerine des années cinquante.

Se tournant vers la vitre, Bannerman hocha la tête vers Aleesha, paisiblement endormie.

— Il me semble qu'il vaudrait vraiment mieux trouver un endroit plus tranquille où vous pourriez vous concentrer. Je vais demander aux infirmières…

— Non.

Sadiqa avait levé la main comme si elle tançait un enfant. Elle fléchit en voyant leurs mines interloquées. Sa silhouette s'affaissa.

— Je vous en prie, excusez-moi, j'oublie la politesse…

Elle se couvrit les lèvres, frissonna de la tête aux pieds, puis opina vigoureusement, l'air décidé.

— Bon, bon, bon, lâcha-t-elle très vite en les regardant droit dans les yeux. Excusez-moi. Je vais me concentrer. Demandez-moi ce que vous voulez.

Bannerman feuilleta son carnet.

— Je voudrais revenir sur ce que vous avez déclaré hier soir… Cet homme que vos agresseurs réclamaient, comment s'appelait-il ?

— Bob. Ils cherchaient Bob.

— Vous êtes sûre ? demanda Morrow décontenancée.

— Oui. (Ce n'était pas facile, pour elle, de prononcer ce nom. Elle cilla, sa bouche se contracta un peu mais elle le répéta.) Bob.

Morrow lui aurait volontiers tiré son chapeau. Sadiqa saisissait la portée de cette affirmation et elle assumait sa responsabilité sans se dérober devant la vérité qui impliquait son fils. Croisant résolument les mains sur les plis de son ventre, elle leur fit signe de lui poser une autre question.

Morrow regarda Bannerman, qui feignait de consulter la déclaration.

— Très bien. Pouvez-vous nous raconter tout ce qui s'est passé ?

Sadiqa hésita.

— Dans l'ordre ?

— S'il vous plaît.

La grosse dame prit une profonde inspiration.

— J'étais dans la cuisine. J'ai entendu crier, je suis vite allée dans l'entrée pour voir ce qui se passait. Il y avait deux hommes, je n'ai pas… Je mets des lunettes pour lire et j'étais en train de lire dans la cuisine, et j'ai enlevé mes lunettes mais je n'avais pas l'autre paire. Quand je suis arrivée dans le couloir, je n'y voyais pas bien, je ne distinguais que leurs silhouettes près de la porte. L'un des deux m'a attrapée là, dit-elle en leur montrant son poignet avec indignation, et il m'a traînée de force dans l'entrée. Ils réclamaient Bob. Ils criaient.

Le coup est parti… (Le regard perdu et comme halluciné, elle revivait la scène.) Peu de temps après, Omar est arrivé, l'un des hommes lui a hurlé : « C'est toi, Bob ! », puis il s'est tourné vers Mohamed et il a recommencé : « C'est toi Bob ! » (Sadiqa sortit de sa transe et les fixa droit dans les yeux.) Ensuite, il a empoigné Aamir et il est sorti. L'autre l'a suivi.

— Qu'est-ce que vous lisiez ? demanda Morrow. Dans la cuisine. Vous dites que vous étiez en train de lire ?

— Oh, vous me testez ! Un recueil de poèmes. *The Rattle Bag*.

Morrow apprécia sa franchise.

— Qui appelle-t-on Bob, chez vous ?

— Personne… Il y a Billal, Omar et Aleesha.

— Non, Sadiqa, reprit doucement Morrow. Je connais les prénoms de vos enfants. Je vous demande simplement qui.

Elle hocha tristement la tête, les yeux fixés par terre. Elle avait compris qu'ils avaient déjà la réponse.

— Ne faites pas…

Le conflit était insupportable. Ses yeux se remplirent de larmes et la graisse de ses joues se mit à trembloter.

Morrow lui tapota gentiment l'avant-bras.

— Tout va bien.

— Merci, murmura Sadiqa.

— Tout va bien, répéta Morrow en s'écartant d'un pas, un peu ennuyée d'avoir court-circuité l'interrogatoire devant Bannerman.

Sadiqa s'essuya le nez.

— Où est mon Aamir ?

— Nous l'ignorons, dit Bannerman, désireux de reprendre les choses en main.

— Il est encore en vie, vous croyez ?

— Nous l'ignorons également. Nous faisons tout notre possible pour le retrouver, mais il faut y mettre du vôtre, insista-t-il sévèrement, sans paraître apprécier le moins du monde l'aide qu'elle leur avait déjà apportée et ce que cela lui coûtait.

Le flic typique, pensa Morrow qui l'aurait volontiers giflé.

— C'est bien Omar qu'on surnomme Bob, n'est-ce pas ? poursuivait Bannerman.

Sadiqa se mordait l'intérieur des joues, désemparée.

— Je… Moi je l'appelle Omar. C'est le prénom que nous avons…

Morrow aurait eu moins d'estime pour elle si elle avait trahi son fils sans hésitation.

— Sadiqa, depuis combien de temps êtes-vous mariée ?

Elle compta de mémoire en remuant les lèvres. Aamir n'était donc pas de ces époux qui tiennent à fêter leur anniversaire de mariage.

— Vingt-huit ans.

— Et quel âge avez-vous ?

— Quarante-huit ans.

— Aamir est plus âgé que vous ?

— Il a douze ans de plus que moi. J'avais seize ans quand je l'ai rencontré. Comme elle, ajouta-t-elle avec un coup d'œil vers sa fille.

— C'était un mariage arrangé ?

— Mon Dieu, non ! Je suis tombée amoureuse de lui. Mes parents ont insisté pour que je finisse mes études avant de me marier. Nous ne sommes pas très attachés aux traditions, en fait.

— Pourtant, Billal et Meeshra…

— Oui, Billal tenait à un mariage arrangé. C'est son idée. Il a voulu que sa femme vienne vivre avec nous, et… tout le reste. Cette organisation. La jeunesse d'aujourd'hui est désenchantée. Les jeunes s'accrochent à un passé qui n'est même pas réellement le nôtre, vous comprenez ? Ils trouvent que notre génération s'est relâchée. Ils… ils critiquent le multiculturalisme.

— Comment ça se passe avec Meeshra ?

Elle s'éclaircit la gorge et fixa Aleesha.

— Comme ci, comme ça. Meesh est plutôt gentille, mais vous savez ce qu'on dit – c'est une pièce rapportée. Ce n'est pas toujours simple. D'un autre côté, le bébé vit sous notre toit, nous le voyons tous les jours. Et leur chambre est assez loin de la nôtre pour que ses cris ne nous réveillent pas.

Elle sourit de sa plaisanterie et trouva une complice en Morrow.

— Que faisiez-vous à l'université ?

— J'ai étudié la littérature anglaise, mais je ne me suis jamais servie de mon diplôme. Je voulais épouser Aamir.

Morrow ne parvint pas à interpréter l'expression fugitive qui venait de passer sur ses traits. De la frustration peut-être ? En tout cas, quelque chose de désagréable.

— Vous aviez du caractère, je vois.

— Ça ! Il faut avoir soi-même des enfants pour comprendre. On a beau essayer d'être ferme… Comme mes parents ne le trouvaient pas assez bien pour moi, je m'en suis complètement entichée. Une vraie tête de mule. C'est de mère en fille, dans la famille.

— Aleesha aussi est têtue ?

— Aleesha ? (Sadiqa jeta un regard éperdu d'adoration à sa fille endormie.) Elle pense qu'elle sait déjà tout.

— Des histoires de cœur ?

— Oh, non… Pas que je sache, non…, protesta Sadiqa, piquée au vif. Son plus gros problème, c'est moi, son idiote de mère.

— Elle ne porte pas la tenue traditionnelle. C'est son choix ?

— Oui, se rengorgea Sadiqa. Aleesha est… Elle refuse de s'habiller comme nous. Elle est athée.

— Qu'en pense son père ?

— Il est horrifié. Devant elle. Quand elle n'est pas là il fond de tendresse.

— Si je comprends bien, il n'est pas partisan de la manière forte ?

— Aamir ? (Elle faillit éclater de rire, se souvint tout à coup qu'il était en danger de mort et ses yeux s'embuèrent.) Mon Dieu, non, c'est… il râle beaucoup, il se fait du mauvais sang, mais de là à jouer les pères fouettards… Il est… (Morrow crut qu'elle allait éclater en sanglots, mais elle se reprit et se cacha le visage de la main.) Je suis désolée…

Morrow tendit la main vers elle comme pour lui prendre le bras, mais sans la toucher.

— Ne vous excusez pas. C'est affreux.

Lassé d'être tenu à l'écart de la conversation, Bannerman décida d'intervenir.

— Pourquoi Aamir n'était-il pas assez bien pour vous ?

Sadiqa se redressa.

— Il arrivait d'Ouganda, il n'avait pas le sou. Rien d'autre que la volonté de s'en sortir.

— Et vingt-huit ans plus tard…

— Tout ce temps, quand on y pense.

Morrow n'insista pas davantage.

Une femme épanouie aurait fièrement réaffirmé la justesse de son choix. Sadiqa se contenta d'ébaucher un pauvre sourire en frottant d'un air absent les taches de sang séché sur sa chemise de nuit. Soudain elle écarta sa main et la regarda, effrayée.

— Vos fils ne sont pas encore venus voir Aleesha ?

— Non. Ils ne peuvent pas venir à cause du bébé, mais je leur ai téléphoné. C'est moi qui ai dû les appeler parce qu'on ne peut même pas se servir d'un portable ici. À cause de… des interférences avec les appareils, paraît-il.

Les garçons auraient pu appeler le service, l'infirmière leur aurait passé leur mère. C'était évident.

— Ce n'est peut-être pas plus mal qu'ils attendent un peu, dit Morrow en lui posant la main sur le bras. Il y a de quoi être impressionné, ici.

Sadiqa lui était reconnaissante de leur avoir fourni une excuse.

— Oui, vous avez raison. C'est impressionnant. Angoissant, même. En réalité, je préfère qu'ils ne viennent pas…

— Voulez-vous que nous passions chez vous pour vous rapporter des vêtements ?

— Non, non. J'irai à la maison en taxi un peu plus tard, chercher de quoi manger. Ce n'est pas bon, ce qu'on sert ici. Les légumes tout bouillis…

Les deux agents de faction revenaient, escortés par l'infirmière. Bannerman referma sèchement son carnet.

— Comment va Aleesha, au juste ? demanda-t-il.

— Elle vivra. Son état est stable. Elle va probablement quitter les soins intensifs aujourd'hui. Quinze centimètres plus à gauche, et elle serait…

— Bon, tant mieux, la coupa-t-il. Écoutez, nous devons passer un coup de fil au rez-de-chaussée. Nous allons vous laisser avec ces messieurs. À notre retour, dans cinq minutes, nous essaierons de parler avec votre fille.

Ils n'allaient pas revenir. Bannerman l'abandonnait à ses interrogations.

— Très bien, acquiesça-t-elle, un peu perplexe, tandis qu'il entraînait un des deux agents à l'écart pour lui donner ses instructions tout bas.

— Je vous remercie infiniment, madame Anwar, dit Alex avec toute la conviction dont elle était capable.

— Vous allez le retrouver, n'est-ce pas ? Oh, je vous en prie, retrouvez-le.

— Nous mettons tout en œuvre pour le retrouver.

Retournant sans plus attendre au chevet de sa fille, Sadiqa s'installa sur le fauteuil violet et ajusta la couverture rose sur sa poitrine en adressant à Morrow une supplique muette et angoissée, derrière la vitre.

Bannerman finissait de donner ses consignes aux agents.

— Tant que je n'ai pas donné le feu vert, cette femme ne doit pas passer un coup de fil. Aucun : ni avec le téléphone de la salle des infirmières, ni avec un portable dans les toilettes, ni en s'esquivant au rez-de-chaussée sous prétexte d'aller acheter des biscuits à la boutique. Compris ?

Dans la chambre, Sadiqa, très tendue, couvait sa fille du regard en se rongeant les ongles.

20

Lorsqu'ils ouvrirent la porte de la chambre de Shugie, le petit homme était toujours dans la même position, au milieu du lit, mais quelque chose clochait : les coins de la taie d'oreiller étaient bien alignés. Trop bien. Il avait pris soin de les arranger. Il avait enlevé la taie d'oreiller et il l'avait remise – c'était louche. Sa posture les troubla encore plus : il était assis avec assurance, les épaules relâchées, la tête droite, et il leur faisait face sans trembler. Sa tête pivotait sur ses épaules. Il les observait tour à tour à travers le tissu et il se tenait si droit qu'ils en éprouvèrent tous deux, inexplicablement, une certaine frayeur : on aurait dit qu'il s'entraînait en vue de leur procès, au tribunal. Cette nouvelle attitude le rendait humain et ils en avaient froid dans le dos.

Eddy regarda Pat, puis les rideaux déchirés, et enfin l'homme sûr de lui. L'otage savait que la police était venue. Il était allé à la fenêtre et il avait aperçu les flics, ou alors il avait entendu leurs voix. Il avait pensé qu'ils venaient à son secours, et il avait tapé sur le plancher exprès, pour leur casser la baraque.

Eddy était dans une rage folle, et Pat se protégea les oreilles comme si cette colère pourtant muette lui déchirait les tympans. La mâchoire crispée, prêt à exploser, Eddy avança vers le lit. Il agrippa brutalement le petit homme, le retourna à plat ventre sur le matelas, lui replia violemment un bras dans le dos, comme les flics dans les films. Le vieil homme poussa un cri aigu, « non » ou « ah » – un cri perçant, en tout cas, preuve qu'il était sous le choc, que les choses ne se passaient pas comme il l'avait espéré. Eddy qui le clouait sur le lit leva un coude et l'abattit brutalement au niveau des reins. Le vieil homme se tordit de douleur, mais ses cris, cette fois, furent étouffés par le matelas. Eddy cognait encore et encore, en évitant les côtes, en ciblant délibérément le bas du dos plus charnu.

Pat avait tourné la tête pour ne pas voir ça, puis pensant qu'Eddy guettait peut-être sa réaction il s'obligea à regarder la scène. La taie d'oreiller tressaillait sous les coups.

Eddy finit par arrêter de cogner. À genoux sur le lit, en équilibre instable, il se pencha sur le corps. Un filet de salive lui coulait sur le menton, il haletait aussi fort qu'un gamin qui vient de s'éclater dans une structure gonflable. Il s'essuya le menton de la main en réprimant un sourire affreux. Il y avait pris du plaisir, c'était clair. Il était sadique. On pouvait tuer un homme en le traitant aussi sauvagement.

Pat baissa les yeux sur la taie d'oreiller, vaguement préoccupé par les mystérieux fonctionnements du corps humain et ce qu'il avait entendu dire des hémorragies internes. Si Eddy l'avait tué, ce serait à lui de se débarrasser du corps. Pat n'allait pas s'en charger alors qu'il n'avait pas levé la main sur cet homme. Eddy allait sûrement refiler la pièce à Shugie ou à un poivrot dans son genre pour qu'il règle le problème à sa place.

Le soubresaut qui venait d'agiter le vieux, sur le lit, manquait de conviction. Il souleva les fesses dans une vaine tentative pour se relever et retomba à plat ventre sur le matelas.

Soudain redevenu impérieux, Eddy indiqua à Pat de se placer de l'autre côté du lit. L'attrapant chacun sous un bras ils sortirent la taie d'oreiller du lit et la posèrent par terre sur ses pieds, mais elle retomba. Deux fois, ils essayèrent de relever le vieil homme, et deux fois ses jambes se dérobèrent sous lui. Ça devenait inquiétant. Le dernier essai fut plus concluant. Le vieil homme ne plia qu'un seul genou, chancela mais réussit à garder l'équilibre. Eddy pointa le menton vers la porte.

Ils le traînèrent sur le palier, ses orteils touchaient à peine terre, ils passèrent devant la salle de bains qui empestait le moisi en lui tirant violemment sur les bras et pas toujours dans le même sens. Lorsqu'ils arrivèrent en haut de l'escalier, la taie d'oreiller gémissait et marmonnait des paroles incompréhensibles entrecoupées de hoquets et de sanglots.

Eddy s'arrêta pour inspecter le couloir, en bas, et tourna la tête vers Pat. Pat sentait la chaleur de l'homme à travers la manche, mais posant les yeux sur le tapis, il pensa à Aleesha, au chagrin qu'elle aurait d'avoir perdu son père, à la façon dont ses cheveux soyeux glisseraient sur son bras nu quand il la serrerait contre lui. Sa main effleurait la mince épaule et ses doigts enregistraient la texture du fin duvet, glissaient sur les omoplates pointues, le long des vertèbres, sur la peau douce comme de la soie. Elle aurait besoin de lui, à présent. Le désir lui fit lâcher le bras qu'il tenait, et il se sentit aussitôt lâche et honteux.

Eddy, qui tenait toujours fermement le vieux, le tira pour l'obliger à avancer mais l'autre résista, se raidit de tout son corps et réussit à se dégager. Un vrai miracle. Il se rappelait qu'il y avait un escalier, à cet endroit.

Un bruit de course retentit, en bas, et Malki apparut dans l'entrée, tout fringant, l'air radieux. Il monta l'escalier quatre à quatre.

— J'ai ramené la voiture derrière, haleta-t-il en s'arrêtant à deux marches du palier, une main sur la rampe.

Eddy le foudroya du regard.

— Ça va, il connaît ma voix, expliqua Malki, une main sur le mur et l'autre sur la rampe. Je lui ai parlé, quand je lui ai donné des bonbons. Il n'en a pas voulu parce qu'ils sont pas halal.

L'occasion d'en finir était passée. Ils ne pouvaient pas précipiter le vieil homme dans les escaliers devant Malki. Sinon, cela entraînerait une dispute sans fin et une longue conversation sur le bien et le mal ; il leur demanderait pourquoi, il leur rappellerait qu'il y avait un homme sous la taie d'oreiller. Raté. Pat était fier de son petit cousin junkie.

Eddy fit passer Pat devant et le suivit en tenant fermement le vieux par le coude et en le bousculant sur les marches raides.

Shugie somnolait toujours sur le canapé humide. Posé à côté de lui, un deuxième sac en plastique bleu contenait trois nouvelles cannettes. Le premier sac était vide, et les cadavres éparpillés sur le sol.

— Je ne sais pas s'il en aura assez avec trois, mais c'est tout ce qu'il restait au magasin, dit Malki.

Pat haussa les épaules. Il ne voulait pas parler plus que nécessaire devant la taie d'oreiller. Il ouvrit précautionneusement son portefeuille, préleva dedans un billet de vingt livres, l'observa, pensif, le temps de calculer qu'avec ça un alcoolo avait de quoi se payer à boire, mais pas de quoi se saouler dans un pub jusqu'à pas d'heure en discutant le coup avec ses potes. Il laissa le billet sur les cannettes.

Ils formaient un étrange cortège lorsqu'ils traversèrent le salon à la queue leu leu pour se diriger vers la cuisine et sortir par la porte de derrière. Malki ouvrait la procession de sa démarche rapide et saccadée de junkie, Pat suivait, un pas derrière, puis la taie d'oreiller qui ahanait et tressaillait sous les bourrades d'Eddy qui fermait la marche. Malki s'arrêta devant la porte et consulta Eddy du regard. Ce dernier ayant répondu par un signe affirmatif, il poussa le battant, laissant l'air pur de la nuit couler sur le monceau de sacs suintants.

Ils étaient restés enfermés près de dix heures dans cette baraque pourrie, à essayer de ne pas suffoquer devant toutes les nuances d'odeurs que le corps humain peut produire, et le jardin leur apparut incroyablement frais et vivifiant. L'un après l'autre, ils prirent le temps de s'arrêter sur le seuil pour inhaler profondément.

C'était une jungle : l'herbe était haute et drue, et les haies d'un vert profond formaient un véritable mur qui ne laissait pas passer la lumière. Les brins d'herbe frissonnaient sous le vent.

La Lexus était garée devant la maison, le coffre face à la porte de la cuisine, et Malki avait laissé des traces de son passage dans l'herbe, de la portière conducteur à la première marche, puis du coffre à la portière passager lorsqu'il avait débarrassé la voiture de tout ce qui, selon lui, pouvait servir d'arme. Pat suivit cette ébauche de sentier jusqu'au coffre, l'ouvrit et recula d'un pas.

Eddy, qui n'avait pas l'air pressé, observait méchamment le vieil homme. Cela n'avait pas l'air de lui faire plaisir de voir la taie d'oreiller marcher cassée en deux, en traînant une patte et en tremblant de douleur. Il attrapa le vieux par l'épaule et le poussa brutalement, dos au coffre, avant de lui assener dans les côtes un coup si brutal que l'autre se plia en deux. Eddy se redressa en ricanant avec un regard vengeur en direction de Malki et de Pat. Malki détourna la tête, Pat sourit faiblement. Eddy crânait, il se la jouait. Posant la main sur la tête du vieil homme, il le poussa d'une pichenette à l'intérieur du coffre.

L'excellente suspension témoigna longuement de la chute du corps de l'otage. Eddy, rayonnant, quêta l'approbation de ses complices. Pat et Malki appartenaient à une famille excessivement nombreuse, composée essentiellement de mères qui se faisaient en vain des cheveux et de mauvais sujets – un bon modèle de cas sociaux à tiroirs, mais il fallait tout de même que les mecs de cette famille soient spéciaux pour ne pas réagir quand on leur tapait dans les couilles. Ils ne voulaient pas croiser son regard. Malki osa même produire un petit claquement de langue réprobateur.

Furieux d'avoir, une fois de plus, mal dosé sa violence, Eddy attrapa les pieds chaussés de pantoufles sales et les balança dans le coffre, en faisant basculer le vieil homme sur le flanc. Il claqua le capot rageusement, comme s'il espérait coincer un petit bout de quelque chose entre les mâchoires métalliques.

Consterné, Malki regardait Pat, attendant sa réaction.

— En voiture, fiston, dit Pat.

Il obéit, monta à l'arrière et referma tout doucement la portière.

Eddy fixait l'arrière de sa tête.

— Putain quelle pouffiasse ce Malki, lâcha-t-il entre ses dents. Ouais, je sais que c'est ton cousin, mais c'est qu'une pauvre pouffiasse.

Pat lui lança un regard d'avertissement. La taie d'oreiller pouvait les entendre. À leurs pieds, les herbes ondulaient dans le vent et Eddy baissa la tête, le rouge aux joues. C'était plus fort que lui, il ne savait pas tenir sa langue. Pat se détourna et se dirigea vers la portière passager. La taie d'oreiller connaissait deux noms, à présent ; Eddy les avait prononcés clairement, et en plus il avait précisé qu'ils étaient cousins. Il ne voudrait jamais le relâcher maintenant, il allait falloir qu'il le tue et Aleesha se retrouverait orpheline, à la dérive, elle chercherait l'amour auprès de n'importe qui. Pat pourrait être l'un de ces n'importe qui.

Lorsqu'il ouvrit la portière pour se glisser sur le siège, son esprit vagabondait, plein d'images d'endroits ensoleillés et de cheveux étalés sur des coussins.

21

Garés dans Alison Street, Morrow et Bannerman surveillaient deux grandes vitrines, de l'autre côté de la rue.

Le nom du restaurant n'était pas peint au-dessus de la porte, il n'était même pas dans l'annuaire, mais tout le monde connaissait Chez Kasha. L'endroit évoquait d'ailleurs plus une salle communale qu'un restaurant, avec ses meubles bon marché et son décor fonctionnel : des chaises moulées en plastique gris, des tables à plateaux imitation bois sur des pieds en métal, jusqu'au papier peint qui était gris clair, surmonté d'une frise à peine fantaisie en accord avec les couleurs ternes de la pièce. Un modeste comptoir à sandwichs et une vitrine réfrigérée contenant des cannettes de jus de mangue, des bouteilles d'eau, du lassi dans des bocaux en verre composaient l'espace de vente.

Plus tard dans la soirée, l'endroit grouillerait d'hommes venus avaler un morceau, siroter du café, boire un verre de lassi frais. Mais en période de Ramadan, pendant la journée les clients restaient assis autour des tables vides à se tenir compagnie en observant le jeûne.

Sauf les quatre qui s'étaient installés loin de la vitrine, dans le fond mal éclairé de la salle, devant des assiettes ostensiblement garnies. Un cinquième comparse se tenait sur le seuil. Habillé comme les autres, les mains croisées sur le ventre, il surveillait la rue. Ce n'était pas le plus grand du groupe, mais Morrow le connaissait de réputation. King Bo était un garçon dangereux capable de briser un doigt ou deux jambes si on lui en donnait l'ordre. Ou même un pouce, os pourtant particulièrement résistant. Et tout ça rapidement, sans sourciller. King Bo n'était cependant qu'un homme de main, un sous-fifre. Les clients attablés étaient d'un autre calibre.

Quatre types costauds, tous vêtus d'un tee-shirt et d'un pantalon de survêtement, qui tous mangeaient avec application. C'étaient les chefs des Shields, et Ibby Ibrahim était parmi eux.

— J'en ai pour une minute, lança Morrow en sortant de la voiture.

Bannerman avait finalement accepté qu'elle y aille seule. Ibby était un contact important, le genre de contact dont on peut se vanter devant les collègues, un nom à glisser dans les conversations, et Bannerman la laissait traiter avec lui dans l'intérêt de l'enquête. C'était énorme, venant de lui, et malgré elle, Morrow s'aperçut qu'elle commençait à le haïr un peu moins.

Elle referma la portière et traversa la rue déserte en fixant King Bo droit dans les yeux. Il se redressa. Ses cheveux coupés court formaient une crête dont la cime effilée rappelait son menton pointu. Affligé d'un léger strabisme, il suivait son approche d'un œil torve. Elle baissa la tête pour attraper sa plaque dans son sac et, lorsqu'elle releva les yeux il lui souriait de toutes ses dents.

— Non ma p'tite dame, dit-il d'une voix traînante. C'est pas la carte du club, ça.

Elle s'arrêta à un mètre de lui, en équilibre au bord du trottoir, et observa les alentours. Ibby pouvait sûrement la repérer mais pour le moment elle ne s'intéressait pas à lui. Il était parfaitement capable de l'envoyer paître. Elle ne l'avait pas vu depuis vingt ans, si ça se trouve il ne se souvenait même pas d'elle.

Elle pouvait tourner le dos et repartir, renoncer à remuer le passé. La fameuse piste de Bob commençait à s'éventer, et Alex s'exposait dangereusement en venant ici. Il n'y avait rien de plus facile que de remonter jusqu'à son nom de jeune fille, et de là à sa famille, alors qu'elle avait travaillé si dur pour garder le secret. Mais quelqu'un, à l'intérieur, venait de héler King Bo. Il passa le buste dans l'embrasure, écouta ce qu'on lui disait et lui fit signe.

— C'est bon. Allez-y.

Reculant d'un pas, il lui désigna du geste la table des hommes en train de manger.

Morrow était la seule femme dans la pièce. Son petit haut échancré laissait apparaître un demi-centimètre de ses seins. Elle entra avec l'impression d'être une stripteaseuse dans un monastère.

— Allez-y, dit sèchement King Bo en lui montrant Ibby.

Elle traversa la salle et s'arrêta à quelques pas de la table.

— Salut, lança-t-elle.

Grand et gros, Ibby avait une carrure d'athlète, des poings énormes, la mine sombre. Son nez, cassé à plusieurs reprises, était déformé, son survêtement avait des allures de pyjama. Il ne cherchait pas à impressionner son monde, encore moins à plaire. Tous ceux qu'il rencontrait le connaissaient déjà. Il détailla la tenue de travail bon marché de Morrow, puis la dévisagea.

— J'entends parler de toi, de temps en temps, dit-il en mastiquant sa bouchée de curry aux épinards. Morrow sentait presque les graines de moutarde éclater sur sa langue.

— Comment vas-tu, Ibby ?

— Pas mal.

Il déchiqueta une galette de pain sans levain, posée sur une assiette au milieu de la table, et se servit du morceau pour prélever une autre bouchée de curry qu'il porta à sa bouche.

— Et Fossettes, ça roule ?

Elle haussa les épaules, consciente du fait que Bannerman devait l'observer, à travers la vitre. Elle espérait avoir l'air professionnel.

Ibby jeta un coup d'œil à son décolleté

— La suite ce soir, déclara-t-il en la désignant ainsi à l'attention des trois autres.

Ils se mirent à rire bêtement. Ils n'avaient probablement pas compris, se dit-elle, mais ils léchaient les bottes de leur patron.

Lorsque les rires flagorneurs s'arrêtèrent, elle reprit la parole.

— Ton nez…

— Un accident, répondit-il trop fort, trop vite.

— Ah, les accidents…

Il mâchait ses épinards, une lueur amusée dans les yeux, et Morrow lui sourit carrément. C'était chouette de le revoir. C'était chouette qu'il ne soit pas mort. Chouette qu'aucun d'eux n'ait fini à l'asile, en taule, ou estropié.

Ibby lui rendit son sourire, des graines de moutarde plein les dents.

— Alors comme ça, t'es devenue flic ?

— Il fallait bien. Ils ne pouvaient plus gérer le taux d'accidents, répondit-elle du tac au tac.

Là-bas, dans la voiture, Bannerman était en train d'astiquer le tableau de bord. Il ne s'intéressait pas à elle, apparemment.

Carré contre le dossier de sa chaise, Ibby essuyait consciencieusement ses doigts maculés de gras sur une serviette en papier.

— Alors ? fit-il. Qu'est-ce qui t'amène ?

— Tu as entendu parler de la prise d'otage de la nuit dernière ?

Il hocha la tête.

— Les types cherchaient Omar Anwar. Dit Bob.

Il resta impassible.

— Bob. Vous l'appeliez comme ça, dans le quartier.

— Je ne l'ai jamais appelé Bob.

— Pas toi personnellement, Ibby. J'ai dit vous.

Il tentait de déloger un bout de nourriture coincé entre ses dents avec sa langue, et désespérant d'y arriver il utilisa l'ongle de son petit doigt.

— Hmm.

— Bob ?

— Hmm. Certains l'appelaient Bob, concéda-t-il.

— Certains seulement ?

Il leva les yeux vers elle.

— Non, avoua-t-il sur un ton empreint de réserve.

Elle comprit au quart de tour.

— OK. Et à propos d'hier soir, tu n'aurais pas une ou deux anecdotes à partager avec moi ?

— Tu sais quoi ? Vous devez avoir que dalle pour venir ici.

— J'aurais pu m'adresser aux responsables de la communauté, mais tu les connais, ils m'auraient raconté des salades.

— Les responsables de la communauté ? Mais c'est nous les responsables de la communauté, s'indigna-t-il, tandis qu'autour de lui les hommes se rengorgeaient. Ou alors tu penses aux élus ? Les députés, les conseillers, tout ça ?

Les hommes approuvaient, moins ses paroles, peut-être, que le mépris dont il chargeait sa voix. Ibby s'amusait. Elle se demanda s'il savait qu'il était entouré de minables.

— Nous sommes la communauté, nous sommes les responsables. Cette table est la communauté, martela--t-il en plantant son index dans un bout de galette.

Il parlait pour ne rien dire. Elle saisit sa chance et l'interrompit.

— T'as raison, Ibby, mais bon… Tu sais quelque chose sur cette prise d'otage, ou pas ?

— Rien, affirma-t-il, catégorique.

Il la regarda pour voir si elle le croyait. Elle était contente qu'il doive lever la tête pour la regarder. Le visage s'était élargi, assombri, mais les yeux n'avaient pas changé. Marron presque noir sous les paupières lourdes. Morrow ne voyait pas Ibby tel qu'il était maintenant, elle revoyait l'enfant assis à côté d'elle en classe de sixième, le garçon fluet, petit pour son âge, toujours couvert d'égratignures. Bizarrement, elle aimait beaucoup Ibby à cette époque, elle essayait de le protéger chaque fois qu'un prof l'interrogeait à l'improviste. Il était complètement ignare, et d'ailleurs il n'était pas resté longtemps dans cette école. On l'avait renvoyé parce qu'il avait failli tuer un autre garçon.

Cet élève était dans leur classe et il faisait une fixette sur la sœur d'Ibby. Aujourd'hui, avec le recul, Morrow voulait bien croire qu'il était amoureux de cette fille, mais il avait un mois d'avance sur eux tous et son obsession paraissait vraiment bizarre. Ibby pensait sérieusement qu'il voulait du mal à sa sœur. Morrow revoyait encore ses doigts agrippés aux cheveux de ce garçon, et les larmes qui brillaient dans ses yeux marron foncé quand il avait écrasé le nez cassé du garçon sur le goudron de la cour de récréation.

Elle avait parfaitement compris cette violence sauvage et disproportionnée. Les services sociaux s'en étaient mêlés, paraît-il, Ibby avait été renvoyé de l'école et n'y était jamais revenu. Ils avaient tous peur des services sociaux, ces enfants – les gosses qui n'avaient pas bronché quand Ibby s'était déchaîné, les gosses dont les parents n'étaient pas venus ensuite à l'école pour demander des explications. Ils n'avaient pas moufté parce qu'il ne fallait surtout pas se faire remarquer. Autrement, on disparaissait. Quand les profs étaient intervenus pour séparer les garçons, Alex avait quand même essayé. Elle s'était frayé un passage entre les adultes, elle avait réussi à lui tendre la main. Leurs doigts s'étaient effleurés à travers une forêt de jambes. Les phalanges d'Ibby étaient à vif.

— Aamir Anwar est un type bien, n'est-ce pas ? demanda Morrow.

Ibby opina.

— Il n'y a pas de rumeurs dans le quartier ?

— Des Blancs avec l'accent de Glasgow. Rien à voir avec nous.

— Tu as des contacts, hein !

— Toi aussi. (Il la regarda, amusé par l'idée qui lui traversait l'esprit.) Tu travailles dans quel commissariat ?

Les Young Shields étaient tout simplement timbrés. Quand ils se battaient contre d'autres gangs, c'était uniquement pour des histoires de territoire. Ils ne voulaient pas se lancer dans le crime organisé, ils n'avaient pas de rêves bling-bling. Ça n'aurait sans doute pas déplu à Ibby d'ajouter un flic pourri à la liste de son personnel, mais Morrow était prête à parier qu'Ibby ne tenait pas la liste de son personnel.

— Çà et là, répondit-elle. On bouge, tu sais.

— Ça serait marrant si je passais un de ces jours à ton bureau pour te faire un petit coucou, ricana-t-il.

Il ne s'adressait pas vraiment à elle, il paradait devant sa cour.

— Bonne idée, dit-elle.

— Salue Fossettes de ma part.

Morrow se figea. Elle n'avait pas réagi, tout à l'heure, quand il avait évoqué Danny. Mais c'était la deuxième fois qu'il l'appelait par son surnom, Fossettes, et la deuxième fois que le gros garçon assis près de lui relevait fièrement le menton. Qu'est-ce qu'ils voulaient à Danny ? Le battre comme plâtre ? Essayer de le doubler ? Si elle s'était écoutée, elle aurait demandé au sous-fifre de s'expliquer, mais elle se raisonna. Il ne fallait pas rentrer dans leur jeu, elle devait partir.

— Sois prudent, Ibby. Essaie d'éviter les accidents.

Elle allait tourner les talons quand Ibby reprit, un ton plus bas.

— Toi aussi, hein. Et puis ton père… J'ai appris que ça n'allait pas fort. Il est à l'hôpital… ?

Morrow capta le message. Le vieux était complètement oublié, aujourd'hui, personne n'en parlait plus. Danny avait revu Ibby.

— Ouais, tu sais, dit-elle doucement. Pour ce que j'en ai à foutre.

Elle s'éloigna.

King Bo recula de plusieurs pas lorsqu'elle sortit dans la rue, un bras levé à hauteur du visage comme si sa qualité de flic était une maladie contagieuse transmissible par simple contact.

— Au revoir, lança-t-elle sur son ton le plus aimable, tandis qu'il découvrait ses dents dans un rictus de vrai dur.

En arrivant à la voiture, elle jeta un dernier regard à la vitrine de Chez Kasha. King Bo, l'air mauvais et les bras croisés, guettait l'arrivée de hordes d'envahisseurs. À l'intérieur, Ibby avait recommencé à manger. De son poste d'observation, Morrow voyait sa bedaine sous la table. Il avait beaucoup grossi. Ils étaient tous en train de vieillir. Elle monta dans la voiture et Bannerman démarra.

— Bon, les Shields ne sont pas dans le coup, dit-elle.

— Nous le savions déjà.

— Non, nous le supposions. Maintenant, nous en sommes sûrs.

— Vous croyez la parole d'un criminel ?

— Je crois Ibby Ibrahim, rectifia-t-elle. Il est trop fier pour mentir.

Il ricana.

— S'il est trop fier pour mentir, on devrait l'amener au poste pour l'interroger. Ça nous permettrait de classer la moitié des bagarres qui ont eu lieu dans les quartiers sud l'an dernier.

— Le problème, c'est qu'il dit la vérité quand il n'y a pas de témoins. Lors d'un interrogatoire dans les règles, il risque de minimiser son rôle.

Ils descendaient Alison Street. Le visage contre la vitre, Alex regardait sans les voir les immeubles décrépis en pensant à Danny et à Ibby. La famille… Elle se tourna vers Bannerman.

— Comment va votre mère ?

— Mal.

— Désolée, dit-elle après un instant de silence.

— Oh, mais elle va s'en tirer, elle finira par guérir. Elle va guérir. Elle est sous oxygène et on lui donne des doses massives d'antibiotiques, mais elle arrive à s'asseoir.

— Elle mange ?

— Un peu.

— Si je comprends bien, vous n'allez pas prendre un congé exceptionnel ?

— Non.

— Dommage ! s'exclama Morrow en se tapant sur le genou.

Sa blague dérida Bannerman.

— Vous alors ! Vous êtes aussi garce qu'on le dit.

Elle tiqua, mais décida de le prendre bien :

— Vous savez comment on m'appelle, en vrai ? La garce iceberg : je ne montre que dix pour cent de mes défauts.

Ils souriaient chacun pour soi, satisfaits d'être enfin au clair sur leur différend : il tenait l'affaire de sa vie, elle n'était pas populaire. Maintenant qu'ils avaient vidé leur sac, ils pouvaient tranquillement lécher leurs blessures.

La voiture fit une soudaine embardée tandis que Bannerman se contorsionnait sur son siège pour attraper son vieux téléphone portable au fond de sa poche. L'appareil vibrait. Il le tendit à Morrow, qui appuya sur le bouton vert et l'approcha de son oreille. C'était MacKechnie.

— Bannerman ?

— C'est Morrow, monsieur. Bannerman tient le volant.

— On a retrouvé la trace de la voiture qui stationnait à Harthill. Une Lexus gris argent. Louée sous un faux nom. On la recherche.

— Magnifique.

— Les kidnappeurs ont appelé chez les Anwar il y a dix minutes. Allez-y sous prétexte de récupérer l'enregistrement, et voyez où en est Bob.

22

Coincé à l'intérieur du coffre, Aamir savait que l'endroit où ils se rendaient serait pire que la maison qu'ils venaient de quitter. Le revêtement de la chaussée avait changé. Ils avaient d'abord cahoté sur de l'asphalte plein d'ornières, puis sur du gravier, et les roues crissaient maintenant sur de petites pierres irrégulières.

Le chauffeur devait ralentir pour éviter les projections de cailloux sur la carrosserie. La voiture était toute neuve, Aamir l'avait deviné, hier soir, à l'odeur. Ils roulèrent sur cette route très lentement pendant plus d'un kilomètre, puis Aamir ne perçut plus aucun bruit parasite – juste le vent qui soufflait sur l'aile, le bruissement de l'herbe, des chants d'oiseaux.

La voiture s'était arrêtée. On avait coupé le moteur. Dans l'habitacle, les hommes échangeaient des phrases brèves. Ils sortirent et ouvrirent le coffre dans la lumière aveuglante de l'aube. Quelqu'un le bouscula pour l'en extirper, le saisit par la nuque et Aamir parvint à se mettre debout, il sentit le vent sur ses mains et sur son cou, il sentit le froid et l'humidité sur ses jambes.

Un passeport britannique.

Ils ne savaient pas lire, ces soldats. Ils ne voyaient que la couverture bleu marine et ils pouvaient voler les gens, les traiter aussi mal qu'ils voulaient en toute impunité. C'était sur la route de l'aéroport, les quatre-vingt-dix jours commenceraient le lendemain. Son frère aîné était resté pour garder la maison. Ils ne l'avaient jamais revu, ils ne savaient pas ce qu'il était devenu. Aamir regardait sa mère sangloter sur le bord de la route, le contenu de sa valise éparpillé sur la piste couverte de poussière rouge, les chemises vertes, les photos de famille. Ses pauvres bijoux, on les lui avait arrachés.

Ils avaient tous disparu en même temps derrière le fourgon et Aamir les entendait : sa mère qui pleurait, les hommes qui riaient grassement, comme rient les hommes devant un strip-tease ou quand ils parlent de sexe, un rire changé, faux et un peu gêné. Et il savait, avant même qu'ils ne reviennent sur la route en rajustant leurs pantalons, avant même de voir le sang, qu'ils avaient violé sa maman. Il était resté assis sans bouger dans le taxi, en regardant droit devant lui, au-delà du corps du soldat qui, affalé sur le capot, fumait un cigarillo ; il savait qu'ils allaient mourir.

Elle s'était écroulée dans le taxi, près d'Aamir, le sari pressé sur ses lèvres. Elle ne le regardait pas. L'un des soldats avait claqué la portière derrière elle et attrapé ses cheveux à travers la vitre, parce qu'il en avait le droit. Il les avait fait rouler entre le pouce et l'index, comme s'il palpait un tissu qu'il avait envie d'acheter à sa femme pour qu'elle se fasse une robe.

Une nouvelle rafale du froid vent d'Écosse secoua Aamir qui frissonna et se recroquevilla, le menton sur la poitrine. Les hommes comme ceux qui l'avaient kidnappé ne roulaient pas sans raison jusqu'à un endroit désert. Ils allaient le tuer. Fermant les yeux, il se mit à prier. Une émotion authentique montée comme une bulle du plus profond de son être envahit sa poitrine, une vieille sensation qui portait avec elle une bouffée de cette poussière d'Afrique mêlée à l'odeur des cigarillos. Cette sensation aussi vive qu'impérieuse n'était pas altérée par les souvenirs. Voilà plus de trente ans qu'il cherchait à l'étouffer sous les prières, le travail, les soucis, les obligations liées aux enfants, à la maison, à la vie quotidienne. Une bouffée de poussière de novembre sur la route de l'aéroport d'Entebbe. Sous la taie d'oreiller, Aamir ouvrit grand les yeux. Face à la mort, sa dernière pensée était honnête et pure. Il était soulagé.

En Écosse, une main le saisit rudement par le bras, et il fut sauvagement brinquebalé sur un chemin de dalles de béton disjointes. Il avançait en trébuchant à chaque pas, longea longtemps un bâtiment assez haut pour bloquer le vent, franchit une porte grande ouverte et se retrouva dans l'ombre. Il faisait froid, dedans, ça sentait l'humidité et le renfermé. Les bruits résonnaient comme dans une immense pièce vide.

Ils firent traverser le hall à Aamir et s'enfoncèrent dans l'obscurité du bâtiment, loin de la porte et du bruit du vent. Maintenant, ils le guidaient plus calmement sur des passerelles de métal antidérapant dont il sentait les dessins à travers les semelles de ses pantoufles. En silence, ils le firent passer sur des planches de bois qui, n'étant pas fixées au sol, tanguaient sous leur poids. Arrivés en haut d'un escalier très raide, dont les marches métalliques cliquetaient, ils donnèrent un coup sur son talon pour qu'il lève le pied avant de le poser sur un seuil surélevé.

Ce n'était pas une pièce. L'air sentait le fer rouillé. Le son de ses pas était assourdi. Les parois lui renvoyaient l'écho de sa respiration. Aamir essaya de se repérer : le sol était concave, ils l'avaient introduit dans un immense tube en fer. En baissant les yeux, et grâce à la lueur qui venait de l'entrée, il ne distingua qu'un tapis de rouille, des écailles rouges qui tombaient en poussière sous ses pieds, rouge comme la poussière de la route d'Entebbe.

On avait lâché son bras, les hommes reculaient. Aamir se retourna pour leur faire face et leva les mains, paumes en l'air, pour les inviter à approcher. Les hommes s'activaient sur l'escalier métallique, l'un redescendait, un autre tirait quelque chose. Un objet en métal, lui aussi. Une lourde porte en métal, mais tellement rouillée qu'ils avaient du mal à la fermer.

Non. Ils devaient le tuer.

Aamir avança vers eux, les mains tendues à la manière des mendiants. Ils ne pouvaient pas le laisser ici, avec ce terrible désir d'en finir.

— S'IL VOUS PLAÎT…

Il fit encore un pas, mais soudain la porte se referma bruyamment. Tout était sombre. Un verrou claqua de l'autre côté de la porte. Ils avaient l'intention de le laisser ici.

Aamir dégagea sa tête de la taie d'oreiller, mais cela ne fit aucune différence : l'obscurité était totale. Il n'entendait plus que le bruit, de plus en plus faible, des pas des hommes qui s'éloignaient.

Il redevint le petit garçon sur la route de l'aéroport, une main posée sur le plastique brûlant qui recouvrait la banquette arrière du taxi, dans le halo indifférent de la fumée des cigarillos. Il était resté dans la voiture et il les avait laissés avec sa mère, il avait écouté leurs rires pendant qu'ils la violaient à tour de rôle, tout cela parce qu'il voulait vivre. Quel gâchis ! Après ça, plus jamais il n'avait pu la toucher, il ne lui avait jamais pardonné, il s'était senti souillé à jamais. Il avait bradé l'honneur de sa mère pour une vie impossible.

La tête renversée en arrière Aamir poussa un hurlement étranglé qui ricocha sur les parois de la cuve et le fit tomber à genoux dans les ténèbres brutales.

23

Si jamais ils le surprenaient il dirait qu'il avait oublié. Il ne savait plus qu'il devait rester dedans. Shugie marchait plus vite que d'habitude en descendant la rue, et en plus de ça il gardait la tête basse, comme s'il pouvait passer inaperçu sous sa tignasse de cheveux blancs reconnaissable entre toutes, comme s'il n'était pas le seul mec en blouson de cuir bleu électrique à se diriger vers le Brian Bar. Comme s'il pouvait se rendre invisible par la seule force de sa volonté.

Il se sentit rassuré, toutefois, lorsqu'il franchit le cordon des fumeurs agglutinés dehors et que ses doigts se posèrent sur la poignée familière de la porte. Il entra chez Brian ; les fers qui protégeaient les semelles de ses bottes de cow-boy tintèrent sur le sol en pierre tandis qu'il se dirigeait vers le comptoir. Un siège libre.

C'est Senga qui était de service. Elle avait les mains douces et les yeux aussi. Elle portait toujours des tee-shirts publicitaires qui ne lui coûtaient rien, offerts par les magasins discount ou par la brasserie qui fournissait le bar. Celui qu'elle portait aujourd'hui était orné d'un cercle et d'un slogan contre le cancer. Il lui tombait sur les hanches et pendait autour de ses épaules. Elle mangeait des chips au fromage et aux oignons. Elle ouvrit grand la bouche pour y enfourner la poignée qu'elle venait de retirer du sachet froissé. Son regard lourd surveillait les clients et les problèmes éventuels, mais ne jugeait jamais.

Sans se donner la peine de se déplacer pour prendre la commande de Shugie, elle leva le menton, histoire de vérifier s'il voulait la même chose que d'habitude. Shugie cligna des yeux pour dire oui. Elle se dirigea vers les fûts et tira un demi, puis versa un whisky bon marché dans un verre et arriva sans se presser, prit encore le temps d'essuyer le comptoir devant lui avec un chiffon humide avant de déposer les deux verres côte à côte.

Le billet de vingt livres l'impressionna, ce qu'elle n'essaya d'ailleurs pas de cacher. Elle l'exposa un instant à la lumière pour vérifier qu'il n'était pas faux, et lorsqu'elle lui rendit la monnaie elle lui caressa la main. Ça, c'était un truc qu'elle ne faisait pas toujours.

Shugie contempla les verres pleins qui scintillaient comme au bon vieux temps, à la belle époque. Il avait de l'argent dans une poche, des clopes dans l'autre. Les vitres crasseuses laissaient filtrer un rayon de soleil et Senga était retournée à son paquet de chips. Le whisky lui brûla la bouche, puis la gorge. Shugie se sentait au nirvana.

Au moment où il portait son verre de bière à ses lèvres, en penchant la tête en arrière pour recevoir la communion, ses yeux se posèrent sur le poste de télévision allumé, son coupé, dans le coin du bar. Sky News. Au bas de l'écran, un message se déroulait sur fond rouge. Un commerçant de Glasgow pris en otage. La police lançait un appel à témoins. Shugie connaissait tout ça. Il continuait à entuber les gens, à monter des coups, à se tenir au courant. Il était encore celui qu'il pensait être. Content de lui, il reposa le verre sur le comptoir, surprit le regard de Senga et lui fit un clin d'œil.

Si elle avait voulu le faire exprès ça n'aurait pas marché : à l'instant exact où elle arrondissait la bouche pour un baiser, avec une synchronisation parfaite et sans préméditation aucune, Senga péta.

Billal avait entendu les policiers arriver. Il ouvrit solennellement la porte et les invita à pénétrer dans la maison silencieuse.

Bannerman se répandit à voix basse en politesses qui laissèrent Billal de marbre. Quand il referma derrière eux, ils apprécièrent le calme de la maison accueillante et confortable. La moquette de l'entrée paraissait plus moelleuse, plus épaisse que la veille. La porte de la chambre bâillait et ils entendaient Meeshra ronfler doucement pendant sa sieste.

Les événements de la nuit précédente ne se lisaient que dans les éclaboussures de sang qui tachaient le mur et la pendule. On avait tenté de les nettoyer, mais à l'eau chaude, comme Morrow le constata en remarquant les traces brun rouille. Un homme, forcément. Les femmes savent enlever les taches de sang. Il ne faut jamais utiliser d'eau chaude, elle fixe le sang dans le tissu, lui répétait sa mère chaque fois qu'elle lavait ses petites culottes. L'une des deux seules informations valables qu'elle lui avait transmises, l'autre étant qu'il ne fallait pas qu'elle espère se trouver un mari dans les tribunes des stades de foot.

Billal les engagea sans mot dire à entrer dans la pièce de devant. Le salon des Anwar était une symphonie en pêche et blanc, tout y était bien rangé, les bibelots blancs ou en métal argenté s'alignaient en bon ordre sur le manteau de la cheminée, surmonté d'un grand miroir au cadre blanc. Morrow eut la nette impression que cette pièce ne servait pas beaucoup. Dans la cuisine, la table était trop petite pour que toute la famille y prenne ses repas en même temps. Les Anwar ne devaient pas souvent manger ensemble.

Billal attendit qu'ils soient entrés dans le salon pour prendre la parole.

— Les agresseurs ont parlé à mon frère, en fait, et je n'ai donc pas entendu ce qu'ils disaient. Mais voici l'enregistrement.

Il pencha précautionneusement sa grande carcasse au-dessus d'un canapé douillet, pulpeux, presque, orné de volants et de fanfreluches, et leur tendit une mini-cassette noire. Bannerman la rangea dans un sachet réservé aux pièces à conviction avant de glisser la main dans sa poche pour en sortir l'étiquette qui allait avec. Il demanda à Billal de la signer.

— Qu'est-ce que c'est ? demanda-t-il en inscrivant son nom à l'endroit prévu. Je ne suis pas en train de signer mon arrêt de mort, au moins ?

— Non, non, sourit Bannerman. Mais si nous devons produire cette preuve, nous pourrons dire qui nous l'a remise.

— Je vois. (Il lui rendit l'étiquette et hésita.) Je ne sais pas si mon frère l'a touchée. Il était là…

— C’est lui qui l’a sortie de l’appareil ?

— Euh non, je ne crois pas… Euh, non.

Billal s’était beaucoup agité la nuit précédente, il avait obligé son frère à monter dans la voiture de patrouille, il avait engueulé Meeshra parce qu’elle n’arrivait pas à allaiter correctement, et là il avait l’air franchement dépassé.

— Votre frère est là ?

— Non. Il est… Omar est sorti.

Nerveusement, il enleva une poussière imaginaire d’un coussin.

— Qu’est-ce que les kidnappeurs ont demandé ? interrogea Bannerman en s’asseyant délicatement sur un fauteuil.

Billal scrutait la table basse en verre comme s’il s’agissait d’une boule de cristal.

— Deux millions pour ce soir. Au nom du ciel, où pensent-ils que nous allons trouver une telle somme ?

— Pourquoi exigent-ils autant, à votre avis ?

Il haussa les épaules, soupira profondément.

— J’imagine… (Il s’interrompit, les sourcils froncés.) Ils se sont forcément trompés d’adresse. Ces gens cherchaient un certain Rob, ils veulent deux millions en liquide, ils se sont forcément trompés d’adresse.

— Bob, corrigea Morrow.

Billal sursauta.

— Pardon ?

— Bob, répéta-t-elle fermement. Ils cherchaient Bob.

Il cilla, et laissa son regard s’attarder sur la cassette, dans son sachet.

— Pourquoi déformez-vous ce prénom, Billal ?

Il hésita un moment, pesant le pour et le contre. Quand il se décida à parler, sa voix était rauque et tendue.

— Bob est… C'est mon frère… Certaines personnes l'appelaient Bob, parfois. Nous avons pensé que ce serait mieux si vous… qu'au moins comme ça vous alliez vous concentrer pour retrouver mon père.

— Si nous n'avions pas le moindre soupçon sur les membres de votre famille ?

— Eh bien, c'est vrai, non ? Vous auriez recherché mon père avec plus d'énergie si vous aviez pensé qu'il s'agissait d'une erreur et qu'ils n'avaient pas enlevé la bonne personne. Nous pensions… Non, je le pensais. C'est moi qui ai eu l'idée de Rob. (Il rit tristement.) C'est mon idée. Je vais avoir des ennuis ?

— Le problème, dit Bannerman, est que maintenant nous avons des soupçons. Parce que vous nous avez menti.

Billal tenta vainement de sourire.

— Désolé, souffla-t-il. Mon frère est quelqu'un de bien.

— Je n'en doute pas.

— C'est vrai, insista-t-il. C'est un chic type.

— Connaissez-vous quelqu'un qui pourrait lui en vouloir ?

— Non. Non, non, non.

Il va s'entêter, pensa Morrow.

— Comment votre frère gagne-t-il sa vie ? demanda-t-elle.

Billal pâlit légèrement. Il se passa la main sur le visage comme pour l'essuyer.

— Ah, euh… Eh bien, il vient de monter sa propre entreprise. Très récemment, il y a un ou deux mois.

— Dans quelle branche ?

— Import-export.

Import-export. Les mots claquèrent dans la pièce, étourdissant Morrow. Elle regarda Bannerman. Il était bouche bée, le visage grisâtre. Import-Export. Une procédure impossible. Il se racla la gorge.

— Ça concerne quel genre de marchandises ?

— Je ne sais pas exactement, je crois que ça a à voir avec des composants d'ordinateur, quelque chose comme ça. (Il les regarda comme s'ils en savaient plus que lui.) Des puces de silicone ?

— Je vois, dit Bannerman en hochant la tête. Oui, oui, je vois.

Morrow avait une furieuse envie d'éclater d'un rire hystérique. Ils avaient tous assisté à la conférence qui avait suivi la découverte de la fraude à la TVA dans l'affaire Halligan, et chacun avait gardé les faits en mémoire à cause des sommes colossales en jeu : par un simple faux en écritures, un homme d'affaires avait touché quinze millions de livres en trois mois, un groupe de trois personnes de Birmingham avait empoché cinquante millions en dix mois, et cela avait coûté plus d'un milliard et demi de livres aux contribuables. Les chiffres étaient hallucinants, mais le niveau des taux compensatoires au cours de la même période était encore plus stupéfiant : deux millions, une infime partie des sommes détournées.

Ils détestaient tous ces affaires, car les éléments matériels étaient très difficiles à réunir. Il y avait très peu de preuves, les marchandises concernées étaient des puces électroniques minuscules, au mieux des téléphones, les transactions portaient parfois sur des biens carrément virtuels. Remonter les pistes s'avérait ardu, car les entreprises et leurs bureaux déposaient le bilan pour rouvrir ailleurs sous un autre nom, les directeurs s'inventaient de fausses identités, et pour ne rien arranger, les coupables étaient en général de petits commerçants, des gérants de magasin, des gens bien, des types comme tout le monde qui ne voulaient faire de mal à personne. Ils ne trichaient que sur des formulaires. Les jurés n'avaient pas le cœur à les envoyer en prison.

Deux millions de livres, une bagatelle pour un type qui fraude la TVA. Deux millions, ça représentait deux jours de salaire. Deux millions, c'était exactement ce que des amateurs idiots, sans aucune expérience des armes à feu, pourraient exiger d'un fraudeur. Une goutte d'eau dans la mer. Morrow vit que Bannerman avait compris, et elle éprouva soudain de la sympathie pour lui. C'était une grosse affaire. Une mauvaise conclusion, et toute sa carrière en serait affectée.

— Je voulais vous remercier pour hier soir, dit Billal à Morrow. Meeshra dit que vous l'avez bien aidée avec le bébé… (Il pensait aux seins de Morrow. Ses yeux cillèrent et il rougit, hésitant à poursuivre.) Alors… merci, franchement.

— Pas de problème.

Elle sourit pour la forme, puis regarda Bannerman afin de le pousser à poursuivre l'interrogatoire. Il n'avait pas l'air dans son assiette.

— Est-ce que votre frère a un bureau ? D'où dirige-t-il son entreprise ?

— Là, derrière. Il y a une cabane… Voulez-vous… ?

— Oui, s'il vous plaît, acquiesça Bannerman d'une voix blanche.

Billal se leva, imité par Bannerman et Morrow. Il les guida dans le vestibule en marchant sur la pointe des pieds pour ne pas réveiller Meeshra qui ronflait toujours paisiblement, s'enfonça dans le couloir en direction de la cuisine. Les deux portes devant lesquelles ils passèrent donnaient probablement sur des chambres, mais elles étaient fermées et le couloir était sombre. En traversant la cuisine, Morrow aperçut un gros livre à la couverture verte sur le four à micro-ondes et s'approcha pour en lire le titre : *The Rattle Bag*.

La porte de derrière n'avait pas été remplacée par une porte en PVC blanc. Tout en bois avec une imposte vitrée, elle devait avoir l'âge de la maison. Billal prit une clé dans une boîte posée sur le plan de travail ; il s'effaça pour les laisser passer et négligea de refermer derrière lui. Les dalles de l'allée avaient bougé, avec le temps, elles penchaient plus ou moins par endroits, rebiquaient à d'autres. On aurait dit un cimetière le jour du Jugement dernier. Billal avançait avec précaution, les bras écartés pour garder l'équilibre, et Bannerman le copiait gauchement. Morrow s'attardait derrière. Ils avaient jeté un œil dehors, lorsqu'ils avaient fouillé la maison, mais il faisait nuit et le jardin leur avait paru plutôt modeste. Il s'étendait assez loin, en réalité, mais un vieil arbre noueux en cachait une partie près de la clôture du fond.

Devant elle, Bannerman marcha sur le coin d'une dalle qui s'enfonça dans le sol boueux. Un jet d'eau grise éclaboussa sa chaussure en daim beige. Bannerman regarda son pied, le leva lentement et le secoua, en faisant jaillir des gouttes.

Morrow évita la flaque.

— Et merde ! s'exclama Bannerman.

— Ce n'est rien, dit-elle gentiment. Vous n'y êtes pas encore jusqu'au cou.

Billal les attendait derrière l'arbre noueux, devant un abri de jardin en bois orangé tout neuf, couvert d'un toit en papier goudronné. De la même couleur que la clôture, la cabane était bien camouflée. La porte en était fermée par un gros cadenas.

— Euh… C'est bête mais je n'ai pas la clé.

Bannerman avait un pied trempé mais il semblait remis de ses émotions. Morrow essaya de détendre l'atmosphère. Elle désigna la porte.

— Vous savez ce que c'est ?

— Un cadenas ? avança Billal.

— Un dispositif maison contre les accros à l'héroïne.

Billal rit poliment, tourné vers Bannerman. Bannerman ne souriait pas. La tournure prise par l'affaire le mettait maintenant dans une rage froide. Il empoigna le cadenas.

— Monsieur Anwar, nous allons forcer ce cadenas.

Billal leva les mains dans un geste conciliant.

— Bon, d'accord. Je comprends, je comprends. Allez-y.

Bannerman se dirigea sur le côté de la cabane pour regarder à travers la vitre. Il avait l'air malheureux comme les pierres lorsqu'il se retourna vers Morrow.

— Prévenez les mecs du labo. Rappelez-leur de prendre des sacs pour emballer les preuves.

Morrow ne s'offusqua pas qu'il lui donne des ordres, et sur ce ton-là, en plus. Elle fit exactement ce qu'il lui demandait.

Morrow et Bannerman restèrent à l'écart pendant que les experts enfilaient leurs gants en latex et attrapaient les pinces coupantes dans leur sacoche.

— Merde, grommela Bannerman pour lui-même.

— Je suis désolée, dit Morrow en lui posant une main sur le bras.

Il ne chercha pas à fuir le contact.

— Merde.

— Ce n'est peut-être pas…

— Si, affirma-t-il pendant que les agents coupaient le cadenas. Si, c'est une saloperie de fraude à la TVA et l'affaire va être transférée à la Brigade financière. Et comme la moitié de leurs foutues affaires, ça va finir en eau de boudin, avec une tonne de paperasses et un jury qui sera bien en peine de prendre une décision. J'en mettrais ma main à couper.

Ils enfilèrent des gants en latex et entrèrent dans l'abri de jardin.

Décevant. Pas de cadavres ni d'armes chargées. Juste un petit bureau, une chaise, un classeur contre le mur du fond, un petit disque dur posé par terre et une longue rallonge électrique orange, qui servait probablement à amener le courant depuis la maison.

La cabane sentait encore le bois fraîchement coupé. Omar l'avait simplement meublée avec un bureau Ikea en plastique blanc, une chaise et un classeur mural gris – d'occasion, à en juger par les éraflures sur le côté. Un grand calendrier était épinglé au mur, mais aucun rendez-vous n'y était inscrit. Un bloc de notes autocollantes et des stylos feutres étaient posés sur le bureau. Le bloc n'avait jamais servi.

Un mug de l'équipe des Celtiques, à la poignée cassée, contenait deux crayons et un stylo-bille. Une fine couche de poussière blanche absolument uniforme recouvrait la totalité du bureau. Même la chaise était recouverte de poussière.

— Oh !

Billal, qui s'était immobilisé sur le pas de la porte, affichait son désappointement.

— Je ne pensais pas que c'était si… Il a passé une bonne partie de son temps ici, j'aurais cru… Je ne sais pas.

Il avait les yeux fixés sur le seul objet digne d'intérêt, avec le disque dur. Bannerman suivit son regard et se dirigea vers le classeur. Il ouvrit le premier casier. Vide. Il ouvrit le second : des registres comptables, encore emballés dans le papier cristal du magasin.

Du troisième casier, au niveau du sol, il retira deux revues spécialisées dans le cricket et, tout au fond, un exemplaire du magazine porno *Asian Babes*. Cette découverte parut profondément choquer Billal.

Se redressant, Bannerman désigna le disque dur.

— Ça, on le confisque. Vous n'avez pas d'objections ?

— Non, bien sûr.

— On va peut-être trouver quelque chose là-dedans.

— Qui sait ? fit Billal en haussant les épaules. Prenez tout ce que vous voulez.

Tout avait été emballé, étiqueté et chargé dans le fourgon. Billal avait fini ses prières. Lorsqu'il sortit de sa chambre, il semblait plus calme, prêt à les raccompagner à la porte. Sur le seuil, il signa les reçus de preuve que lui tendait Bannerman. Morrow mit un point d'honneur à lui serrer la main.

— Merci pour tout, dit-il. Au revoir.

— Avec qui votre frère traite-t-il ses affaires ? demanda-t-elle.

— Que voulez-vous dire ?

— D'où viennent les importations ? Est-ce qu'il a des fournisseurs dans les pays arabes ?

Elle le questionnait pour essayer de déceler une faille dans le schéma qui se dessinait, et redonner un peu d'espoir à Bannerman. La fraude à la TVA était un crime européen.

— Lesquels, par exemple ?

— Oh, je ne sais pas… L'Arabie Saoudite, disons, ou même l'Afghanistan ? proposa-t-elle.

— Non, répondit lentement Billal, songeur. Je crois que ça se limite à l'Europe. On ne fabrique pas de puces en silicone en Afghanistan, si ? Je serais même étonné qu'ils sachent fabriquer de simples puces électroniques. Technologiquement ils ne sont pas vraiment évolués…

Bannerman en avait assez, mais Morrow insista :

— Pourquoi ne traite-t-il qu'avec l'Europe, à votre avis ? Il voyage beaucoup ?

— Non, mais il en a parlé, c'est tout.

Il lui répondit en regardant fixement le dos de Bannerman.

— Merci beaucoup pour votre aide, monsieur Anwar. Nous allons écouter cet enregistrement et voir ce que nous pouvons découvrir au sujet de votre père.

— Merci. Merci beaucoup.

Billal ne quittait pas Bannerman des yeux. Meeshra venait de surgir derrière lui sur le seuil de la chambre en chemise de nuit, les cheveux ébouriffés, et soudain on n'entendit plus que les pleurs du bébé.

— Billal..., lança-t-elle d'un ton plaintif.

— Je viens, dit Billal sans se retourner. J'arrive tout de suite.

Bannerman conduisait, penché sur le volant, si tendu qu'à un moment donné elle pensa qu'il allait fondre en larmes. Sa voix avait changé de timbre.

— Débrouillez-vous pour aller à l'université avant dix-sept heures et ramasser le maximum de renseignements sur lui, Morrow. Vérifiez s'il n'a pas un associé. Il a sûrement noué des relations, là-bas.

— Vous allez avertir la Financière ?

— Seulement si j'y suis obligé.

— On comprend mieux la demande de rançon, n'est-ce pas ? Les opérations de blanchiment des sommes détournées par les fraudes à la TVA ont bien entraîné la fermeture de plusieurs banques, aux îles Caïmans.

— À ce point ?

— Oui, rappelez-vous. À cette conférence, on nous a bien précisé qu'il n'y avait plus de mouvements de fonds très importants depuis un an, depuis qu'on avait bloqué des comptes bancaires aux Caïmans. Maintenant, les fraudeurs doivent tout garder en liquide, dans des cachettes bien sécurisées. Vous imaginez ? Des coffres pleins de billets, des chèques à plusieurs zéros...

— Alors selon vous, Omar aurait des millions bien planqués dans un endroit sûr et il les aurait laissés emmener son père sans broncher ?

— C'est possible.

— Quel genre de salaud faut-il être, pour faire ça ?

— Un salaud qui n'a pas envie de se faire prendre ? suggéra Morrow avec un sourire.

— Ça vous amuse, hein !

Il parlait entre ses dents, la mâchoire crispée, aussi suspicieux que si elle avait tout orchestré pour se venger de lui.

— Ce qui est sûr, c'est que je suis rudement contente de ne pas diriger l'enquête.

Cet aveu spontané annula la distance qui s'était créée entre eux. Bannerman se détendit.

— Espèce de garce, soupira-t-il.

Ils se turent un moment, puis Morrow reprit la parole :

— Billal n'est pas assez malin, si ?

— Non. Il a trop l'esprit de famille. Vous avez vu comme il a rougi quand j'ai trouvé ce torchon ?

— Oui. C'est curieux. Il y a des magazines de ce genre dans la boutique du père, juste en face du comptoir. Celui que vous avez déniché n'a rien de pire. Il les voyait forcément, quand il aidait son père.

— Il y a des gens qui n'aiment pas le porno. Peut-être qu'il en a feuilleté un et qu'il en a encore honte.

Elle avait l'impression que Bannerman parlait de lui.

— Ou alors, il est complètement myope, dit-elle pour clore le sujet. En tout cas, il a balancé son frère.

Ils laissèrent le silence retomber, mais dans leur for intérieur ils pensaient l'un et l'autre que Billal n'avait pas l'air très affecté par toute cette histoire.

Shugie réussit à garder sa place au comptoir tout l'après-midi. Lorsqu'il revint après être allé fumer une cigarette, il découvrit que Senga avait empêché d'autres clients de lui prendre son tabouret. L'argent avait filé dans six ou sept tournées, il n'avait plus que de quoi se payer un whisky mais il ne voulait pas le lui demander. Les femmes savent quand vous êtes fauché. Elles flairent la dèche de loin, comme la solitude.

Shugie glissa au bas de son tabouret et évita la chute de justesse en s'agrippant au zinc. À peine avait-il eu le temps de se féliciter de ses réflexes que ses genoux ramollirent comme du beurre dans une poêle. Il s'affala doucement sur lui-même et s'endormit comme une masse sur le carrelage froid. Un type qui revenait de fumer sa clope dehors se précipita pour l'aider à se relever.

— Laisse-le ! lui intima Senga, protectrice. Laisse-le.

Tous les clients du bar regardaient Shugie, couché sur le côté, pelotonné contre le repose-pieds en laiton du comptoir. Senga tolérait parfois qu'on pique un petit roupillon sur une chaise, mais dormir par terre c'était interdit. Il y avait anguille sous roche.

24

Les ténèbres prenaient vie. L'obscurité était un animal, ou simplement un gaz, un liquide, qui emplissait le nez d'Aamir et le faisait suffoquer, qui voilait ses yeux, qui pénétrait dans ses oreilles et traversait les membranes internes, se diffusait dans ses vaisseaux capillaires, ses veines, ses artères, envahissait son corps.

Il n'y avait rien. Pas un bruit venu de l'extérieur, pas un rai de lumière, rien. Le néant.

Aamir secoua la tête. Il ouvrit grand les yeux, les referma. Il se donna des gifles. Il se pinça le ventre, tout cela en pure perte. Il entreprit de se déplacer, lentement d'abord, pour essayer d'éloigner cette chose. Il bougea les pieds et gratta la poussière de rouille avec ses orteils, tenta des allers et retours erratiques vers le point le plus bas de la cuve. Écartant les bras au maximum, il tâta les parois du bout des doigts, fonça dessus à l'aveugle, recula, et il recommença maintes et maintes fois avant de réaliser qu'au lieu d'éloigner la chose il s'enfonçait au contraire encore plus profondément en elle dans l'obscurité insondable et qu'il ne pourrait jamais lui échapper.

Cassé en deux, il se laissa tomber à genoux n'importe comment et, le visage collé contre les cuisses, il ouvrit la bouche et enfonça ses dents dans la chair. Il ne sentit rien. Ses mains tâtonnaient toutes seules devant lui et au moindre de leurs mouvements il percevait la chute des écailles de rouille qui se détachaient des parois.

Le sang rouge qui souillait le sari de sa mère coulait vers lui dans l'obscurité et il ne pouvait pas lui échapper. Fermant les yeux, Aamir sentit le liquide chaud ruisseler sur sa tête, dans son dos, sur ses fesses. Englué dans cette mare de sang qui venait d'elle, il respirait encore. Rien ni personne n'aurait plus jamais pitié de lui.

Il s'entendait respirer, il haletait comme un chien. L'odeur de la rouille tombée en poussière lui emplissait le nez. Ses menues échardes se collaient au tissu de son pyjama, le pénétraient, s'enfonçaient dans la peau tendre de ses genoux.

Sa vie n'avait pas de sens. Elle était intolérable. Les trente dernières années n'avaient été qu'une énorme perte de temps.

Ses doigts qui fouillaient inlassablement le sol à tâtons remuaient la poussière de rouille, la rassemblaient au creux de ses paumes et la rejetaient sur le côté. Quelques éclats restaient collés sous ses ongles, dans ses mains. Il finit par trouver un morceau de ferraille qui semblait encore entier.

Il le souleva et il colla un pouce au milieu pour essayer de le courber de force en l'empoignant à chaque extrémité, mais l'objet résistait. Il était aussi dur qu'un os fossile longtemps enfoui dans la terre. Aamir s'assit et les yeux ouverts dans les ténèbres il s'appliqua à imaginer l'objet qu'il tenait à la main. Se laissant guider par le sens du toucher, il le frotta doucement en s'efforçant d'identifier les défauts de la surface. Puis, lassé, il cracha dans sa paume et nettoya l'objet avec sa salive avant de l'essuyer sur sa veste de pyjama.

Aussi long qu'un crayon, avec un bord dentelé et une extrémité pointue. Un couteau.

Il commençait à avoir vraiment mal dans les genoux et dans les doigts, mais sans céder à la douleur qui l'aurait distrait de son but, il tendit le bras gauche dans l'obscurité et releva la manche de son pyjama. Lentement, comme s'il sacrifiait à un rituel, il palpa les veines et les tendons de son poignet et planta sans trembler la pointe de métal dans la chair.

Des gouttes chaudes et humides tombèrent dans le vide. Sa main droite en coupe sous la blessure, Aamir sentait le sang tant désiré couler entre ses doigts, s'en échapper pour imbiber la poussière sèche du sol ougandais.

Il leva la tête vers le Dieu qui lui avait imposé cette vie de souffrance marquée par les enfants, le travail, les repas, un million de repas de merde, et les nuits à dormir, la moquette à changer, cette somme d'efforts incessants, inutiles.

Le visage incliné vers le haut, il murmura tout doucement une ultime prière :

— Espèce de connard, ordure, salaud…

M. Kaira fixa l'écran trente secondes, les lèvres figées dans un faux sourire, en tapotant lentement du bout de l'index le bureau complètement vide. Omar eut d'abord droit au sourire, le regard suivit avec un temps de retard.

— Le système est long à démarrer aujourd'hui, expliqua-t-il avant de revenir vers l'écran.

La lueur qui se reflétait sur son visage passa du gris au bleu pâle, et il poussa un petit « ah » de satisfaction avant de se pencher sur les chiffres qui s'étaient affichés.

Omar venait déjà ici quand il avait dix ans. L'agence bancaire se trouvait à la périphérie ouest de la ville, après les boucheries halal et les boutiques de saris mais avant l'université qui se dressait sur la colline, au milieu des nombreux cafés et des librairies d'occasion où les étudiants se retrouvaient.

Son papa l'emmenait avec lui tous les quinze jours, il déposait l'argent sous ses yeux et il bavardait avec M. Kaira. M. Kaira – sa coupe de cheveux gominée qui résistait à toutes les modes, son cou adipeux soutenu par un col minuscule, son sourire étaient immuables. Une valeur sûre. Le décor aussi était immuable : de la toile de jute vert mousse sur les murs, une vitre en verre fumé entre le guichet et le bureau de M. Kaira. Les chaises avaient été remplacées, mais par des modèles en tout point identiques aux précédents. À l'époque où Omar n'était pas encore né, les guichets étaient ouverts sur la salle, mais ils avaient été protégés par du verre blindé à la suite d'un hold-up.

Tous les comptes de la famille étaient à l'Allied Bank of Pakistan. Drôle d'idée, et franchement pas pratique car il n'y avait qu'une seule agence à Glasgow, et de l'autre côté de la ville, en plus. Mais Aamir y avait ses habitudes.

Les membres du personnel, peu nombreux, ne changeaient que rarement, il n'avait pas besoin de prendre rendez-vous pour parler affaires avec M. Kaira, et quand il voulait ouvrir des comptes épargne pour les mariages ou les vacances il n'avait pas d'explications à donner à un étranger. À la mosquée, tous ses amis savaient que c'est là qu'il avait ses comptes, et Omar pensait que son père en retirait une certaine légitimité. Aamir venait d'Ouganda, c'était un immigré afro-asiatique, pas un immigré du Moyen-Orient comme tous ceux qui fréquentaient la mosquée. Là-bas aussi, Aamir restait un étranger.

Sans quitter l'écran des yeux, M. Kaira griffonna des chiffres sur un carnet et s'appuya au dossier de son fauteuil.

— Monsieur Anwar, comme je vous le disais ce matin au téléphone, le montant total des avoirs de votre famille s'élève à quarante-trois mille cent quatre-vingt-treize livres et trente-trois cents. Votre père est un homme prévoyant.

Prévoyant, mais pas suffisamment. Ils allaient être obligés d'emprunter une somme énorme, bien supérieure à la valeur de la maison et de toutes les voitures réunies. Une rançon n'est pas exactement un bon investissement. Le seul espoir était que M. Kaira n'ait pas déjà entendu parler du kidnapping.

— Monsieur Kaira…

Son sempiternel sourire sur les lèvres, M. Kaira l'encouragea à continuer.

— Monsieur Kaira, puis-je retirer cette somme ?

— Dans sa totalité ? s'étonna le banquier.

— Oui, c'est pour mon père. Il n'est pas là et il en a besoin.

— Je comprends.

À en juger à sa mine, inquiète et ébahie, M. Kaira ne comprenait rien du tout.

— Je vois, je vois, marmonna-t-il. Il nous faudra également la signature de votre frère. Nous exigeons toujours deux signatures pour les retraits sur des comptes joints. Il sera d'accord, vous pensez ?

Tout le monde faisait confiance à Billal, ce modèle de vertu. Omar n'eut pas de mal à deviner que le banquier le soupçonnait de vouloir dépouiller sa famille. Les vieux schnocks n'appréciaient pas les jeunes, et ils se méfiaient particulièrement des fils cadets.

— Oui, bien sûr, il signera. Le problème, en fait, c'est que mon père a besoin d'une somme beaucoup plus importante. Vous pourriez nous accorder un prêt ?

Le visage de M. Kaira se ferma.

— Combien vous faudrait-il ?

Omar calcula rapidement de tête et, prenant conscience qu'on ne lui accorderait jamais un prêt d'un million neuf cent cinquante mille livres, il battit en retraite.

— Euh… Il faut d'abord que j'en discute avec Billal.

— Pour les retraits, bien sûr, il y a des délais à…

— Non !

L'angoisse qui lui tordait le ventre se mua en bouffée de panique qui le prenait à la gorge et l'empêchait de respirer. Il se leva et fourra à la va-vite les relevés de comptes qu'il avait apportés dans leur grande enveloppe brune.

— Des délais, mais… de combien ? demanda Omar en se levant.

— Un mois pour le compte épargne réservé au mariage de votre sœur, une semaine pour le compte rémunéré.

— Mais il me le faut tout de suite !

— C'est ennuyeux, vous allez perdre les intérêts et…

— Ça m'est égal. J'en ai vraiment besoin tout de suite.

Il fallait qu'il sorte, il reculait vers la porte mais, plus rapide que lui, M. Kaira lui barra le passage.

— Monsieur Anwar, si votre père a des soucis…

— Non, non.

Omar battit des paupières pour refouler ses larmes en fixant désespérément la porte en verre fumé que bloquait le corps rondelet de M. Kaira.

— Monsieur Anwar, je suis au courant de ce qui s'est passé hier soir. Il n'est pas en mon pouvoir de vous avancer cet argent, mais si je peux vous rendre service, à titre personnel…

Omar le bouscula presque pour agripper la poignée de la porte. Il avait les yeux rouges, et après avoir balbutié un « merci » il se faufila derrière lui et sortit comme un voleur.

Dehors, le vent froid lui souffleta le visage. Un groupe de collégiens mangeaient des chips de l'autre côté de la rue.

Il leva la tête vers la colline, chercha du regard le bâtiment du syndicat étudiant. Omar aurait tout donné pour être encore étudiant, revenir en arrière et ne jamais rien savoir de cette terreur folle qui le prenait aux tripes.

Il se cabra soudain à l'idée que les employés de la banque devaient l'observer derrière la vitrine, il imagina M. Kaira en train de l'épier pour voir ce qu'il allait faire et, dans un sursaut de fierté, il partit en direction de l'université comme s'il savait où il allait.

Prenant par le chemin des écoliers pour éviter de rencontrer des connaissances, Omar emprunta une succession de petites rues et de passages. Il évita les abords de la mosquée d'Oakfield Avenue, longea le grillage de l'école de Hillhead. Des bandes de gamins s'agglutinaient dans la cour de récréation, des gosses habillés comme des voyous, des rappeurs, des adolescentes boudinées dans des vêtements trop ajustés, les mollets serrés dans leurs bottines. Elles parlaient trop fort et prenaient des poses pour attirer l'attention. Un groupe d'étudiants de première année le dépassa. Jeunes et vifs, insouciants, ils se dépêchaient d'aller en cours.

Omar s'engagea dans une ruelle qui bordait les bâtiments du département d'allemand. Il ne connaissait personne qui étudiait l'allemand. La ruelle était tranquille et il la suivit tête basse pour relâcher un peu la tension qui lui nouait les épaules.

Aamir aurait su quoi faire. Il aurait tempêté, il aurait hurlé, mais il lui aurait indiqué la conduite à tenir. Chaque fois qu'Omar pensait à Aamir, il voyait une petite souris furieuse, vêtue d'un pyjama. Petite parce qu'il était petit, furieuse parce qu'il était tout le temps en colère – Aamir ne leur adressait la parole que pour se plaindre ou pour les engueuler. Et en pyjama parce que Aamir ne passait plus à la maison que pour y dormir. Il n'avait plus de frais de scolarité à payer, maintenant, il n'avait plus besoin de travailler seize heures par jour. Il les évitait.

Omar vit le regard que son père devait porter sur ses enfants gâtés et heureux de vivre. Il éprouva son désarroi, sa déception devant leurs désirs toujours renouvelés de jouets, de vêtements, de voitures. Ils voulaient chacun leur chambre, ils voulaient des chaussures de marque, des vacances, des iPod. Sadiqa exigeait toujours plus de livres et devait constamment renouveler sa garde-robe parce qu'elle avait encore grossi. Ils ne faisaient pas la prière du soir, ils refusaient de se déplacer à pied, ils ne voulaient pas aller travailler dans la minuscule boutique et écouter Johnny Lander ressasser à l'envi ses vieilles sornettes sur l'armée. Ils sortaient tous d'écoles privées, ils trouvaient humiliant de rester assis derrière un comptoir pour servir des alcoolos, des voleurs et des connards de racistes qui déboulaient en pantoufles et comptaient la monnaie de leurs bières et de leur thé en sachet.

Aamir avait dû quitter l'Ouganda en catastrophe. À son arrivée à Glasgow, il ne possédait rien. Pendant deux ans, il avait eu un emploi d'éboueur qui lui valait les insultes méprisantes des autres immigrés, des enfants qui allaient à l'école, de tout le monde. Il avait fini par ouvrir une petite épicerie où un client par jour au moins le traitait de salaud d'immigré, mais où il était à l'abri de sa jeune et terrifiante épouse, puis des enfants nés l'un après l'autre. Omar savait tout cela, il savait par quelles épreuves son père avait dû passer, mais jamais, jusqu'à présent, il n'avait saisi tout ce que ce destin avait de terriblement injuste.

Il venait de déboucher dans une cour cernée de jardins à l'abandon et de conteneurs puants. Un mur le séparait de l'université. À sa vue, un chat blanc prit la fuite en se faufilant dans un trou de la clôture. Exprès, Omar donna un coup de pied dans une poubelle.

Le visage caché entre les mains, étourdi par l'odeur fétide des serviettes hygiéniques usagées et des légumes pourris, Omar éclata en sanglots amers en pensant à tout ce dont son père s'était privé.

25

Bannerman et Morrow sortirent nonchalamment du parking du commissariat et se mirent à flâner dans la rue comme s'ils avaient la vie devant eux, comme si les minutes qui s'ajoutaient les unes aux autres ne représentaient pas, au bout du compte, un intervalle de temps suffisant pour engloutir à jamais la vie d'un vieil homme qui depuis trente années s'échinait au travail.

Si on leur avait posé la question, ni lui ni elle n'auraient pu expliquer pourquoi ils s'attardaient ainsi ensemble. Ils ne s'appréciaient pas mutuellement, ils n'avaient rien en commun, mais au fil de la journée ils avaient fini par arriver à une sorte de trêve fragile. Ils n'avaient pas envie qu'elle vole en éclats tout de suite sous les sarcasmes des collègues.

Bannerman lui indiqua d'un signe de tête la supérette, un peu plus bas dans la rue.

— Je vais acheter le journal…

— Non, non, assez traîné, répliqua Morrow en le poussant vers l'entrée du poste. Allez, venez.

L'air malheureux, il composa son code d'accès. La porte bourdonna, mais ils restèrent plantés devant sans bouger jusqu'à ce que Morrow se décide à pousser le battant.

— C'est pas marrant, mais faut y aller.

Deux gars décontractés discutaient le coup avec les agents de faction à l'accueil. Morrow et Bannerman se firent tout petits pour traverser le hall. Le flic à qui elle avait passé un savon à propos du graffiti dans les toilettes se renfrogna en l'apercevant. Elle fut tentée d'aller s'excuser, puis, optant pour la solution de facilité, elle lui retourna son regard rancunier.

Elle tapa elle-même le code d'accès de la Criminelle et s'engouffra dans le couloir, Bannerman sur ses talons. Il y avait de la lumière chez MacKechnie, mais la porte était fermée. Soit il était au téléphone, soit il se curait le nez. Soulagée, Morrow s'apprêtait à entrer dans leur bureau quand Bannerman l'attrapa d'autorité par la manche pour l'obliger à le suivre.

MacKechnie les avait entendus arriver, du fond du couloir. Il les appelait par leurs noms. Bannerman qui marchait devant s'écarta pour laisser la primeur à Morrow, mais elle déclina et il dut se résigner à entrer le premier. Le chef attendait leur rapport.

— Monsieur, commença-t-il, Omar Anwar n'était pas chez lui…

Il s'interrompit. Cessant de consulter les papiers étalés devant lui, MacKechnie leva la tête et se figea en les voyant si déconfits, tous les deux.

— Eh bien ? Que se passe-t-il ? Vous jouez aux devinettes ?

Bannerman s'effondra.

— Omar et Bob ne font qu'un. Il a monté une petite boîte d'import-export avec l'Europe.

— Nom de… Le salaud ! Fraude à la TVA et tout le tintouin, c'est ça ?

— C'est ce que je pense, oui. Nous avons saisi des documents et le disque dur de son ordinateur… On est en train de les éplucher.

— Bien… Bien. Il faut appeler la brigade des Fraudes tout de suite ? C'est urgent à ce point, à votre avis ?

MacKechnie voyait ça d'ici : la levée de boucliers qu'allaient susciter les poursuites qu'il faudrait engager contre la victime d'un crime violent, les tonnes de paperasse à remplir, les policiers placés sous ses ordres obligés de ronger leur frein dans une arrière-salle de tribunal en attendant qu'on les appelle à la barre.

— Je ne me rends pas bien compte, monsieur… On pourrait peut-être attendre de voir ce que donne le disque dur. Pour l'instant, ce n'est qu'une hypothèse, nous n'avons pas de preuve…

— D'accord, accepta-t-il. Le labo a dû envoyer les rapports. Allez jeter un œil dessus, Morrow.

Bannerman, qui n'en menait pas large, l'implora du regard de revenir vite. Elle le rassura d'un sourire, lui tapa amicalement dans le dos et fila sans demander son reste, ravie de pouvoir s'échapper.

Une main diligente avait soigneusement empilé sur son bureau les copies des rapports du laboratoire. La vérification des empreintes n'avait rien donné, l'examen du fourgon non plus. Elle les relut plus attentivement. Sur le bout de papier en aluminium, on avait trouvé des traces d'opiacés coupés avec du lait en poudre. Pas de laxatifs, pas de talc, uniquement du lait. C'était inhabituel. Elle nota dans un coin de sa tête qu'il faudrait étudier la question et glissa dans le magnétophone la cassette où était enregistrée la conversation téléphonique des Anwar. Elle en fit une copie avant d'appuyer sur « lecture ».

Elle entendit d'abord la voix de Billal. Il avait passé l'appareil à son frère car la personne au bout du fil demandait Bob. Le kidnappeur avait pris des nouvelles d'Aleesha, avant d'accepter de rappeler à cinq heures pour convenir du rendez-vous de la remise de rançon. Avant de raccrocher, il avait dit qu'il savait tout sur Omar, qu'il appelait Bob. L'intérêt qu'il manifestait pour Aleesha intriguait Morrow : est-ce qu'il la connaissait, ou était-il simplement inquiet à cause des charges qui pourraient être retenues contre lui ?

Elle porta l'enregistrement dans le bureau des enquêteurs pour qu'on le retranscrive. L'inspecteur Routher attendait depuis longtemps une promotion. Son crâne commençait à se dégarnir, mais il s'acquittait si bien et si efficacement des corvées administratives qu'aucun chef de bureau n'avait jamais voulu s'en séparer. Morrow lui tendit la cassette.

— A-t-on reçu les vidéos de surveillance de la M8 ?

— Oui.

Il lui montra du doigt un tableau sur lequel étaient punaisées toute une série de photos et de notes. Au milieu, il y avait un cliché d'une voiture, format A4. L'image prise par les caméras de vidéosurveillance avait été agrandie et imprimée sur du papier ordinaire. La qualité s'en ressentait.

Les caméras de l'autoroute étant fixées assez haut sur les réverbères, l'avancée du toit de la voiture cachait le visage du conducteur. Sur une deuxième photo, on distinguait un passager à l'avant – ses cuisses et la main qu'il tenait posée sur son genou. Sur la dernière photo, la même voiture revenait vers la ville mais son châssis était plus bas.

— On sait où elle est sortie ?

— Dans le centre, à Charing Cross.

— Merde ! (Il y avait sept sorties à Charing Cross, et trois des caméras de vidéosurveillance étaient hors service. La voiture avait pu prendre n'importe quelle direction.) On l'a perdue ?

— J'en ai bien peur. On a envoyé son signalement partout. Les gars passent la ville au peigne fin. Si on ne la trouve pas dans la prochaine demi-heure, c'est qu'ils l'ont sûrement planquée dans un garage.

— Bannerman a dû vous laisser deux sacs d'épicerie avec des cassettes de vidéosurveillance de la boutique. Vous savez où elles sont ?

Routher tendit le bras vers la petite pièce qui se trouvait de l'autre côté du couloir. À travers la vitre, Morrow reconnut le profil de Harris. Assis sur une chaise les bras croisés, il regardait droit devant lui et il n'avait pas l'air à la fête.

Elle entra sans frapper.

— Ça va ?

Harris ne daigna pas tourner la tête.

— C'est à cause de ce que j'ai dit sur la vidéo de l'interrogatoire, hein ?

— Mon pauvre Harris. Bannerman doit vous adorer, c'est sûr, pour vous avoir confié ce boulot.

— Ça va me prendre des jours et des jours.

— Vous n'êtes pas obligé de les visionner à la vitesse normale. Passez en accéléré.

Elle regarda l'image sur l'écran. Un petit homme était assis sur un tabouret, derrière le comptoir de la boutique d'Aamir. Elle avait vu la photo publiée dans la presse, une photo de famille où on le voyait de trois quarts, mais l'homme qu'elle avait sous les yeux paraissait plus petit, plus agressif, moins sympathique.

Harris enclencha le défilement rapide, et le petit homme se mit à s'agiter avec des mouvements saccadés, descendit de son tabouret, fouilla sur les étagères derrière lui, se posa à nouveau sur son perchoir. Quelqu'un entra et acheta des cigarettes. Une silhouette fit le tour du comptoir, s'assit sur le second tabouret, se releva, disparut, revint avec deux tasses. Morrow hésita un instant avant de reconnaître Lander. La bande était de mauvaise qualité, l'angle de prise de vue n'arrangeait rien.

— J'ai les yeux qui me sortent de la tête, protesta Harris.

— Courage, Harris. Vous avez toute notre confiance, ironisa-t-elle en l'abandonnant à son sort.

En sortant, elle tomba sur Bannerman qui traînait des pieds dans le couloir.

— Qu'est-ce qui vous arrive ? Vous avez encore marché dans la merde ?

Il ne releva pas mais inspecta ses chaussures pour rire.

Elle lui relata brièvement l'échange téléphonique qu'elle venait d'écouter, puis passa au détail qui l'avait intriguée.

— Vous savez, la poudre qu'on a trouvée sur l'emballage de papier d'alu, près du fourgon ? C'est de l'héroïne coupée avec du lait en poudre, et seulement du lait en poudre. Pas de talc, pas de cendres, rien que du lait en poudre. De la blanche très pure, en somme.

— Oui, et alors ?

— S'ils ne l'ont coupée qu'avec une seule substance, les quantités dont ils ont eu besoin auraient pu attirer l'attention. C'est pour ça que les camés varient les ingrédients, d'habitude.

— Vous pensez à quoi ? Un type dans un labo clandestin, c'est ça ?

— Non, ça me paraît peu probable. Ces types sont hyperdiscrets, en général, ils sont payés pour ça et s'ils se droguent ils perdent leur boulot. À mon avis on a plutôt affaire à un vieil habitué de la came qui a dû passer un marché…

— Je l'avais dit ! Un pur toxico, c'est exactement ce que j'avais dit…

Il avait l'air si content, tout à coup, d'avoir eu raison sur un point, qu'elle le laissa le marquer sans chicaner.

— Il vit peut-être avec un dealer, reprit-elle. Ou bien il a un fournisseur à qui il achète en grandes quantités. Quoi qu'il en soit, il est en bons termes avec les dealers.

— Il la coupe lui-même, c'est ça ?

— Oui, mais pour son seul usage, précisa Morrow.

— On pourrait peut-être le retrouver, à partir de là ?

— Ça vaut le coup d'essayer.

Il était une heure et demie de l'après-midi. Eddy et Pat étaient dans la voiture, en train d'écouter la radio.

Pat avait monté le volume à fond pour ne pas avoir à faire la conversation. La poche d'Eddy émit un signal strident. Il se rangea le long du trottoir et alluma son portable pour lire le texto qu'il venait de recevoir.

Pat aussi pouvait lire le message. Envoyé par l'ex d'Eddy, qui vivait à Manchester. Leur plus jeune fille avait six ans aujourd'hui. S'il ne téléphonait pas, elle lui couperait les couilles.

Eddy avait changé de couleur. Il allait encore péter un câble, c'est sûr, et Pat n'avait plus envie de lui servir de serpillière.

— Je sors, annonça-t-il en ouvrant la portière.

— Quelle salope !… Pat, reviens ! cria Eddy en se penchant sur le siège.

— Non, non, t'inquiète. Je te laisse passer ton coup de fil tranquillement. T'as qu'à me reprendre ici dans une demi-heure.

Il claqua la portière et regretta aussitôt d'avoir laissé sa photo dans la voiture. Son regard s'attarda sur Eddy. Nul. Ces lunettes noires aux verres réfléchissants. Minable. Trop petit, trop gras, toujours en pétard.

— Là ? fit Eddy en montrant le bord du trottoir.

— Dans une demi-heure.

Il tourna les talons sans laisser à Eddy le temps de discuter davantage et s'éloigna dans la rue. Il ne changea pas d'allure avant de voir la voiture argentée le dépasser et disparaître au carrefour.

Pat respira un grand coup. Il était tout excité à l'idée d'avoir une demi-heure de liberté, loin d'Eddy. Lorsqu'il vit où il était, la tête lui tourna. L'hôpital Victoria se trouvait à quelques mètres, au coin de la rue. Elle était là, au coin de la rue.

Il courut jusqu'au carrefour, s'arrêta brusquement. À droite, la rue était bordée de magasins de journaux et de friteries, mais en face, à gauche, l'hôpital Victoria dressait sa masse imposante. Pat en avait le souffle coupé. Il s'interrogea honnêtement pour vérifier que c'était bien vrai, qu'il n'avait vraiment pas remarqué où ils étaient, avant de planter Eddy – mais non. C'était un signe, évidemment. Encore un.

Devant l'entrée, des fumeurs solitaires ou deux par deux regardaient la rue sans la voir, emmitouflés dans leurs manteaux. En arrêt sur le bord du trottoir, Pat se haussa sur la pointe des pieds, prêt à braver la circulation. Il voulait aller là-bas, se rapprocher un peu d'elle.

Prenant soudain conscience que sa conduite étrange allait le faire remarquer, il s'ébroua et entra dans la première épicerie. Il acheta de nouveau le journal, sourit en prélevant une cannette de jus de fruits dans la vitrine réfrigérée, se surprit à demander un paquet de dix Marlboro rouge. Si elle fumait, ce ne pouvait être que celles-là.

L'homme qui tenait la caisse avait envie de bavarder. Il lui demanda s'il avait terminé sa journée, mais il aurait aussi bien pu lui parler en chinois. Pat le paya et quitta la boutique. Il se dépêcha de traverser la rue en slalomant entre les voitures et les bus. Un poids tomba de ses épaules quand il entra dans l'enceinte de l'hôpital. Il se glissa au milieu des fumeurs, sous l'abri qui leur était réservé.

Un vieil homme avec un bonnet vert et un manteau de tweed l'observait tandis qu'il sortait le paquet de cigarettes de sa poche et retirait l'enveloppe en cellophane.

— La première depuis longtemps, hein ?

Le vieux avait la voix rauque et basse, le nez bourgeonnant, mais il se tenait droit.

— Non. (Pat baissa les yeux sur le paquet, retira le papier d'aluminium qu'il froissa dans sa main avant d'attraper une cigarette.) Je ne fume… pas souvent. Seulement quand je suis stressé. Vous avez du feu, grand-père ?

Le vieil homme porta la main à sa poche. Il en sortit un briquet en métal foncé, tourna la molette et approcha la flamme de la cigarette.

Pat aspira, légèrement. Bien qu'il n'ait pas avalé la fumée, elle lui procura quand même un léger vertige. Étourdi, il s'appuya au mur pour garder l'équilibre. Il sourit en sentant la pierre sous sa main. Elle était là, de l'autre côté de ce mur qu'il touchait.

— Eh bien, vous avez l'air plutôt content pour quelqu'un de stressé. Vous venez pour une visite ?

— Oui, mais elle va sortir.

— Oh, veinard ! Il y en a qui ont de la chance.

Il aurait aimé que Pat lui pose des questions sur la personne qu'il venait voir lui aussi à l'hôpital, sa femme peut-être, ou son fils, mais Pat n'avait pas envie de parler. Il déplia le journal et fit semblant de lire la une. Appuyé contre le mur, il sentait le froid de la pierre dans son dos. Il avait oublié la cigarette qui se consumait entre ses doigts pendant qu'il regardait la photo. Il pensait à elle, dans une chambre à l'étage, à lui dehors, en bas, qui allait lui apporter une gâterie, un bouquet de fleurs, un magazine féminin, des chocolats.

Elle s'assiérait sur le lit et son visage s'éclairerait d'un sourire, ses mains remonteraient de ses genoux à sa poitrine, et lui, il avancerait vers elle, de plus en plus vite, bientôt il ne serait plus qu'à quelques centimètres d'elle, il prendrait son visage entre ses grandes mains d'homme et poserait ses lèvres sur les siennes.

Kevin Niven n'était pas de ces gens qui inspirent confiance au premier coup d'œil. Les cheveux gras, toujours en survêtement, il avait le teint blafard et le discours décousu des junkies. En réalité, c'était un inspecteur chevronné et plusieurs fois décoré, qui travaillait sous couverture depuis des années. Assis seul à une table de la cantine, il picorait le sandwich peu appétissant qu'il avait apporté de chez lui sous les regards malveillants des policiers qui ne le connaissaient pas.

Morrow ne trouvait pas étonnant qu'il les mette aussi mal à l'aise. La première réaction, devant un quidam habillé en nazi qui traîne aux abords d'une synagogue, c'est de lui sauter à la gorge, même si on sait pertinemment qu'il s'est déguisé pour la bonne cause.

— C'est pas, euh, pas du genre trop… trop facile à dire… si vous voyez.

Kevin s'exprimait lentement, la tête inclinée sur le côté. Dès la première question, il avait réussi à mettre Bannerman hors de lui.

— Dans quelle direction faut-il chercher ?

— Ça… (Ce fut soudain comme un déclic. Il avait absorbé l'information, il savait où il allait.) On sort du schéma classique, non ?

— Comment ça ?

— Un type avec un joli petit stock ou un mec qui achète en gros et qui se modère, vous suivez ? Qui prend ça comme si c'était un médicament.

— Que se passe-t-il d'habitude, quand on en a tout un stock ?

Kevin ouvrit grand les bras, l'air extatique.

— Le pied ! Fabuleux !

Morrow éclata de rire, mais Bannerman continuait à le fixer en fronçant les sourcils.

— Voyez-vous une autre raison qui expliquerait le profil chimique du résidu ?

Niven reprit le rapport du labo et l'étudia avec circonspection, en dodelinant de la tête au fur et à mesure qu'il envisageait les possibilités, écartait celle-ci, retenait celle-là.

— Voilà. Ici… (il dessina une carte imaginaire sur la table, en tapota le côté gauche avec quatre doigts) on a un nouvel arrivage, avec beaucoup de lait en poudre. Et là… (il traça une longue ligne droite) l'échantillon livré plus tard.

Morrow sourit d'un air entendu, alors que Bannerman scrutait la table avec dépit.

Kevin tapota un autre coin de sa carte.

— Là… c'est raté, mauvais mélange, le lait en poudre s'est coagulé.

— Oh, fit Morrow, désappointée. Alors ça ne veut peut-être rien dire ?

— Autre hypothèse, suggéra Kevin en haussant les sourcils, un souvenir de vacances : acheté là-bas, consommé ici.

— En somme, on n'a que dalle, c'est ça ?

— Ouais.

— On ne peut rien en tirer ?

— Non, ce n'est pas une preuve. Votre type, il connaît peut-être quelqu'un qui le suit depuis le tout début. Quand vous le coincerez, si ça se trouve, vous verrez, il a peut-être de vrais potes.

— Il ferait partie d'une équipe ?

— Non. Trop dangereux.

— Donc, on ne pourra utiliser la relation que pour confirmation ?

— Ouais.

Bannerman contemplait tristement la table.

— Et les empreintes, au fait ? demanda Kevin en se passant la langue sur les lèvres. Vous y avez pensé aux empreintes ?

— Sur du papier d'alu ? s'étonna Bannerman, un brin méprisant.

— Ah, ouais, ouais, forcément, ouais. Vous avez foncé au labo pour l'analyse des résidus, hein ? Les empreintes, forcément, vous avez laissé tomber de crainte que la poudre qu'ils utilisent pour le relevé se mélange avec l'autre, hein ? Bah, c'est pas mal vu, mais ce qu'il faut c'est leur demander de prélever les empreintes à l'intérieur.

— Vraiment ?

— Oh, ouais, affirma Kevin en pétrissant du bout des doigts une boulette de papier imaginaire. Parce que les empreintes, s'il y en a, elles seront super, mec. Des empreintes comme ça, c'est le pied, tu vas pouvoir te la péter, crois-moi, conclut-il avec un clin d'œil.

26

University Avenue semblait appartenir à une autre ville. Chaque construction était une profession de foi architecturale. Le bâtiment principal, de style gothique, avec une tour et des cours carrées, la bibliothèque en rotonde, le tout nouveau centre médical. Les étudiants étaient grands et bronzés, ils portaient des vêtements plus propres et bien mieux coupés que la plupart des gens avec qui Morrow était en contact.

Pendant qu'ils fermaient la voiture sur le raidillon qui menait au portail de l'université, Morrow entendit une fille d'environ dix-sept ans dire à une autre qu'il était tout simplement impossible de trouver à se garer dans le quartier. Ces gens-là avaient tout en mieux que les citoyens lambda que les flics s'ingéniaient à pincer, et tout en mieux que les flics aussi : ils étaient mieux équipés pour démarrer dans la vie, mieux logés, mieux lotis.

Morrow avait amené Gobby avec elle, histoire d'avoir la paix, mais elle le regrettait déjà. Son mutisme impressionné lui tapait sur les nerfs. Il roulait des épaules pour se donner une contenance et en même temps il se recroquevillait dans sa coquille, intimidé par l'incompréhensible distinction de ces étudiants d'université. Alex, elle, n'en avait rien à faire : quand elle était petite, les maisons de ses amis lui étaient interdites. Non seulement on se méfiait des familles monoparentales, à l'époque, mais en plus la dépression avait rendu sa mère à moitié folle et son lien avec les McGrath lui collait à la peau, aussi tenace que la mauvaise réputation. Alex avait très tôt compris que tout le monde était mieux qu'elle.

Ils franchirent le portail, passèrent devant la loge du concierge et se retrouvèrent dans l'enceinte de l'université. La faculté de droit était à droite, séparée du bâtiment principal par une pelouse. Une longue rangée de petites maisons aux fenêtres hautes et étroites, à la porte d'entrée peinte en noir, renforçait l'austérité apparente des lieux. Ces maisons servaient probablement à loger les étudiants, autrefois : sur le mur, une plaque commémorative bleue informait les passants indifférents qu'un résident célèbre et mort depuis longtemps avait vécu en ces murs.

L'entrée principale de la fac de droit se faisait par une de ces petites portes. Ils les longèrent l'une après l'autre en vérifiant les numéros, gravirent les trois marches. Un hall d'accueil réfrigérant : moquette bleu électrique, murs tapissés de panneaux d'agglo peints en bleu, au-dessus des lambris blancs. Et des tableaux en liège sur lesquels diverses annonces étaient épinglées, avec, sur tous, le même avis aux étudiants de vérifier régulièrement le contenu de leur boîte mail. Morrow n'était pas la seule idiote à oublier de le faire, apparemment. Les maisonnettes étaient reliées les unes aux autres par des passages creusés entre les murs mitoyens.

L'heure tournait : venant des escaliers et de la porte, derrière eux, des étudiants commençaient à entrer dans le bâtiment.

Un homme en chemise bleue assis dans une cabine vitrée, à droite de l'entrée, les observait. « Renseignements », indiquait le panonceau accroché au-dessus du guichet.

— Bonjour, nous voudrions rencontrer le responsable pédagogique de l'un de vos étudiants, expliqua aimablement Morrow.

— Et comment s'appelle-t-il, ma jeune demoiselle ?

Il cligna malicieusement des yeux, comme s'il se moquait de Morrow qui n'était ni demoiselle ni jeune.

— Omar Anwar, répondit-elle froidement. Il a passé sa licence en juin.

L'agent de sécurité inspira profondément, prêt à se montrer désagréable. Morrow sortit sa carte de police et la colla contre la vitre. Après l'avoir examinée sans mot dire, il se tourna vers l'ordinateur et lui demanda d'épeler le nom. Tormod MacLeòid, lui indiqua-t-il peu après, était l'homme qu'elle cherchait. Il allait l'appeler, voir s'il était disponible.

Le professeur Tormod MacLeòid ne se prenait pas pour n'importe qui. Son bureau et son attitude trahissaient l'arrogant fier de vouer sa vie à des recherches obscures et des vieilleries naphtalinées. Il les laissa patienter une dizaine de minutes sous la garde de sa secrétaire, et quand il se présenta enfin, ce fut pour ordonner à cette dernière de lui apporter le dossier universitaire d'Omar avant de commencer l'entrevue. Une fois dans son bureau, il les invita à s'asseoir et à le contempler en silence pendant qu'il consultait le dossier. Heureusement qu'il n'était pas très épais ! Morrow en profita pour étudier le décor.

Telle la maison, la pièce était haute et étroite. Les étagères qui couraient sur toute la longueur des murs croulaient sous les livres, très anciens et assez abîmés pour nombre d'entre eux. Devant les livres, parfois même dessus, c'était une profusion de bustes au nez mutilé, de petits morceaux de pierre ou de brique, de copies miniatures de vases grecs. Roulée dans un cylindre transparent, la cravate fanée aux couleurs de Fettes College, marron et rose, tranchait sur cet assortiment. Morrow était prête à parier que chacun des objets de ce bureau avait sa propre histoire, et que toutes ces histoires étaient aussi longues et barbantes les unes que les autres.

Choisissant pour elle le seul siège placé en face du bureau encombré, elle avait laissé Gobby s'asseoir sur une chaise près de la porte, devant une pile de devoirs. Il se tordait les mains en silence en contemplant les mille et une facettes de sa gêne.

Vint le moment tant attendu : le professeur se redressa sur son trône de bois, il caressa sa barbe, rajusta sa veste et entama la conversation avec la condescendance qu'on attendait de lui.

— Je me souviens de lui, en effet. D'où était-il ?

— Pollockshields, dit Morrow.

Le savant ne cacha pas sa surprise.

— Ah, oui… Oui, bien sûr, la vieille colonie de Pollockshields. Je vois très bien.

— Il a préparé sa licence avec vous, il a eu une mention. (Morrow accentuait à dessein son accent pouilleux des quartiers sud pour défier sa diction de snobinard de Fettes.) Alors du coup j'ai pensé qu'avec un peu de chance vous alliez vous souvenir de lui, et pas seulement pour la couleur de sa peau.

Il lui jeta un regard torve.

— Je n'ai pas parlé de la couleur de sa peau !

Elle le laissa mariner un instant.

— C'était quel genre d'étudiant ?

— Très bon, capable, très travailleur.

— Et vous enseignez quelle matière ?

— Le droit civil. Le droit romain.

— Pourquoi voulait-il étudier le droit romain ?

Tormod inspira profondément, tapota sa barbe et se lança dans un discours maintes fois rabâché :

— Il y a deux bonnes raisons qui peuvent pousser un étudiant à choisir l'option droit civil en licence. Soit il souhaite devenir avocat, voire juge, soit il porte un intérêt particulier à l'histoire du droit. C'est, comme autrefois, une approche du droit plus particulièrement basée sur l'art de l'interprétation. Moins codifiée, plus sujette à interprétation. Et pour en revenir à… Omar, il souhaitait étudier le droit pour être avocat. C'est du moins ce que j'ai cru comprendre lorsque j'ai accepté qu'il suive mes cours.

— Et puis il a décidé de ne pas travailler dans cette branche. Même pas en tant qu'avoué.

— C'est exact.

— Pourquoi ?

— Je n'en ai aucune idée. Vous devriez le lui demander.

— Avez-vous organisé des activités auxquelles Omar aurait participé, en dehors des cours ?

Il eut l'air déconcerté, et jeta un coup d'œil au dossier pour y trouver l'inspiration.

— Le concours de controverse ?

— Qu'est-ce que c'est ?

— Le concours de controverse est en quelque sorte un débat contradictoire, mais qui privilégie les arguments juridiques. Un jeu de rôles, si vous voulez.

Sa condescendance frisait le mépris.

— Omar participait à ça ?

— Il paraît.

— Parce que vous, non ?

— Non.

— Ça leur rapporte un crédit de points ? Pour les examens ?

— Ce serait un comble ! Ce qui ne les empêche pas d'y consacrer une grande partie de leur temps.

— Autrement dit, Omar était plutôt enthousiaste au début de l'année, n'est-ce pas ?

Elle s'exprimait sur un ton neutre, mais le reproche était à peine voilé. Il y répondit par une moue dédaigneuse.

Elle se leva brusquement.

— Je vous remercie, dit-elle en attrapant son manteau sur le dossier de son siège.

Gobby bondit sur ses pieds. À son tour, Tormod esquissa un geste pour se lever mais décida de ne pas aller jusqu'au bout.

— Je suis certain que vous saurez retrouver le chemin, lança-t-il sèchement.

Morrow se tourna vers la porte que Gobby venait de franchir.

— Vous voulez dire que vous ne nous croyez pas incapables de repérer cette porte, là ?

À en juger par sa mine renfrognée, il devait être du genre à se plaindre auprès des sommités lors du dîner annuel du club de golf, ce pourquoi, après l'avoir remercié d'abondance pour le temps qu'il leur avait consacré et l'aide qu'il avait apportée, Morrow claqua violemment la porte derrière elle. Si elle avait été une étudiante immigrée en cours avec Tormod MacLeòid, elle aussi aurait peut-être renoncé à devenir avocate.

Gobby transpirait à grosses gouttes. Il n'avait pas osé enlever son manteau dans le bureau surchauffé et il avait hâte de sortir, mais Morrow l'arrêta d'un geste en arrivant au bas des marches. Un groupe d'étudiants réunis devant le tableau d'affichage des quatrième année avait attiré son attention.

— Venez par là…

Gobby ouvrit la bouche pour protester, se ravisa et obéit en silence. Morrow s'approcha d'un garçon qui avait l'air parfaitement sûr de lui. Gobby traînait trois pas derrière, à l'écart du groupe. Il transpirait toujours.

Grand, les cheveux coupés très court, ce garçon magnifique aurait fait la fierté de n'importe quelle mère. Ses vêtements aussi décontractés que coûteux arboraient des étiquettes de grande marque, sa sacoche était en cuir épais, et le sourire qu'il adressa à Morrow dévoila des dents parfaites.

— Vous désirez ?

— Je me demandais si vous pourriez m'aider. Nous cherchons quelqu'un qui connaisse Omar Anwar. Il a passé sa licence en juin dernier. Je crois qu'il participait aux concours de controverse, aussi ?

— Oh oui, oui ! Omar. Oui, Omar ! Tout le monde connaît Omar.

— Vous aussi ?

— Oui. Pourquoi ? demanda-t-il en passant la main dans ses cheveux.

— Vous avez aussi participé aux concours de controverse ? En quelle année êtes-vous ?

— Vous êtes de la police, n'est-ce pas ?

— Qui êtes-vous ? Un quatrième année ? rétorqua Morrow calmement. Nous essayons de trouver quelqu'un qui a bien connu Omar.

— Mon Dieu, ainsi c'était donc lui. Aux nouvelles, le kidnapping ? Sa petite sœur a été blessée ?

— Il n'y a pas un coin tranquille où nous pourrions discuter ?

— Si, bien sûr. Suivez-moi.

Il s'assura qu'elle le suivait tout en l'entraînant dans le bâtiment voisin. Là, ils montèrent au deuxième étage et il la fit entrer dans une salle où le soleil pénétrait à flots par deux hautes fenêtres. Une machine à café aussi grande qu'un homme jouxtait une petite table sur laquelle se trouvait un bol plein de piécettes. Près du mur, deux rangées de fauteuils Chesterfield en cuir rouge se faisaient face.

— Autrefois, les fumeurs se retrouvaient ici, expliqua le beau jeune homme.

La longue table d'acajou disposée sous les fenêtres était couverte de cahiers et de livres de droit. Des pulls et des vestes traînaient sur les sièges vides. Il n'y avait aucun étudiant.

— Tout le monde est en cours ? demanda Morrow.

— C'est l'heure du déjeuner, répondit-il en jetant son sac derrière la porte. Vous voulez un café ?

Gobby secoua la tête et Morrow fit la grimace.

— On a la même au bureau. Ça fait la langue rêche, après.

— Si on s'asseyait ? proposa leur hôte.

Morrow s'installa sur un fauteuil Chesterfield, le garçon s'assit en face d'elle et Gobby à côté. Ou plus exactement, Gobby se laissa tomber de tout son poids, toujours emmitouflé dans son manteau dont il défit discrètement trois boutons sur le ventre. Elle attrapa son carnet.

— Bien. Votre nom ?

— Lamont. James Lamont.

— Lamont, comme le juge ?

Il secoua la tête, gêné, et détourna les yeux. Elle lui sourit gentiment. Les privilèges et la pauvreté sont deux motifs de honte aussi puissants l'un que l'autre.

— Donc, vous connaissez Omar ?

— C'est un type brillant, et très sympa, en plus.

— Qui fréquentait-il ?

— Son meilleur ami s'appelle Mo. Il était en fac de sciences, en physique, je crois. Il a eu sa licence en même temps. Ils étaient toujours fourrés ensemble.

— Pas de vrais amis en fac de droit ?

— Des copains. Mais vous savez, en fin d'année tout le monde pense à l'étape suivante, et Omar ne voulait pas passer à la pratique…

— Même avec une mention bien ?

— Ce n'est pas donné à tout le monde.

— Vous savez vers quoi il s'est orienté ?

— Il a monté son entreprise, je crois, il est entré dans les affaires. Comme son père, en fait.

— Son père tient une épicerie de quartier.

— Ah, bon ? Je croyais qu'il possédait plusieurs magasins, c'est ce que disait Omar.

Il semblait surpris et satisfait en même temps, comme si, grâce à cette précision, il marquait un point sur son éventuel rival.

— Non, non. Il n'a qu'une boutique.

— En tout cas, son père a l'air de s'être bien débrouillé. Les deux garçons sont allés dans des écoles privées.

— Pas leur sœur ?

James réfléchit deux secondes.

— Euh, non. Elle est à la Shawlands Academy.

— Un établissement public ?

— Oui, mais je ne pense pas que ce soit pour une question d'argent. Omar ne le pensait pas, d'ailleurs.

— Parce que c'est une fille ?

Il haussa les épaules, puis rougit parce que sa désinvolture en faisait implicitement un membre du patriarcat. Elle l'appréciait de plus en plus.

— Je ne sais pas. Je crois que c'est elle la plus brillante des trois. C'est ce que disait Omar, mais je ne l'ai jamais rencontrée. Il disait qu'elle était vraiment forte. Et complètement frappadingue. À tel point qu'il n'a jamais voulu nous la présenter.

— Frappadingue ? répéta Morrow. C'est-à-dire ? Elle sort avec des voyous ? Elle boit ?

— Non, non, mais… Je ne sais pas… Plutôt le contraire, en fait… Il était sûr qu'elle partirait de chez ses parents dès qu'elle aurait seize ans. « Comme un rat bien gras » – c'était son expression. Je l'ai trouvée drôle, c'est pour ça que je m'en souviens, ajouta-t-il en souriant.

Alex hocha la tête et nota de se renseigner à Shawlands au sujet d'Aleesha.

— Donc, Omar prétendait que son père possédait plusieurs magasins ?

— Non. Non, maintenant que j'y pense, l'argent n'était pas un problème pour lui, c'est tout. Son affaire démarrait bien, il avait du fric. Il gagne sûrement bien sa vie, maintenant.

— Vous savez dans quelle branche il travaille ?

James la regarda comme s'il ne s'était jamais posé la question.

— Je ne sais pas. Je ne crois pas qu'il me l'ait dit.

— Mais il s'en sort bien ?

— Mon Dieu oui ! Il m'a montré une photo de la voiture qu'il venait d'acheter. Une Lamborghini, rien que ça.

— Pas mal, hein ?

— Ça !

— Et d'un beau bleu…

— Bleu ? Il me semble plutôt qu'elle est jaune… Jaune banane.

— Ah, peut-être. Où l'a-t-il achetée ?

— Euh…

Il la regarda, interloqué. Si Morrow avait été du genre à donner des conseils, elle lui aurait déconseillé le poker.

— Il y a un concessionnaire à Glasgow ?

— De l'autre côté de l'autoroute…

— Bref, vous vous êtes vus, récemment ?

— Oui, nous nous sommes croisés le mois dernier.

Troublé par la présence de Gobby qui transpirait dans son manteau, il lui jetait des regards à la dérobée.

Gobby avait tout du vieux flic de cinoche : la bedaine, la carrure, le manteau qui le gênait aux entournures et le costume mal coupé. James avait fini par se rendre compte qu'il s'agissait d'un interrogatoire officiel et pas d'une conversation à bâtons rompus. Elle devina qu'il allait rentrer dans sa coquille.

Un gouffre s'ouvrit entre eux lorsqu'il s'enfonça dans son fauteuil et croisa élégamment les jambes.

Elle savait d'expérience qu'il ne servait plus à rien de se montrer chaleureuse, ça ne marcherait pas.

— Il vous a parlé de cette voiture lorsque vous vous êtes vus le mois dernier ?

— Euh, je ne sais pas, je crois…

Il parlait avec circonspection, en prenant le temps de réfléchir.

— Où a eu lieu cette rencontre ?

— Où… ?

Morrow rajusta sa jupe. Elle n'avait pas dormi depuis trente heures, elle se sentait faible, tout à coup, vaguement nauséeuse.

— Vous avez des raisons de soupçonner Omar ?

— Quoi ?

— Vous paraissez méfiant. Est-ce que vous avez des soupçons à son égard ?

— Mon Dieu, souffla-t-il en se penchant en avant. Absolument pas, non. Absolument pas !

— Bien, dit-elle en s'adoucissant. Alors, dites simplement la vérité. Où vous êtes-vous rencontrés ?

— Au Tunnel Club.

— Au Tunnel Club ?

— On était dehors, en train de fumer. Il a pris son portefeuille et il nous a montré une photo de la voiture.

— Il a précisé combien elle coûtait ?

— Non, mais il avait découpé l'image dans un catalogue et il avait laissé le prix, alors on l'a vu. J'ai trouvé que c'était bizarre, de laisser le prix… C'est vrai, puisqu'il avait découpé la photo, pourquoi laisser le prix dessus ? Cent quarante mille, environ.

— Environ ?

— Oui, vous savez : cent trente-neuf mille neuf cent quatre-vingt-dix-neuf… J'arrondis à cent quarante mille.

— Est-ce qu'à votre connaissance Omar a un autre prénom ?

— Un deuxième prénom ?

— Il va souvent au Tunnel Club ?

— Non.

— Et vous ?

— De temps en temps.

— Vous y êtes allé récemment ?

— Oui. La semaine dernière.

Elle se leva, et James l'imita. Il avait l'air effrayé.

— Omar est un chic type…

— Vous semblez le soupçonner de quelque chose.

— Est-ce qu'il est suspect ?

— De quoi ?

Ils s'affrontèrent du regard.

— De quoi le soupçonnez-vous, James ?

— De rien.

— Dans ce cas, pourquoi êtes-vous tellement prudent quand vous parlez de lui ?

— Prudent ?

Il se balançait d'un pied sur l'autre, mal à l'aise. Elle lui sourit avec sympathie.

— Une voiture à ce prix-là, c'est fou…

— C'est complètement dingue, oui, de mettre toute cette thune dans une bagnole ! À la rigueur, un type qui en a déjà une et qui a envie de s'en offrir une plus puissante, je comprends, mais passer de zéro voiture à cette caisse-là, c'est dingue… Il faut vraiment avoir gagné un tas de pognon très vite, non ? Et avoir envie que ça se sache, en plus. C'est vrai quoi, le type qui se paye une caisse pareille n'a pas spécialement envie d'être discret si vous voulez mon avis. Il a plutôt envie de prouver qu'il n'a rien à cacher et…

— Ouais.

Morrow attrapa son manteau. Debout en face d'elle, James se liquéfiait.

— Je ne sais plus ce que je raconte, balbutia-t-il. Je divague.

— Tenez, dit-elle en lui tendant sa carte. Si quelque chose vous revient appelez-moi, promis ?

Les yeux baissés, James se remémorait leur échange et sans doute s'efforçait-il de comprendre pourquoi il avait craqué. Elle lui tendit la main et attendit qu'il veuille bien la serrer, alors que Gobby s'en allait sans même le saluer.

Dehors, Gobby retrouva sa prestance. Il marchait la tête droite, il soutenait les regards curieux des étudiants et il ne leur cédait pas la place sur le trottoir.

— Vous l'avez bien eu le petit salaud, glissa-t-il, tout faraud maintenant que c'était terminé.

— Franchement Gobby, vous en tenez une couche ! Une vraie caricature de flic ! Même Jésus se méfierait de vous.

Piqué au vif, il allait répliquer mais la sonnerie du téléphone d'Alex l'en empêcha.

La voix de Bannerman était un soulagement.

— Ça y est, Morrow ! Ils ont analysé les empreintes trouvées sur le papier d'alu et ils ont réussi à les identifier. Il s'agit d'un certain Malki Tait. Le central nous envoie son dossier.

Morrow sourit en regardant sa montre. Quinze heures dix.

— Je suis là dans dix minutes.

— OK, répondit Bannerman. Mais dépêchez-vous. Nous devons être chez les Anwar à cinq heures. Pour aller chercher Omar. Vous avez appris quelque chose ?

— Des rumeurs selon lesquelles il aurait de l'argent. C'est vraisemblable.

— Merci Morrow, dit-il tranquillement. Merci beaucoup.

27

Aamir avait espéré un changement, le passage vers un ailleurs, vers le néant. Il ne s'était rien passé. Il avait attendu longtemps dans le noir, et n'avait ni vu ni entendu le moindre changement.

Lentement, malgré les élancements douloureux dans son poignet, malgré le sang qui coulait goutte à goutte entre ses doigts et qui imprégnait la poussière de rouille, lentement, malgré lui, il recommença à espérer. Il essaya de résister en se rappelant qu'il avait eu, un peu plus tôt, la certitude que rien n'avait de sens et qu'il avait gâché sa vie. Mais il n'était plus convaincu qu'elle ne valait pas la peine d'être vécue.

Le fléau de la balance avait bougé à son insu, et il commençait à le discerner, tout là-haut, tel un minuscule point lumineux dans les ténèbres, le moment proche où il n'arriverait plus à se rappeler clairement pourquoi, sur le coup, cette idée lui avait paru tellement bonne.

Un suicide, il faut que ce soit rapide, se dit-il. Quelqu'un qui veut se suicider peut toujours hésiter, oublier, changer d'avis. Aamir s'imagina la tête dans un sac en plastique, en train d'essayer d'arracher le cordon qui lui enserrait le cou. Il s'imagina repoussant la chaise sur laquelle il était perché, dans un garage sombre, une corde autour du cou, puis jouant des pieds et des mains pour retrouver un appui. Trop lent. Il s'imagina endormi dans une voiture emplie de gaz d'échappement, et les regrets qui abattaient sa main molle sur la poignée de la portière. Trop lent.

Lent. Il se demanda si le saignement de son poignet avait diminué, ou si c'était un effet de ce nouvel espoir. Il écarta les doigts. Un peu de sang visqueux tomba sur la poussière de rouille. Il effleura la coupure, elle ne saignait plus. Il tourna la tête dans l'obscurité. Il se sentait ridicule, presque gêné de s'être blessé. Honteux vis-à-vis de Dieu. Il imagina que ses fils le voyaient dans le noir et il toussota avec autorité, en se couvrant la bouche de sa main propre, la gauche. L'entaille se rouvrit sur son poignet. Ça faisait mal.

Lentement, parce qu'il ne pouvait rien faire d'autre, il se releva. Il prenait tout à coup conscience de ses genoux écorchés et douloureux, des élancements de douleur dans son poignet. Sa main droite était poisseuse de sang.

Quel gâchis ! murmura Johnny Lander. Il avait dit ça à Aamir en parlant d'un alcoolique qui était entré dans la boutique pour acheter des cigarettes. L'homme avait une bestiole morte collée sur la joue. Quel gâchis !

Les bras écartés pour ne pas perdre l'équilibre dans l'obscurité répugnante, Aamir suivit la paroi en tâtonnant. Il arriva devant la porte par laquelle il était entré. De sa main pleine de sang, il en suivit les contours.

Parfaitement close, elle ne laissait passer aucun souffle d'air, aucun trait de lumière.

Faute d'une meilleure idée, il frappa poliment contre le battant, trois petits coups qui résonnèrent bruyamment à l'intérieur de sa prison. Puis le silence. Il n'y avait personne de l'autre côté.

Tout à coup, un crissement métallique fit vibrer la cuve. Il y eut une pause, un bang sonore et la porte s'entrouvrit. L'éclat de lumière obligea Aamir à reculer en s'abritant les yeux derrière sa main ensanglantée.

— Nom de Dieu ! souffla une voix désincarnée.

Une silhouette blanche, un ange, se tenait sur le seuil. Un ange décharné.

— Oh mec ! La vache, qu'est-ce qui t'est arrivé ?

Aamir ferma les yeux pour se protéger de la lumière aveuglante. Il entendait clairement la voix. Pas un ange, non. Une racaille. Un timbre nasillard, haut perché, énervé. Une voix de junkie, oui, mais familière.

La porte s'ouvrit un peu plus. Blessé par la clarté trop vive, Aamir poussa un cri et la racaille entra dans la cuve.

— Pauvre petit vieux, tu es tout plein de sang. C'est les rats qui sont venus t'embêter là ou quoi ?

Aamir le reconnut, se souvint de ce qu'il lui avait fait et il explosa de honte et de colère. Il frappa l'homme de sa main valide. Le coup était maladroit, à peine une gifle, une chiquenaude. Aamir se détourna pour fuir la lumière insoutenable et, soulevant sa veste de pyjama, il offrit son dos aux coups.

Il attendit. L'émotion se dissipa. Il prit conscience des douleurs cuisantes qu'il ressentait dans le poignet, dans les genoux, sous les ongles et dans les mains.

Un léger frottement derrière lui. Est-ce qu'elle dansait, la racaille ? Ces petits pas, rapides, légers. Elle ne dansait pas, non, elle s'agitait sur la plate-forme en haut de l'échelle. Puis cessant de s'agiter, elle tomba.

Au moment même où Aamir comprit que le junkie essayait de retrouver son équilibre, l'autre bascula en avant et chuta dans l'énorme cuve. Il tomba lourdement sur le dos, dans un fracas de tonnerre. Aamir se couvrit la tête de ses mains, persuadé que le junkie allait se relever d'un bond et se déchaîner, le taper, le cogner, lui enfoncer son coude pointu dans les reins. Il ne bougeait pas. Un bruit de toux grasse. Suivi d'un martèlement saccadé qui devenait plus fort, plus rapide, plus soutenu.

La peur au ventre, Aamir osa quand même se retourner pour regarder du côté de la porte. Il aperçut un pied chaussé d'une basket blanche immaculée. Le talon qui tressautait sur le sol battait la mesure de plus en plus vite, follement vite, à une cadence inouïe, trop rapide. Cela s'arrêta net. Aamir attendit, la tête cachée entre les bras. Il surveillait le pied.

Le bruit de la pluie.

Une main en visière sur le front, Aamir regagna l'ombre qui régnait au fond de la cuve, et quand enfin il parvint à garder ouverts ses yeux qui le brûlaient, il se retourna.

Une racaille tout de blanc vêtue, la tête à demi couverte par sa capuche. Des jambes blanches, des poignets blancs, tout le reste aussi rouge que des roses rouges. Humide, sombre, le sang sourdait toujours. Aamir regarda sa main. Il tenait encore le petit morceau de métal. Il l'avait cru plus grand, dans l'obscurité. Il était tranchant. Pas là où il le croyait, pas le long de la lame, mais juste au bout. Et il étincelait.

Très prudemment, Aamir s'avança vers les jambes blanches. Il examina le visage de l'homme. Le sang giclait de son cou comme le pétrole jaillit du sol. Le contraste s'accentuait petit à petit entre la peau livide qui prenait l'aspect d'un marbre blanc veiné de bleu et le chaume dru d'un beau roux qui recouvrait ses joues. Les yeux roulaient sous les paupières. Bleus comme une veine sous une peau blanche.

Il sut soudain où il avait entendu cette voix. Dans la chambre, le garçon lui avait offert des bonbons en s'excusant pour le manque de confort. Aamir n'avait pas pris les bonbons de crainte qu'ils soient empoisonnés, mais il avait été impressionné de voir que les arguments religieux qu'il mettait en avant étaient compris, et respectés.

Aamir regarda la blessure de son poignet. Elle ne saignait plus du tout, quelques gouttes de sang séché dessinaient comme un bracelet.

Lentement, Aamir se mit à genoux. Il resta longtemps dans cette position, jusqu'à ce que ses genoux soient si raides qu'il puisse à peine se relever, jusqu'à ce que la douleur remonte dans ses hanches et dans son dos contusionné. Alors, il s'assit.

Derrière la porte, le soleil baissait, la nuit s'apprêtait à engloutir le jour. C'était l'heure de la prière, mais Aamir ne pouvait pas prier. Il ne pouvait pas se présenter à Dieu. Gardant les yeux fermés et pleurnichant doucement, il regagna à tâtons la zone obscure, à l'autre bout de la cuve, et attendit son destin.

Morrow et Bannerman éclatèrent de rire en découvrant la tronche photographiée dans le dossier que le central leur avait fait parvenir. Ils riaient de soulagement, bien sûr, parce que enfin ils tenaient une piste, mais ils riaient aussi pour se moquer de Malki Tait et de sa gueule à l'envers.

Il s'était pomponné pour une soirée de folie. Bien qu'il fasse très écossais avec sa peau très pâle, ses cils et ses sourcils d'un orange éclatant, Malki avait teint ses cheveux en noir et les avait coupés au bol. Le noir était uniforme, et si lustré et bien peigné qu'on aurait dit qu'il portait une perruque. Un bout de tissu qui pouvait passer pour une cravate bouffait sous le col de sa veste grise à épaulettes. Selon le dossier, il avait été arrêté devant une boîte de nuit, le Rooftops, la poche pleine de pilules. Trop pour sa consommation personnelle, mais pas vraiment assez pour être accusé de dealer. Plus que son accoutrement, c'était sa tête qui déclenchait leur hilarité. Une personnification du sentiment d'injustice. Les coins de sa bouche tombaient, ses sourcils étaient curieusement relevés. L'image parfaite du petit impudent qui vient de se faire prendre les doigts dans le pot de confiture.

— Regardez, dit Morrow en tapotant le dossier. Vol de voitures et récidive. Il a déjà brûlé quelques bagnoles.

— Et c'est un Tait, souligna Bannerman.

Morrow opina. Ça ne pouvait pas être une coïncidence. Ils tenaient enfin quelque chose de solide. Elle se leva.

— Je vais prévenir MacKechnie.

— Non. Je vais le mettre au courant moi-même.

Il s'était levé si vite qu'il avait failli renverser sa chaise, dans sa hâte à annoncer lui-même au chef les nouveaux développements de l'enquête. Il saisit sa veste sur le dossier de sa chaise, l'enfila et resserra son nœud de cravate sans la regarder.

Morrow se rassit et le fixa, le visage de marbre, murée dans le silence. Pour sortir, il devait forcément passer devant elle.

— Vous avez fait du bon boulot, Morrow.

Il ne voulait pas qu'elle l'accompagne et partage ce moment de gloire avec lui, mais il n'osait pas le lui dire en face.

— Ouais. Félicitations, déclara-t-elle en le regardant droit dans les yeux.

Mal à l'aise, Bannerman consulta sa montre.

— Quatre heures et quart.

— Oui. Il va falloir aller chercher Omar, dit-elle en se levant.

Bannerman cilla, laissa son regard errer sur le bureau. Quand il releva la tête, il n'y avait plus aucune chaleur dans son attitude.

— J'irai moi-même avec une patrouille. En attendant, voyez plutôt s'il y a quelque chose à tirer du disque dur que nous avons trouvé dans la cabane de jardin.

Il recula et pivota d'un quart de tour, dans une attitude qui lui signifiait clairement de s'occuper séance tenante de la tâche qu'il venait de lui assigner. Morrow carra les épaules et s'avança crânement vers la porte, qu'elle franchit en le fusillant du regard.

Bannerman rajusta machinalement sa cravate dans le couloir. Il s'arrêta devant le bureau de MacKechnie, se racla la gorge avant de frapper, poussa le battant quand le chef l'y invita, mais comme Morrow l'avait prévu il resta sur le seuil. L'enquête avançait, il était pressé de s'y remettre, il tenait simplement à transmettre les bonnes nouvelles au chef. Il n'entendit pas Morrow se glisser derrière lui, pas plus qu'il ne remarqua qu'elle se trouvait elle aussi dans le champ de vision de MacKechnie, comme s'ils étaient venus ensemble. Avec une modestie affectée, il relata les divers événements de la journée, mais en parlant à la première personne. Morrow le dévisageait et jouait si bien les offusquées qu'elle finit par attirer l'attention de MacKechnie.

— Les Tait ? demanda MacKechnie en la regardant. Ça alors !

— À vrai dire, répondit Morrow dont la présence fit sursauter Bannerman, il s'appelle Tait, en effet, mais nous ne savons pas encore s'il y a vraiment un lien. D'après son casier, ce n'est qu'un junkie, il deale à l'occasion. Toutes ses arrestations sont liées à la drogue ou à des vols de voitures. Il vit à Cambuslang, c'est peut-être un cousin éloigné.

— Je n'ai pas…

Bannerman s'interrompit de lui-même.

— Quoi qu'il en soit, ajouta Morrow, les mains levées dans un geste d'apaisement, il me reste un certain nombre de détails à vérifier. Je vous laisse aller chercher Omar Anwar, Bannerman, d'accord ?

Elle s'éclipsa à reculons, un sourire de triomphe sur les lèvres.

Eddy respirait par le nez. Penché sur le volant, il soufflait comme un taureau, prêt, aurait-on dit, à sauter sur la première personne qui croiserait son chemin.

Pat aurait pu lui demander ce qui se passait avec sa fille, comment elle allait, si c'était son anniversaire et tout. Il était au courant, il aurait pu s'y intéresser. Il aurait dû comprendre qu'Eddy avait besoin de parler, d'expliquer que c'était à cause de son ex qu'il avait oublié l'anniversaire de la petite, mais bien sûr Pat était payé pour savoir que ça ne ferait qu'aggraver les choses. Chaque fois ça tournait mal, quand Eddy abordait le sujet de son ex. Pat avait passé des nuits et des journées entières à l'écouter ressasser les crimes qu'il reprochait à son ex, débiter les mensonges les plus farfelus pour essayer de se convaincre que c'était elle, la vraie fautive, qu'il n'était responsable de rien.

Pat n'avait jamais aimé cette bonne femme, même quand tout allait bien entre Eddy et elle. Il fallait toujours qu'elle l'ouvre, c'était clair qu'Eddy n'était pas à la fête. Et Malki se trompait, leurs gosses n'étaient pas sympa. Ils étaient à moitié sauvages. Pat avait grandi dans une famille nombreuse, mais avant de rencontrer les gosses d'Eddy il n'aurait jamais imaginé que les enfants pouvaient faire un raffut pareil, et pendant aussi longtemps.

Bref, Pat s'était bien gardé de poser des questions, et Eddy, qui commençait à voir rouge, essaya de lui tendre une dernière perche.

— On peut pas leur faire confiance à ces salopes, grommela-t-il.

Tourné vers la vitre de la voiture, Pat repensait à la froideur du mur de l'hôpital Victoria sur sa paume, à ses doigts engourdis. À ce souvenir, il sourit à la main posée sur son genou.

— J'espère que tout se passe bien pour Malki.

— Y a intérêt, vu le fric qu'on lui file !

Pat avait envie de dire que ce n'était pas si bien payé que ça, compte tenu de tout ce qu'il avait fait et de la peine de prison qu'il encourait. Malki était un chic type, on pouvait compter sur lui. Il n'y avait pas de danger qu'il boive jusqu'à ne plus tenir sur ses jambes, comme Shugie, qu'il aille se prendre une cuite dans un bar et qu'il crache le morceau au premier pochard venu qui s'empresserait de répandre la rumeur. Et Malki n'était pas non plus du genre à tuer un mec sur un coup de sang. Pas du genre à lâcher les noms de ses copains, à tout gâcher alors qu'ils auraient pu renvoyer tranquillement le pauvre vieux chez lui.

Pat pourrait changer de nom. Il s'imaginait vivre avec Aleesha dans un pays ensoleillé. Il la tenait par l'épaule, décontracté, elle souriait sans le regarder, les yeux fixés au loin, un peu comme s'ils posaient ensemble, comme si quelqu'un les prenait en photo tous les deux mais en y mettant un temps fou et eux, à la fin, ils n'en pouvaient plus de rester immobiles sans bouger.

Aleesha et Roy. Pat gloussa. Roy ? Il éclata de rire, se gratta la tête. Qui diable pouvait bien être Roy ?

Eddy freina trop brutalement. La ceinture de sécurité se tendit sur le torse et la taille de Pat. Se retournant, il vit Eddy qui levait la tête vers le pare-brise en scrutant le ciel pour repérer des caméras de surveillance. Ils étaient du côté de Maryhill Road, dans une rue qui devait être animée, autrefois, mais aujourd'hui tous les commerces avaient fermé et elle était à sens unique. Une cabine téléphonique solitaire était plantée au carrefour.

Eddy détacha sa ceinture. Soudain paniqué, Pat l'imita.

— T'inquiète, mon pote, j'y vais.

— Non. Moi, j'y vais.

Eddy avait son visage des mauvais jours, sa gueule de brute qui cherche la bagarre. Pat rattacha sa ceinture.

— OK, OK, comme tu veux.

Un muscle tressaillit sur la mâchoire d'Eddy, une petite crispation virile venue ponctuer l'affrontement qui n'avait pas eu lieu, et il claqua la portière derrière lui. Pat savait exactement comment il allait avancer dans la rue en jouant les gros durs. Il se refusa à le regarder. C'était mesquin mais il le méprisait et il le connaissait assez bien pour imaginer l'allure qu'il se donnait en relevant les épaules, en tournant sans arrêt la tête de droite à gauche, les yeux aux aguets, prêt à défier le sort qui lui rendait la vie impossible.

Rechercher les faits, les comparer, les classer, c'était un domaine dans lequel Morrow excellait. Elle ferma la porte de son bureau, s'assit confortablement devant l'ordinateur, et ouvrit le premier des fichiers d'Omar.

Un tableau Excel rempli de chiffres nébuleux, les années sur la ligne du haut, à partir de l'année en cours, et, dans les colonnes en dessous, des nombres qui allaient croissant selon une trajectoire résolument rectiligne. Elle se mit à rire toute seule en voyant, dans la dernière colonne, le chiffre de 80 000 livres tout rond. Pas un penny de moins ou de plus, rien après la virgule. Une plaisanterie, une fiction, un conte de fées qu'il se racontait le soir avant de s'endormir.

Elle étudia rapidement les autres fichiers : des imprimés de déclaration de TVA mal scannés. Pas de capital, aucune rentrée d'argent, il ne savait même pas remplir ces documents. Comme s'il avait entendu parler de l'escroquerie mais sans bien écouter.

— La mère de Malki Tait affirme qu'il est sorti à deux heures du matin et qu'il n'est pas rentré.

Sur le pas de la porte, Bannerman souriait. Comme il n'était pas franchement entré dans le bureau, Morrow n'était pas sûre qu'il s'adressait à elle. En tout cas, il n'avait pas l'air de lui tenir rigueur d'avoir gâché son petit moment de gloire, tout à l'heure, devant MacKechnie. Il semblait même parfaitement calme.

— Où est-il maintenant ?

— Elle ne sait pas.

— Il est parti à pied ?

— Il a quitté la maison en taxi ce matin. Gobby et Routher ont appelé les différentes sociétés, ils ont trouvé le taxi qui s'est chargé de la course. Il ne leur reste plus qu'à mettre la main sur le chauffeur pour savoir où il l'a déposé. Mais venez, dit-il en esquissant un pas en arrière. Omar est là-haut. Son avocate l'assiste. J'aimerais que vous soyez présente.

Elle fit un geste vers l'ordinateur.

— Honnêtement, je ne crois pas qu'il s'agisse d'une fraude à la TVA, Grant…

— On verra bien. Il faut l'interroger pour en avoir le cœur net.

Bannerman ne la regardait pas. Il souriait en traversant le couloir.

28

Omar suivait docilement son avocate, qui le guidait le long du couloir menant à la salle d'interrogatoire. L'air épuisé, à bout de fatigue, il avait les yeux rouges, comme quelqu'un qui aurait passé une nuit à faire la fête et qui commencerait juste à toucher terre. Morrow le vit les fermer serré à plusieurs reprises, comme s'ils étaient trop secs. Elle se sentait à peu près dans le même état que lui. Elle pensa à sa maison, et elle espéra que l'interrogatoire d'Omar allait traîner en longueur, qu'ils allaient découvrir de nouveaux éléments qui les obligeraient à de nouvelles vérifications. À bout de fatigue elle aussi, l'idée de rentrer chez elle lui paraissait au-dessus de ses forces.

C'était l'heure du thé et du changement d'équipes au commissariat, toutes les salles d'interrogatoire étaient vides. Bannerman choisit la 4, légèrement plus grande que la 3 et où la caméra, plus récente et fixée à mi-hauteur, filmait selon un angle assez large pour prendre leurs visages à tous. L'avocate, qui savait qu'ils seraient filmés, indiqua à Omar un siège qui tournait le dos à la caméra. C'était un coup risqué. Sur un enregistrement vidéo, la plus petite contradiction, une remarque sarcastique, un geste déplaisant sont du plus mauvais effet sur les jurés. Morrow se demandait ce qu'Omar avait raconté à l'avocate.

Bannerman s'était lui aussi aperçu du manège et insista pour qu'ils s'installent de l'autre côté de la table. Lorsque l'avocate lui demanda timidement pourquoi, il répondit que c'était lui qui posait les questions et qu'il voulait qu'ils soient dans le champ de la caméra, son client et elle.

Elle n'insista pas et ils changèrent donc de place, elle sur le côté, qui entreprit tout de suite de sortir ses dossiers et ses stylos, Omar contre le mur. Il changeait sans cesse de position sur sa chaise, croisait les mains sous la table, les posait devant lui. Morrow l'observait du coin de l'œil. La nervosité qu'il manifestait n'était pas celle d'un coupable. Il était seulement mal à l'aise.

En seigneur et maître qui connaît les usages, Bannerman attendit qu'ils soient tous installés pour se poser à son tour sur sa chaise. Au préalable, il déboutonna son veston et en écarta les pans, histoire peut-être de montrer qu'il pouvait dégainer rapidement. Puis il fixa Omar, qui lui renvoya innocemment son regard.

Morrow s'occupait de trier les cassettes. Il lui donna un coup de main. Penchés tous les deux sur l'appareil, ils attendirent le bip indiquant le début de l'enregistrement. Bannerman déclina leurs identités, indiqua la date et invita l'avocate à donner son nom.

C'était une jolie jeune femme blonde, beaucoup trop maquillée. Son blush rose nacré lui striait les joues, ses cils étaient chargés de mascara.

Omar paraissait encore plus mince que la veille, mais c'était sans doute simplement parce qu'il avait troqué la longue chemise et le pantalon bouffant de la tenue traditionnelle contre un tee-shirt noir en coton épais, barré sur la poitrine du slogan « Diesel » en jaune vif, et ajusté à sa taille étroite et à ses larges épaules. Le jean baggy qui lui tombait sur les hanches dévoilait une bande de caleçon blanc. Il ressemblait à un mannequin – pas à un top model aux allures de jeune dieu, mais à un de ces nouveaux mannequins audacieux à mi-chemin entre la laideur et la beauté.

Levant la tête, il reconnut Morrow.

— Oh, bonjour, re-bonjour, dit-il, les yeux écarquillés et pleins d'espoir.

Il était heureux de la voir, il n'avait pas du tout l'air d'un suspect.

Bannerman et l'avocate posèrent tous deux les mains sur la table pour arrêter la conversation.

— Finissons-en avec les formalités, proposa l'avocate.

Bannerman s'éclaircit la gorge.

— Omar, au cours de nos recherches, nous avons découvert un certain nombre de faits sur lesquels nous souhaitons vous interroger. En conséquence, vous êtes actuellement en garde à vue, et je vais vous lire vos droits. Vous comprenez ?

— Oui, oui, bien sûr. Parfait, répondit Omar en même temps que son avocate, qui confirmait que son client était disposé à coopérer.

Bannerman attrapa un feuillet plastifié et leur lut lentement, sans omettre une virgule, l'avertissement réglementaire. Lorsqu'il eut terminé, il vérifia d'un regard que l'avocate n'avait rien à ajouter. Elle fit non de la tête.

— Vous avez compris? demanda Bannerman à Omar.

— Oui, oui, répondit Omar, dont l'attention semblait pourtant avoir vagabondé pendant la lecture.

— Très bien. Omar, lors de l'interrogatoire de la nuit dernière, vous nous avez dit que les hommes qui ont fait irruption chez vous cherchaient…

— Rob, je sais. (Omar se passa une main hésitante sur les yeux et se tassa sur sa chaise.) Je sais, désolé. J'ai parlé avec Billal, il m'a dit que vous saviez pour Bob. Je suis désolé.

— … pas aussi désinvolte, marmonna l'avocate.

Omar se raidit et ouvrit ses grandes mains en un geste de supplication.

— Non, je suis sincère. Je suis vraiment désolé, je vous assure. C'est vrai, on a cru que ce serait plus simple, que ça risquait de tout embrouiller si vous vous mettiez à penser que ça avait quelque chose à voir avec moi.

— Quand avez-vous décidé de mentir?

Omar fronça les sourcils. L'insistance de Bannerman lui déplaisait, il trouvait grossière sa façon de s'appesantir sur les détails. Il avait tort. Bannerman avait pris les choses en main, c'est lui qui tenait les rênes, et Omar avait tout intérêt à ne pas jouer au plus fin avec lui.

Froidement, Bannerman reformula sa question.

— À quel moment de la soirée avez-vous décidé de nous mentir?

Omar leva les yeux.

— Euh… après avoir appelé les secours. À l'arrivée de l'ambulance, juste avant qu'elle arrive.

— Ça s'est passé comment ?

— Pardon ?

— Vous vous êtes tous réunis pour mettre au point votre propre version des faits ?

Il était inflexible.

— Non, non, non, en fait nous étions… Maman essayait d'arrêter l'hémorragie d'Aleesha, et ça nous est venu en parlant… l'idée, vous savez, qu'il valait peut-être mieux dire Rob au lieu de Bob.

— C'est vous qui l'avez eue, cette idée ?

— Je ne sais pas. Non, je crois que c'est Bill. Il me semble que c'est lui qui trouvait que c'était mieux de dire Rob, parce que j'ai des copains qui m'appellent Bob. Est-ce vraiment si grave ?

— Par conséquent, votre famille est au courant que vous portez ce surnom, Bob ?

— Oui. Bien sûr.

— Votre père aussi ?

C'était un bon point, Morrow devait le reconnaître. Bannerman avait bien joué ses coups. Omar fronça les sourcils.

— Est-ce que vous pensez à ce que votre père doit se dire, en ce moment ? Ces gens venaient vous chercher et c'est lui qu'ils ont enlevé à votre place, parce que vous n'avez pas voulu vous dévoiler. Qu'est-ce qu'il peut en penser, à votre avis ?

Les larmes aux yeux, Omar haussa simplement les épaules.

Bannerman se pencha vers lui.

— Vous vous entendez bien avec votre père ? demanda-t-il plus doucement.

— Non… pas trop. Un peu mieux depuis quelque temps.

Il parlait dans un filet de voix, comme un enfant intimidé ou honteux.

— Mieux depuis quelque temps ?

— J'essaie d'y mettre du mien.

— Pourquoi ? demanda Morrow.

Omar se passa la langue sur les lèvres. Il regarda tour à tour Bannerman et Morrow, hésita à leur présenter le mensonge qu'il avait sur le bout de la langue.

— Il m'a avancé le capital de départ de mon entreprise. À condition que j'accepte ses règles.

— Il vous a prêté la mise de fonds ?

— Oui.

Il aurait volontiers continué sur ce thème, mais Bannerman le ramena au point qui le préoccupait.

— Vous nous avez menti, vous avez imaginé ce nom, « Rob », pour nous faire croire qu'il ne s'agissait pas de vous ?

Omar acquiesça.

— Pourtant c'est bien vous que ces hommes venaient chercher.

— Non ! Non, non, ça n'a rien à voir avec moi…

— Ils sont venus vous chercher. Ces hommes étaient armés et c'est vous qu'ils voulaient, mais vous n'avez rien dit et vous les avez laissés emmener votre père.

— Non !

Indigné, Omar s'était levé d'un bond. Son avocate glissa la main sur la table pour lui faire signe de se rasseoir. Elle lui avait sûrement bien expliqué les choses, car il obtempéra tout de suite.

Bannerman s'apprêtait à parler, mais Omar le devança :

— Comme je vous l'ai dit, hier soir, j'étais dehors, dans la voiture. Ce n'est qu'en entendant le coup de feu que j'ai couru à la maison. J'étais… hébété, vous savez. Ma petite sœur était blessée, il y avait du sang partout, je ne faisais pas vraiment gaffe à ce que ces types disaient mais… Mais c'est vrai quoi ! Évidemment qu'en voyant tout ce sang partout et ces mecs qui avaient tiré j'ai dû me dire que ce qu'ils demandaient n'était pas bon pour nous mais je ne comprenais rien. L'idée qu'ils allaient l'enlever, c'était… Je n'y ai même pas pensé.

— D'accord, admit Bannerman, ça paraît vraisemblable.

Morrow, qui capta son regard au moment où il baissait les yeux sur ses notes, sollicita tacitement la permission d'intervenir. Il acquiesça d'un clignement d'œil.

— Pourquoi êtes-vous restés si longtemps dans la voiture, avec Mo ?

Il se passa à nouveau la langue sur les lèvres, en pesant le pour et le contre.

— OK. Nugget est plutôt croyant…

— Nugget ?

— Mon père. Tout le monde l'appelle Nugget à la maison.

— D'où lui vient ce surnom ?

— D'Aleesha. Pour se moquer de lui.

— Elle m'a l'air d'avoir un sacré caractère, Aleesha ?

Omar opina, sans dissimuler l'admiration qu'il portait à sa sœur.

— Oui, on peut dire ça comme ça.

— Vous diriez quoi ?

— Elle est dingue. Elle n'a peur de personne. Quand Meeshra a accouché, elle lui a dit de se casser si elle ne pouvait pas s'empêcher de crier.

— Il paraît que vous étiez sûr qu'elle quitterait la maison de vos parents dès qu'elle aurait seize ans.

— Ça m'étonne qu'elle soit restée, c'est vrai. Faut voir comment ils la traitent.

— Votre mère aussi ?

— Non, Maman l'admire. Je crois qu'Aleesha est tout ce qu'elle aurait voulu être. Nous, les garçons, ils nous ont envoyés dans des écoles privées, elle, ils l'ont mise dans le public. Vous savez pourquoi ?

— Votre père gagnait moins d'argent ?

— Pas du tout. Parce que pour lui c'est du gaspillage d'envoyer les filles à l'école. Franchement, il se croit encore au dix-neuvième siècle !

— Vous n'êtes pas d'accord avec lui ?

— Aleesha a lu tous mes livres, de sa propre initiative. Mes livres de fac. Elle n'a rien fichu en classe pendant tout le dernier trimestre, et pourtant elle est arrivée première à l'examen. L'école ne veut pas la laisser partir. Elle relève la moyenne de la classe.

— Est-ce qu'elle a un petit ami, ou des amis, qui auraient pu faire ça ?

— Non, affirma-t-il avec certitude. Elle passe son temps à travailler dans sa chambre ou à lire. Elle n'en sort que pour regarder la télé quand il n'y a personne dans le salon.

— Elle ne va pas à la mosquée ?

— Elle est athée, chuchota-t-il, manifestement très impressionné par sa sœur.

— Et elle ne s'entend pas bien avec votre père ?

— Elle lui dit d'arrêter de râler.

— Il râle beaucoup ?

— Tout le temps. Il appelle de la boutique, n'importe quand, pour vérifier ce qu'on fait, il trouve qu'on perd notre temps, qu'on devrait s'occuper à autre chose.

Omar n'avait pourtant pas l'air de lui en vouloir. Il en parlait avec affection, l'air songeur et triste, comme si son père lui manquait.

— C'est un homme très croyant ?

— Euh... maintenant, oui. Il y attachait moins d'importance, avant, il nous a envoyés dans des écoles catholiques, après tout. C'est Billal qui a commencé, il est devenu très pratiquant et Nugget s'y est mis, lui aussi, tout d'un coup ça l'a obsédé. En fait...

— Oui ?

Il haussa les épaules.

— Je crois qu'il vieillit, voilà. Il voit bien qu'on grandit, que la famille va se disperser. La religion, c'est un truc qu'on pourrait avoir en commun. Moi aussi je dois m'y mettre, c'est la condition pour qu'il m'aide à lancer mon affaire.

Elle sentait Bannerman, à côté d'elle, se raidir légèrement dès qu'Omar parlait de son affaire. Il réservait cette question pour la fin de l'interrogatoire, quand il porterait l'estocade, mais la spontanéité avec laquelle Omar y revenait sans cesse en apprenait autant à Morrow que les colonnes de chiffres du tableau Excel. Il n'avait tout simplement rien à cacher.

— Pourquoi Billal est-il devenu pratiquant ?

— Je ne sais pas, dit Omar en regardant ailleurs. C'est comme ça.

— Ça remonte à quand ?

— Deux ans, quelque chose comme ça.

— Un rapport avec le 11-Septembre ? Une réaction après coup ?

— Non, c'était bien plus tard. Vous savez, depuis le 11-Septembre je me fais beaucoup moins souvent insulter à cause de la religion, mais bon, c'est vrai aussi que je ne vais plus tous les jours à l'école dans mon uniforme vert et or.

Vert et or, les couleurs catholiques. L'école aurait aussi bien pu leur accrocher autour du cou un écriteau marqué « Crucifiez-moi ».

— On vous insultait beaucoup à cause de ça ?

— Sans arrêt, et il n'y avait pas que les insultes. Dans le train, les garçons nous jetaient des allumettes enflammées dessus.

— Pour récapituler, il y a environ deux ans, Billal s'est tourné vers la religion et votre père l'a imité ?

— Oui, ça lui est monté à la tête, il ne jurait plus que par ça. Il croyait que ça allait souder la famille alors que…

Et tout à coup ils n'eurent plus devant eux qu'un fils qui mourait de peur pour son père, tassé sur lui-même, le menton tremblant, horrifié par le rôle qu'il avait joué dans cette tragédie. Omar courba lentement le dos jusqu'à presque poser le front sur la table et il enfouit son visage dans ses mains. Puis, s'empoignant par les cheveux, il tira en arrière pour s'obliger à relever la tête en sanglotant à gros hoquets.

Bannerman rajustait son col. L'avocate feuilletait ses notes. Seule Morrow observait le garçon qui essayait de reprendre son souffle, l'échine ployée. Hagard, il s'essuya les joues, d'abord la droite, puis la gauche. L'avocate lui tendit un mouchoir en papier sans le regarder. Son geste signifiait qu'il devait arrêter, cesser de se donner ainsi en spectacle en embarrassant tout le monde.

Omar prit le mouchoir.

— Je ne suis pas… je n'ai pas la foi… Quand ces types sont arrivés j'étais… j'étais dans la voiture… parce que… avec Mo on a quitté la mosquée avant la fin des prières du Ramadan. Je savais que si je rentrais trop tôt à la maison, Nugget allait… se mettre en colère… J'attendais juste… que… l'heure passe, pour qu'il puisse croire…

— Billal a-t-il été influencé par quelqu'un ? demanda Morrow.

— Non, non.

— Il est devenu pratiquant spontanément ?

— Hmm.

Omar qui évitait de croiser son regard déglutit, comme pour ravaler ce qu'il s'apprêtait à dire.

— Je n'ai pas vraiment la foi, répéta-t-il.

Bannerman ouvrait la bouche pour parler. Morrow le devança.

— C'est votre père qui voulait que vous soyez avocat ?

Omar parut surpris, mais la déduction tombait sous le sens.

— Oui.

— Mais après votre licence vous n'avez même pas cherché un stage ?

— Non. Je ne suis pas fait pour ça.

— J'ai rencontré Tormod MacLeòid, dit-elle en guettant sa réaction.

— Ah ! Alors, vous devez comprendre pourquoi ce n'était pas pour moi.

— Vous opposer aux projets de votre père concernant votre avenir ne vous gêne pas, mais quand il s'agit de religion vous ne voulez pas l'affronter. C'est bien ça ?

— C'est différent, non ?

— En quoi ?

— Eh bien, pour lui la religion c'est... quelque chose à partager, entre nous et avec les autres. Nugget ne fait pas partie de grand-chose, il a eu une vie difficile... J'aimerais bien lui faire plaisir, parce que c'est mon père et qu'il finance mon entreprise, mais passer deux heures à la mosquée tous les soirs pendant le Ramadan...

Bannerman n'y tenait plus.

— Omar, quelle est l'activité de l'entreprise que vous venez de créer ?

— J'importe des voitures.

— Des voitures ?

— Oui, des voitures de prestige. Ici, elles ne durent pas longtemps, à cause du climat, mais on peut les importer d'Espagne ou d'Italie, par exemple. Pour bien moins cher. Du coup on les revend avec une sacrée marge.

— Combien coûte le transport par bateau ?

— Je ne sais pas. Les compagnies maritimes ne donnent pas leurs tarifs tant qu'on ne leur a pas précisé le volume du fret, mais sur Internet j'ai remarqué le différentiel du marché et des prix entre ici et là-bas. On peut facilement gagner trois, voire quatre mille par voiture.

— Et si c'était le prix du transport, justement? insista Bannerman avec un sourire narquois.

Omar n'avait visiblement jamais envisagé cette éventualité.

— Ce n'est pas possible.

— Vous êtes sûr? intervint Morrow.

— Ça ne peut pas coûter aussi cher.

— Pourquoi pas?

— Parce que, fit-il en haussant les épaules.

Elle repensa à Billal.

— Pourquoi avoir raconté à votre frère que vous importiez des puces de silicone?

— Des puces de silicone? ricana Omar.

— Exactement. Selon lui, vous importez des composants d'ordinateur.

— Billal est... On ne parle pas affaires ensemble.

Malgré ses efforts pour se contenir, son irritation était perceptible.

— Pourquoi avoir scanné des formulaires de TVA sur votre ordinateur?

— Oh, ça, il y a des tas de démarches administratives à remplir quand on monte sa boîte, sur Internet on peut tout télécharger. J'ai trouvé un tas de modèles de feuilles de paie, de déclarations d'impôts, juste en surfant. Pourquoi? demanda-t-il plus étonné qu'inquiet.

Bannerman ne laissa pas à Morrow le temps de répondre.

— C'est votre père qui a acheté la cabane de jardin?

— Oui. Et aussi un petit logiciel de comptabilité.

Ce projet de création d'entreprise ne tenait pas la route, Morrow n'avait jamais rien vu de plus mal ficelé, et pourtant Omar semblait convaincu qu'il pouvait marcher. Il fallait se rendre à l'évidence : bien qu'il soit incontestablement intelligent, ce garçon n'était pas le cerveau criminel qu'ils avaient imaginé.

Elle décida d'intervenir.

— Omar, expliquez-nous avec quel argent vous pouvez vous offrir une Lamborghini.

L'avocate releva brusquement la tête pour dévisager son client, et Omar se mit à paniquer.

— Une Lamborghini ?

— La Lamborghini, confirma calmement Morrow, ravie de son effet. Comment pouvez-vous vous offrir une voiture pareille alors que vous avez besoin de l'argent de votre père pour acheter un cabanon ?

— Euh… (Il toussota.) La Lamborghini… (Il se gratta nerveusement les joues.) Euh, en fait…

L'avocate se pencha vers Morrow.

— Je demande une pause.

— Vous venez d'arriver.

— Nous avons besoin d'une pause maintenant.

— OK. Dix minutes alors.

Bannerman nota l'heure, indiqua que l'interrogatoire était suspendu pendant quelques minutes et arrêta le caméscope.

L'avocate se leva.

— Je sors un instant dans le couloir avec Omar.

— Je viens aussi ?

— Oui, ordonna-t-elle au garçon qui n'en menait pas large.

Bannerman et Morrow avaient le sentiment qu'ils touchaient au but et que la victoire était à portée de main. Morrow vérifia sa tenue et son maquillage, ébouriffa ses cheveux, et retourna à Bannerman le sourire complice qu'il lui adressait. Ils avaient tous les deux assez d'expérience pour s'abstenir de commentaires à quelques mètres seulement de la personne qu'ils interrogeaient, mais Bannerman déchiffra aisément les mots que Morrow articulait en silence.

— Pas de TVA ?

Il rayonnait.

Puis l'avocate rentra dans la pièce, la mâchoire serrée. Elle avait décidé de changer de place et choisit une chaise dos au mur. Omar qui la suivait, tout penaud, s'assit à l'endroit qu'elle lui indiquait.

— M. Anwar souhaite faire une déposition à propos de la Lamborghini.

— Très bien, dit Bannerman en remettant le caméscope en marche. Omar, vous voulez nous parler de la Lamborghini ?

Omar s'éclaircit la gorge.

— Oui, affirma-t-il avec solennité, je tiens à m'expliquer sur ce point. J'ai en effet envisagé de commander une Lamborghini au garage Stark-McClure de Rosevale Road.

— Envisagé ?

— Eh bien, j'avais eu l'occasion d'essayer la voiture, j'ai versé des arrhes. En fait, c'est mon père qui les a versées, il voulait me faire un cadeau parce que j'ai décroché ma licence avec mention.

— Des arrhes ?

— Oui.

— Combien ?

— Deux mille.

— C'est tout ?

— Oui, le reste doit être réglé au moment de la livraison.

Bannerman eut du mal à garder son sérieux.

— Je suppose que vous avez un reçu prouvant que votre père a versé ces arrhes pour vous ?

Omar consulta son avocate, qui, du geste, l'incita sèchement à répondre.

— Le reçu est à son nom et il a payé avec sa carte bancaire. Les deux reçus sont dans un coffre-fort que mon père a installé dans la cuisine, sur le frigo.

Bannerman s'impatientait. Il avait l'impression de perdre le fil.

— Les gens qui ont enlevé votre père venaient pour vous, ils cherchaient Bob. Qui vous connaît sous le nom de Bob ?

— Des tas de gens. On m'appelle Bob dans les quartiers sud.

— À l'université aussi on vous appelait Bob ?

— Non.

— Vous avez fait partie des Young Shields ?

— Oui, quelque temps. Je vous l'ai dit, on me cherchait des noises sur le chemin de l'école… L'uniforme de Saint-Al ne passait pas inaperçu.

— Et vous avez quitté la bande. Pourquoi ?

— Quand mon père a découvert que je traînais avec eux, il m'a interdit de sortir pendant six mois. (Ses yeux s'ombragèrent à l'évocation de ce souvenir, mais il se reprit très vite.) Il a eu raison, en fait. Il a eu complètement raison. C'est à partir de là que je me suis mis sérieusement au travail. J'étais coincé à la maison, de toute façon, je n'avais pas vraiment le choix et c'est comme ça que j'ai commencé à avoir de bonnes notes à l'école…

Il parlait de son père et sa voix se brouilla. Luttant pour refouler ses larmes, il jeta des regards éperdus aux trois adultes qui l'encadraient. Cette fois encore, Morrow fut la seule à ne pas se détourner.

— Il va s'en tirer, vous croyez ? balbutia-t-il.

Elle n'était pas du genre à montrer de la compassion.

— Nous faisons tout pour, dit-elle simplement, mais vous devez nous aider. Qui a pu faire ça ?

— Je ne sais pas. Je ne vois vraiment pas. Qui a une arme ? C'est toute la question, non ? Qui peut bien avoir une arme comme ça ?

Bannerman, qui faisait semblant de compulser ses notes, reposa son dossier.

— Sur quoi d'autre nous avez-vous menti ?

Omar tendit ses mains ouvertes devant lui.

— Rien monsieur, je le jure.

Bannerman scrutait son visage.

— Omar, insista-t-il doucement, sur quel autre point nous avez-vous menti ?

Passablement perturbé, Omar se tourna vers son avocate.

— Je n'ai pas raconté d'autres mensonges. Je ne sais pas quoi dire…

— Bien, dit-elle. Je pense que nous avons terminé.

Bannerman frappa violemment du poing sur la table.

— Monsieur Anwar, nous sommes en train de vous interroger en tant que suspect. Ce n'est pas un jeu ! Nous essayons de retrouver votre père et vous êtes censé coopérer avec nous, pas faire entrave à la justice !

Bannerman avait mal dosé ses propos, il s'était laissé emporter, il avait trop haussé le ton. Personne ne bougeait autour de la table. Morrow fixait un postillon qui avait atterri devant les papiers de son collègue. La mince pellicule qui l'entourait se tendit, et la petite bulle de salive éclata.

Bannerman reprit ses notes. Il les tint un moment devant son visage pour s'abriter derrière et jeta violemment le dossier sur la table.

— Les kidnappeurs ont rappelé ce soir ?

— Oui, confirma docilement Omar.

— Vous leur avez proposé quarante mille livres.

— Oui, c'est ce que je leur ai proposé.

— Comment êtes-vous arrivé à ce montant ?

— Je suis allé à la banque cet après-midi. C'est tout l'argent qui se trouve sur nos comptes.

— Sur les comptes de votre père, non ?

— C'est l'argent de la famille. Il y a un compte commercial au nom de sa boutique.

— Et qu'ont répondu les kidnappeurs ?

— Ils m'ont dit d'aller me faire foutre.

— En d'autres termes, ce montant n'est pas suffisant pour qu'ils relâchent votre père ?

— C'est ça.

Bannerman serra les mâchoires.

— Omar, que penseriez-vous d'un homme qui pourrait disposer de la somme demandée comme ça (il claqua des doigts) pour libérer son père et qui ne paierait pas ?

Omar fronça les sourcils.

— S'il avait l'argent ?

— Un homme qui aurait cette somme dans une boîte à chaussures au fond de son placard, qui aurait énormément d'argent mais qui refuserait de payer ?

— Pourquoi ferait-il ça ?

Bannerman haussa les épaules.

— À vous de me le dire. Peut-être qu'il hait son père.

— Mais c'est quand même son père.

— Peut-être qu'il s'est procuré cet argent par des moyens inavouables ? Peut-être qu'il sait qu'il devra rendre des comptes s'il utilise cet argent ? Que diriez-vous de cet homme ?

Les yeux fixés sur l'angle d'un mur, Omar réfléchit au scénario proposé, puis tourna tranquillement la tête vers Bannerman.

— Je dirais que c'est un salaud, répondit-il simplement.

29

Ils en avaient tous les deux bien conscience. De toutes les nuits blanches sinistres qu'ils avaient partagées au cours des dix dernières années, celle-ci serait la plus longue.

Pat n'avait pu se résoudre à questionner Eddy sur cet anniversaire qu'il avait oublié, ni à le renforcer dans l'idée que tout était de la faute de sa femme, qu'elle aurait pu le lui rappeler plus tôt. Il n'avait pas pu s'y résoudre, et maintenant l'orage couvait. Il leur était déjà arrivé de se battre, à plusieurs reprises, parce qu'ils avaient trop bu ou pour des histoires de fric et parce qu'ils se laissaient tous les deux emporter par la colère. Là, seul Eddy était en colère. Sans discussion, sans avertissement, Pat lui avait faussé compagnie.

Eddy conduisait les dents serrées, les narines dilatées, l'air absent, comme s'il rêvait tout éveillé aux supplices qu'il allait infliger. Pat aurait préféré être sûr qu'il n'avait pas son arme sur lui. La sienne était restée derrière le tas de sacs-poubelle, dans la cuisine de Shugie.

La Lexus, qui roulait au pas sur le chemin sablonneux longeant le site de Breslin, franchit un remblai herbu et aborda l'allée cimentée pour s'arrêter devant le quai de chargement. Il était ouvert, assez grand pour que trois camions s'y garent à la file. Eddy mit le frein à main. Il contempla d'abord le trou noir de la porte, puis Pat. Il attendait.

Pat cligna des yeux. Le sac en plastique posé sur ses genoux lui brûlait la peau des cuisses. Ils s'étaient rabattus sur des plats chinois à emporter. L'huile qui s'était échappée du sachet des rouleaux de printemps formait une petite flaque entre les plis du plastique bleu. Ils n'avaient rien avalé depuis leur petit pain du matin, mais Pat n'avait pas faim malgré l'odeur appétissante qui montait du sac. Au bout du quai de chargement, l'ouverture béante le fascinait, lui aussi. Il cilla, tourna la tête vers sa vitre. Il avait envie d'ouvrir sa portière et de partir en courant, de traverser en courant les champs sombres et les marais où on s'enfonçait jusqu'aux genoux, de rejoindre en courant la grande route et de faire du stop pour rentrer en ville.

— Malki doit avoir faim, observa-t-il en constatant que ses paupières clignaient de plus en plus vite, comme pour effacer la nuit.

Eddy ouvrit sa portière, Pat l'imita. Ils sortirent dans l'obscurité.

L'usine de Breslin avait fermé depuis une bonne vingtaine d'années et le bâtiment tombait en ruine. Le linteau à encorbellement qui surplombait les portes du quai de chargement était tombé, obstruant le passage, et des ferrailles rouillées s'échappaient du béton. La végétation avait envahi la structure, colonisé les moindres fissures, disjoint les plaques et les blocs de béton avec une force tellurique.

Pat, qui précédait Eddy, tenait le sac du dîner avec autant de déférence et de respect que s'il portait une offrande. Il se baissa pour passer sous le linteau effondré et pénétrer dans l'entrepôt obscur. Ses pas sonnaient avec un bruit mat et sinistre sur l'escalier menant à la plate-forme. Il s'arrêta à l'entrée de la salle d'emballage pour que ses yeux s'accoutument à l'obscurité épaisse.

Eddy passa devant lui en levant haut son portable qu'il venait d'allumer. La lueur bleutée dissipait à peine les ténèbres. Jamais à court d'expédients, Eddy compléta l'éclairage avec une lampe stylo accrochée à son porte-clés.

Orientant le mobile en l'air et la lampe stylo vers le bas, il se risqua à l'intérieur. Pat le suivait, le sac collé contre la poitrine. Tout était parfaitement silencieux. Malki avait une petite radio, pourtant, ils lui avaient aussi laissé des bougies pour qu'il ait un peu de lumière, mais pour le reste il n'y avait pas à s'inquiéter. Malki saurait se débrouiller. C'était un junkie et les junkies sont comme les chats et les renards, ils ont le don pour se trouver des endroits confortables.

Pat et Eddy traversèrent sans mot dire la salle d'emballage. Cependant, en arrivant à la porte des ateliers, ils constatèrent qu'il n'y avait pas la moindre lueur, pas de radio en sourdine, pas de journaux étalés sur le sol pour un lit de fortune, pas de ronflements. Pat tourna la tête et tendit l'oreille sur le pas de la porte, dans le noir total.

Le sol des ateliers était en métal, de même que les tables fixées dedans à l'aide de boulons, et dont certaines avaient les pieds tordus, comme si on avait essayé de les arracher de force. Au fond de la salle, des marches métalliques conduisaient à l'énorme chaudière dans laquelle ils avaient enfermé la taie d'oreiller. Il y avait du métal partout dans cette pièce, une feuille morte n'aurait pas pu tomber sans qu'on l'entende. Le silence, pourtant, était absolu.

Malki aurait dû être là, mais les bougies n'étaient pas allumées et aucun son ne trahissait sa présence. Peut-être s'était-il caché en les entendant arriver ? Il avait peut-être cru que c'était la police et il s'était barré. Ça allait encore compliquer les choses.

Sans même s'en rendre compte, Pat murmura :

— Malki ?

Eddy se carra sur le seuil de la pièce à côté de lui, les jambes écartées, le torse bombé, et releva sa lampe stylo. Le mince rayon lumineux perça l'obscurité sur quelques mètres sans rien révéler alentour.

— Malki ? Où es-tu ?

Pat avait haussé la voix. L'idée le traversa qu'il aurait l'air d'un idiot, à s'inquiéter comme ça, quand Malki allait débouler derrière lui.

Tenant d'une main son portable et la lampe, Eddy attrapa au fond de sa poche un paquet de cinq bougies fantaisie. Il en déchira l'emballage avec les dents, prit un briquet, et laissa échapper les bougies qui tombèrent par terre. Il se baissa pour les ramasser, alluma le briquet, mais il y avait un fort courant d'air à l'entrée de la salle et le vent soufflait la flamme. Eddy pénétra plus avant dans l'atelier. Prudent, il se déplaçait en crabe, en avançant de biais. Ses pas qui claquaient sur le sol en métal créaient des échos qui envahissaient tout l'espace. Il posa les bougies au pied d'un mur, en ligne, et cette fois il parvint à allumer son briquet suffisamment longtemps pour embraser les mèches.

Pat l'observait. Accroupi, Eddy se balançait d'avant en arrière, d'arrière en avant, comme un homme pris jusqu'à la taille dans une mer déchaînée. Il le connaissait suffisamment pour savoir que lorsqu'il était dans cette espèce de transe il risquait de péter les plombs à tout moment.

Posant le sac du repas à ses pieds, il regarda autour de lui. Les bougies ne servaient pas à grand-chose. Leur pauvre lumière tremblotante luttait pour repousser l'obscurité, la pénétrait à peine et s'y perdait, engloutie, avec pour seul résultat de la rendre plus épaisse encore. Pat se concentra sur la forme de la chaudière. Il ne voyait rien sur les marches. En haut de l'échelle, hors d'atteinte de la faible lumière, la plate-forme disparaissait dans un vide noir. Il se risqua vers l'énorme cuve en appelant doucement son jeune cousin, l'implorant de sortir de sa cachette et priant en secret pour qu'Eddy ne soit pas armé. Si ce fou avait pris son flingue il s'en servirait au premier prétexte. Pat n'allait pas le laisser descendre Malki. Le gosse était incapable de se défendre. Comme son père qu'il avait à peine connu, Malki était un voyou, mais gentil, délicat. Il ne savait même pas courir vite.

— Je vais jeter un œil dehors, grogna Eddy.

Le bas du visage éclairé par l'écran de son portable, il ressemblait à un vampire d'Halloween.

— Non ! Attends une minute. Passe-moi cette fichue lampe.

La voix de Pat avait claqué sur le froid sol en métal, et il tendit la main.

Il saisit fermement la lampe accrochée à l'anneau des clés et, sans regarder ce qu'il faisait, les glissa entre ses doigts, pour s'en faire une arme si jamais Eddy s'en prenait à Malki.

Il se dirigea vers l'échelle soutenu par l'espoir de trouver sur la plate-forme une feuille de papier d'alu encore tiède ou une petite cuillère. Malki était peut-être tout simplement sorti pisser. Il était comme ça, Malki, il avait de bonnes manières et des idées bien arrêtées sur la façon de se conduire pour que tout reste propre. Pat posa le pied sur le premier barreau et se hissa vers le haut.

Lorsque l'étroit rayon lumineux dépassa la dernière marche, Pat s'aperçut que la porte de la chaudière était ouverte. Sa première pensée fut que Malki avait laissé la taie d'oreiller s'échapper et s'était enfui lui aussi. Il continua à grimper. Arrivé au sommet, il éclaira l'intérieur de la chaudière. Une jambe blanche, une casquette bleue, de travers, une rayure bleu sombre, humide. Du rouge.

Pat traversa la plate-forme pour entrer dans le ventre sombre de la chaudière.

Aussi immobile qu'une figure de cire, Malki était étendu à plat sur le dos, les bras en croix, un genou légèrement déporté sur le côté, tel un danseur qui exécute un entrechat. Pat lui prit la main. Rigide. Glacée. La bouche était ouverte, les lèvres découvraient les dents. Sèches. Les dents étaient sèches.

Un fracas derrière lui annonça l'arrivée d'Eddy qui escaladait les marches à toute allure. La lueur de son portable zébrait l'intérieur de la cuve de petits éclairs ternes, puis ce ballet cessa. Campé devant l'ouverture,

Eddy pointait l'écran de son portable sur le visage de Malki. Des éclaboussures écarlates s'éparpillaient sur ses joues, sur son front. Elles venaient de son cou, de la blessure aux bords déchiquetés qui s'ouvrait sur le côté comme si une chose affreuse avait jailli par là, d'entre les lèvres de la plaie, par cette bouche horrible d'à peine trois centimètres mais qui avait craché tout ce sang. Une flaque s'était formée sous le corps de Malki, détrempant son survêtement blanc. Il avait l'air vieux, décharné, alors qu'il était si jeune encore. Un gosse.

— Comment il a fait, ce connard, pour se faire dégommer par un Paki minable ?

Lentement, Pat se redressa. Il regarda droit dans le rayon de lumière, avec sur le visage une expression qui fit reculer Eddy.

— Mon téléphone…, dit-il simplement.

Eddy pencha la tête, sidéré, comme s'il ne l'avait jamais vu de sa vie. Pat passa devant lui, descendit l'échelle, gagna la sortie accompagné par le bruit de canonnade de ses bottes qui martelaient le sol.

Eddy le héla d'une petite voix :

— Hé, Pat ? Tu vas appeler sa mère ?

À grandes enjambées, Pat traversa la salle d'emballage et s'orienta vers le halo de lumière des portes du quai de chargement. La voix d'Eddy lui parvint de très loin, faible et ténue.

— Je t'attends ici ?

Il passa sous le linteau et traversa le quai de chargement puis la grande cour cimentée au pas de course. Il courait, de plus en plus vite, et quand il arriva en vue de la voiture une soudaine poussée d'adrénaline l'empêcha de s'arrêter. Il courut trois cents mètres, toute la longueur de la dalle en ciment, et arrivé au bout, pour des raisons qu'il trouverait plus tard incroyables, il s'accroupit afin d'en toucher le bord et se remit à courir vers la voiture. Il continua à faire du surplace près de la portière en levant haut les genoux vers la poitrine, de plus en plus vite, et en même temps il essayait d'accorder son rythme cardiaque à la cadence, il brandissait tour à tour les poings, se frappait la poitrine, haletait comme une femme pendant le travail de l'accouchement pour expulser la douleur, l'anéantir en l'épuisant.

Il se revoyait vingt-trois ans plus tôt, assis sur un canapé, si petit que ses pieds ne touchaient pas le sol. Tante Annie était à côté de lui. Elle soutenait avec ses mains la tête et le dos du tout petit bébé posé sur les genoux de Pat, pour la photo. Pat souriait, radieux, et le bébé tourné vers l'objectif faisait, sans que personne s'en doute, une affreuse grimace. Ils l'avaient découvert plus tard, en allant chercher les photos. Ils en avaient commandé deux tirages.

Une fois, Malki avait eu une petite amie qui ressemblait à une guenon avec son front bas, sa mâchoire proéminente. Quand elle l'avait plaqué, il avait pleuré une semaine entière.

Une portière de voiture, bleue, ouverte à la volée dans une rue de Shettleston une nuit de la Saint-Sylvestre où Pat, à pied sous une pluie glaciale, pestait le long du trajet de sept kilomètres qui le ramenait chez lui. Le visage espiègle et souriant de Malki, assis à la place du conducteur. « Taxi ? » Il avait treize ans.

Pat courut sur place jusqu'à ce que ses poumons menacent d'exploser. Son énergie disparut aussi vite qu'elle était venue. Il s'affala sur la voiture, se plaqua dessus, le visage collé contre le métal froid du toit et il n'arrêta de l'y presser que lorsqu'il sentit craquer l'arête de son nez.

Il se redressa, inspira profondément et bloqua son souffle. Des marais montait l'odeur de décomposition des herbes mortes qui pourrissaient dans l'eau. Sans penser à rien, Pat appuya machinalement sur la commande de la voiture et s'installa au volant. Il claqua la portière, régla le siège à sa taille, mit la ceinture de sécurité.

Il alluma les phares à l'instant où Eddy sortait du bâtiment en se glissant sous le linteau. Les faisceaux lumineux balayèrent le visage d'Eddy, bouche bée, les yeux écarquillés.

Pat lança la voiture dans un ample demi-tour sur toute la largeur de la cour en ciment et accéléra au moment de franchir le remblai et de s'engager sur le chemin.

30

Morrow rentrait chez elle. La circulation était fluide, et elle aurait aimé qu'elle soit plus dense, qu'il y ait un accident un peu plus loin pour la ralentir. Mais non.

Les habitants de Blair Avenue avaient fini de dîner, ils regardaient la télé derrière les rideaux tirés, allumaient les lumières à l'étage. Les enfants montaient faire leurs devoirs, les familles s'égayaient. Un homme promenait un vieux chien dans la rue. Il lui flattait le dos de temps en temps, pour l'encourager et lui rappeler qu'il fallait continuer. Trois adolescents observaient deux jeunes filles en train de bavarder au coin de la rue.

Chez elle, les rideaux étaient ouverts et il y avait de la lumière dans le salon, mais elle ne voyait pas le clignotement bleuté de la télévision. Ils avaient fait installer un éclairage programmé, pour des raisons de sécurité. Peut-être n'était-il pas encore là.

Prenant son courage à deux mains, elle retira la clé de contact et ouvrit sa portière. Elle posa un pied sur le trottoir, puis l'autre, claqua la porte et la verrouilla, puis, la tête basse, elle prit l'allée qui menait à la maison. Il avait un peu travaillé dans le jardin. Il avait arraché les mauvaises herbes et balayé les feuilles mortes qui jonchaient le pavage en brique. Il avait également nettoyé les marches de l'entrée.

Elle entrouvrait le battant quand elle entendit la radio dans la cuisine. Morrow sentit son menton trembler, ses joues devenir écarlates. Un grand frisson la traversa. L'appréhension. Pas ce soir, pensa-t-elle. Pas lui, pas ce soir.

Elle se vit, clouée sur le seuil de sa propre maison, et furieuse contre elle-même elle mit à profit sa colère pour pousser le battant et s'introduire à l'intérieur. Elle referma soigneusement derrière elle, laissa son manteau glisser de ses épaules et l'abandonna sur la rampe de l'escalier, posa son sac à côté, se dirigea vers la cuisine.

Assis au bout de la table, Brian travaillait sur son ordinateur portable. Il l'avait entendue et il la regardait avec une rancœur atténuée par le pli boudeur de sa bouche. La lumière blanche de l'écran qui se reflétait sur les verres de ses lunettes donnait à ses yeux l'aspect de lames de rasoir argentées.

— Alex… ?

— Salut.

Ce mot qu'elle aurait voulu léger pesait comme du plomb. Elle jeta ses clés sur le plan de travail.

— On a une affaire énorme sur les bras, je n'ai pas pu rentrer hier soir. Quarante heures que je n'ai pas dormi.

— Hum. Tu dois être épuisée.

La remarque était si stupide qu'elle faillit éclater de rire. Il n'avait pas bougé de sa chaise. Il la regardait en imprimant de petites rotations à une de ses larges épaules, comme s'il avait mal quelque part, et sa bouche avait un petit tic nerveux. Il attendait patiemment sa réponse.

— Exact, répondit-elle d'un ton neutre. Je suis épuisée. Et toi, comment ça va ?

— Bien. Mon cou est de nouveau un peu douloureux. Le plombier est venu, il a débouché la canalisation dans le jardin.

Elle attrapa le courrier sur la table pour se donner une contenance.

— Il a trouvé pourquoi elle était bouchée ?

— Du papier journal. Il dit que l'un des voisins utilise du papier journal et non du papier toilette. Il ne se décompose pas aussi vite.

Brian penchait la tête pour tenter de capter son regard, mais sans succès. Il attendit un instant, puis reprit :

— Pour moi, ce sont les étudiants qui habitent plus haut, chez les Bianci. Ils ont dû oublier d'acheter du papier et improviser avec les moyens du bord.

Il se força à sourire, paupières mi-closes, et lorsque le sourire s'effaça il ferma complètement les yeux dans une tentative pour masquer sa douleur.

— Je te fais couler un bain ?

Morrow n'aimait plus le grain de sa peau, ni la façon dont il tenait sa tasse, ni la fermeté de son regard.

— Je crois que je vais prendre une tisane. Tu en veux ?

— Je bois de la bière, dit-il en levant sa bouteille, l'air légèrement coupable. J'en avais besoin…

Elle se tourna pour remplir la bouilloire en se mordant la lèvre pour ne pas hurler.

Brian évitait le sujet, elle ne supportait pas de l'entendre parler de tout et de rien. Nerveuse, Alex pivota vers le placard où on rangeait les tasses et lança un avertissement.

— Mon Dieu, je suis complètement épuisée.

Elle attrapa un mug. Dans la bouilloire, l'eau commençait à frémir. Ne dis pas ça, Brian. Bordel, ne dis pas ça.

Brian fixait son dos. Elle lui échappait, il le sentait et il essayait de se rapprocher.

— Bah, tu sais ce qu'on dit. (Non Brian, ne le dis pas, pensa-t-elle.) L'eau bout plus lentement si tu regardes la bouilloire… Enfin, je ne t'apprends rien.

Il ricana pour cacher son embarras.

Morrow, les yeux toujours fixés sur la bouilloire, se mordit le doigt jusqu'au sang.

Dans le noir, le tissu tendu sur le plafond de la chambre dessinait une chaîne de montagnes. Morrow, qui s'en voulait de ne pas arriver à dormir, voyageait d'un bout à l'autre de la pièce sur les cimes déchiquetées, franchissait les cols et redescendait vers les plaines. Cela finit pas l'apaiser. Le plafond était large et sombre, il était difficile de se souvenir de toutes les crêtes. Ses pérégrinations l'occupaient depuis près d'une heure lorsqu'elle perçut un léger bruit au rez-de-chaussée. Un petit claquement, le bruit d'une porte qui se ferme. Elle tendit l'oreille, suivant les mouvements de Brian qui approchait lentement, inexorablement.

Il avait fini de travailler, avait repoussé sa chaise sur les dalles de pierre. Elle l'entendit fermer le couvercle de son ordinateur. Il alla dans le couloir, rangea le portable dans sa housse de protection, le mit dans sa mallette. Comme elle n'était pas avec lui pour le lui répéter, il devait sûrement se le réciter dans sa tête : prépare tes affaires pour que tout soit prêt demain matin.

Ses petites routines rassuraient Brian. Tous les jours il mangeait la même chose : du jambon et du fromage sur du pain complet, une pomme pour le dessert. Un homme prévisible, qui se sentait en sécurité dans le train-train de ses habitudes.

Elle était de nouveau à la moitié du parcours du plafond quand elle s'aperçut qu'elle ne pouvait plus localiser Brian qui avait cessé d'aller et venir. Mais bientôt le lave-vaisselle se mit en marche, la lumière du couloir d'en bas s'éteignit, elle entendit ses pas étouffés par le tapis de l'escalier se diriger vers la salle de bains pour le rituel du soir. Il allait se brosser les dents, fignoler avec le fil dentaire, se laver la figure, puis l'essuyer en trois coups de serviette : une joue, l'autre joue, le cou.

Mais Brian n'alla pas dans la salle de bains. Arrivé en haut de l'escalier, il sortit des schémas de la prévisibilité. Il s'était arrêté devant la chambre d'enfant. Elle tendit l'oreille, mais il ne bougeait pas. Brian était resté trop longtemps immobile pour avoir simplement oublié, ou s'être rappelé Dieu sait quoi. Il pensait qu'elle dormait, il se croyait seul et il entonnait sa mélopée funèbre dans le noir.

Brian pleurait doucement l'axe autour duquel son monde tournait autrefois, tandis que de l'autre côté de la porte, Morrow perdait son chemin dans les montagnes.

31

Il avait les jambes gourdes et les mains aussi, il ne sentait plus ni son visage, ni sa poitrine, ni son cœur. Debout au milieu des herbes qui lui arrivaient à la taille, Aamir, dos à la mer, contemplait le marais qu'il venait de traverser.

Dans la nuit, l'eau noire et calme avait l'aspect d'une solide dalle de verre posée sur un monde souterrain. Aamir ne savait pas comment il l'avait traversée. Ses vêtements mouillés le glaçaient, le froid lui rétractait la peau et ses muscles tressaillaient convulsivement, mais il contemplait cette étendue sombre, happé par le souvenir de la chaleur enfuie. Elle était là-dedans, elle s'y était perdue.

Il était resté tapi dans sa prison de métal pendant une éternité, les yeux fixés sur l'ouverture éblouissante de lumière, conscient puis oublieux de la présence du cadavre. Il avait cru voir le survêtement se fondre dans la poussière rouge de la route. L'instant d'après, il avait senti le vent sur son visage, au-dessus de sa tête des oiseaux volaient et ses pieds mouillés étaient devenus froids, puis ses mollets, ses genoux, son sexe. Ç'avait été une tâche herculéenne de lever haut les genoux pour continuer d'avancer, mais il en était venu à bout et sans jamais lâcher sa main, en la tirant derrière lui comme une poupée, une poupée lourde, une poupée morte.

Quelque part au milieu de l'eau noire, la main de sa mère avait glissé de la sienne, emportant avec elle le peu de chaleur qui lui restait dans le corps. Elle était dans l'eau, mais il n'avait pas le courage de retourner la chercher.

Le banc de sable sur lequel il se tenait commençait à s'affaisser sous ses pieds et Aamir s'écarta du bord. Il baissa les yeux. Il avait une pantoufle. Une seule. Elle était trempée, c'est pour cela qu'il avait tellement froid au pied. Il régla le problème de la façon la plus simple qui soit, en ôtant la pantoufle. Debout dans l'obscurité, il regarda ses orteils s'enfoncer dans le sable noir et humide.

L'air devenait moins opaque. Un oiseau s'envola une centaine de mètres plus loin. Levant la tête, Aamir distingua une lumière – une ampoule nue qui se balançait au bout de son fil dans le noir. Il leva le pied droit, fit un pas, puis un autre.

Eddy vit le soleil d'octobre se lever sur les marais et sortir mollement des nuages dans un halo jaune pisseux. Assis sur un bloc de béton au bout de la route, épuisé, les yeux brûlants de fatigue, il regardait les oiseaux quitter leurs nids au bord de l'eau. Au-dessus de l'estuaire, les mouettes volaient avec des cris de femmes énervées. Le froid le transperçait jusqu'aux os. Il avait mal à la tête à force d'avoir serré les dents toute la nuit.

Il se tourna vers la route. Il ne pouvait pas appeler de taxi, vu qu'il n'avait pas de quoi payer le putain de chauffeur. Six kilomètres le séparaient de la station-service la plus proche et il n'avait que deux livres et quarante-trois pence sur lui. Au départ, il en avait vingt, mais il avait presque tout dépensé chez le chinetoque et il n'avait pas pris sa carte de crédit. Il n'avait pas envie qu'on la lui pique.

Il examina ses mains dans la lumière chiche du soleil. Grasses à cause de la bouffe chinoise. Sales. Il frotta son pouce contre son index. La saleté se décollait en petits boudins sombres. Marron. Il observa de plus près ceux qui roulaient au creux de sa paume et la frotta, elle aussi. C'était du sang. Le sang du junkie sous la pellicule grasse de la bouffe chinoise. Et il avait mangé ça. Son estomac se souleva : dégueulasse. Il risquait d'avoir chopé l'hépatite B, le sida, n'importe quelle autre saloperie. Il fixa le soleil comme si tout était de sa faute. *Scandaleux*. Il le hurla. *Scandaleux*.

Dans le ciel, le soleil se battait contre les nuages bas. Eddy regarda les décombres de la cour de Breslin. Des gamins étaient passés par là, ils avaient cassé toutes les fenêtres encore vitrées, écrit des conneries sur les énormes murs blancs avec de la peinture. Ils avaient écrit des gros mots : *merde*, *con*, après quoi, sans doute à court d'idées, ils avaient lancé le pot de peinture sur le mur. Le pot était encore là. Rose vif.

Eddy se passa la langue sur les dents. Il repensait à son repas sanglant. Les emballages vides qu'il avait laissés dans le bâtiment allaient attirer les rats. Peut-être qu'ils lui mangeraient le visage. Son estomac se souleva une fois de plus à cette idée mais il serra les dents et déglutit. Dans les films, les rats mangeaient toujours le visage des morts, mais c'était peut-être une invention. N'empêche, ce serait aussi bien qu'ils le boulottent. On ne pourrait pas le reconnaître.

Il soupira, souleva ses fesses et attrapa son téléphone. Le témoin de la batterie clignotait. Eddy s'en était servi cette nuit, quand les bougies s'étaient éteintes, pour chercher par terre de quoi faire du feu. Il n'y avait pas un seul truc à brûler dans cette foutue usine.

Il regarda l'heure sur l'écran. Sept heures moins dix. Trop tôt, mais Eddy n'en pouvait plus d'attendre. Tant pis s'il l'autre râlait. Il appuya le portable contre son front et, les yeux fermés, il récapitula tout ce qui s'était passé, ce qu'il allait dire, ce qu'il allait taire. Puis il composa le numéro d'un doigt maculé de graisse et de sang.

L'Irlandais décrocha sans prononcer un mot.

— C'est moi, lâcha Eddy en cédant brusquement à une vague de fatigue qui le mettait au bord des larmes.

— Laisse-moi deviner, dit l'Irlandais. Vous n'avez pas le fric, c'est ça ?

— Exact.

Eddy avait prévu les arguments à aligner dès le début pour contrer les récriminations gênantes, mais il avait du mal à respirer et il craignait que sa voix le lâche.

— Que s'est-il passé ?

— On a… On a perdu… un homme.

— Perdu ?

L'Irlandais devait s'être assis dans son lit. En tout cas, maintenant il était attentif.

— Ouais. Perdu.

— L'otage ?

— Non, un des nôtres…

— Où est l'otage ?

Eddy regarda autour de lui, comme s'il y avait des chances qu'Aamir surgisse soudain devant ses yeux.

— Euh… Dans un lieu, euh… indéterminé.

— Indéterminé ? Indéterminé ?

— Une sorte de…

L'Irlandais s'était redressé sur ses oreillers, cette fois, Eddy l'aurait juré.

— Je résume, fiston, dis-moi si je me trompe : un de tes copains est mort et l'otage a disparu, c'est ça ?

Eddy n'aimait pas quand ils parlaient normalement ; ça rendait les choses plates et bêtes, sans espoir. Un nœud lui bloquait la gorge et il ne réussit qu'à bredouiller une espèce de « hmm, hmm ».

— De toute façon tu me dois les armes. (L'Irlandais paraissait soudain moins tranquille, moins pro. Il avait l'air inquiet. Il avait les jetons.) Tu entends fiston ? Je ne vais pas t'en faire cadeau, n'y compte pas.

Eddy regarda le téléphone avec un dégoût incrédule. L'Irlandais était censé être un professionnel, bordel, un dur. Les nouveaux n'étaient pas censés payer leur part tant que les choses n'étaient pas réglées. Eddy aussi était capable de jouer au mec qui crève de trouille. L'Irlandais souffla dans l'appareil.

— Il est parti, d'accord. Il est rentré chez lui, d'après toi ?

— Non, répondit Eddy en scrutant le marais.

— Mais il va rentrer chez lui ?

Eddy serra fort les paupières. Il n'avait pas envie de parler de ça.

— Non.

— Bien. Ils proposent combien ?

— Quarante mille.

— C'est tout ?

Quarante mille, oui. Eddy en aurait chialé.

— C'est tout. Dis, tu es certain que ces gens-là planquent du fric ?

— L'agent en est sûr. Il est d'ici, il nous a donné le plan de la maison, tout.

Eddy trouva cela intéressant, que l'Irlandais ait le plan et ne le leur ait pas refilé.

— Je dis ça parce qu'ils ont l'air de vivre normalement. La baraque n'est pas énorme et ils sont je sais pas combien à habiter là-dedans.

— Les Pakis sont comme ça. L'agent est sûr. Ils finassent, c'est tout. Accepte les quarante mille. Arrange le coup sans tarder. Ce matin.

— Mais quarante mille, bordel…

— Prends le fric et tire-toi, fiston. Tu les appelles, tu acceptes et tu fixes un rendez-vous immédiatement.

— Et je disparais ?

Eddy vibrait. C'était comme un exercice d'entraînement, un enchaînement de mouvements qui assure le succès de la mission. Il adorait ça.

— Bon…, reprit l'Irlandais. Tu as tout compris… ? (Eddy fronça les sourcils. Ce n'était pas la réponse qu'il attendait. C'était illogique.) OK, fiston, OK. Je t'explique : tu appelles, tu acceptes leur prix et tu fixes le rendez-vous pour ce soir à sept heures, d'accord ?

— Pourquoi ?

Un soupir excédé lui chatouilla les tympans.

— Écoute fiston, on fait ça tout le temps et on n'a jamais eu le moindre problème, vu ? Cette affaire est…

compliquée. C'est ton premier coup, tu n'as pas eu beaucoup de… d'assistance, mais tu te débrouilles. Tu montres de vraies qualités… Ouais, de vraies qualités.

Eddy n'était pas assez stupide pour penser qu'il avait démontré ses qualités ; il avait commis un certain nombre d'erreurs, au contraire, mais de l'autre côté de la mer d'Irlande ça ne se voyait peut-être pas tant que ça. Il avait pas mal menti. Vu de là-bas, le boulot paraissait sans doute mieux fait que vu d'ici.

— Tu dois continuer. On a besoin de types solides. Appelle, accepte et arrange une rencontre pour sept heures. J'arriverai par le ferry de cinq heures. Retrouve-moi à l'endroit habituel à six heures…

La voix se tut soudain, l'écran de l'appareil s'éteignit. Plus de batterie.

Aamir levait un genou après l'autre et il avançait pas à pas vers la lumière. Il y avait de l'eau par là, de l'eau qui bougeait, la mer. Il marchait sur un sentier caillouteux, il trébuchait souvent mais il continua à lever un genou après l'autre et il finit par arriver au but. Posée sur le sol, la grosse torche diffusait sa précieuse lumière sur une plaque de ciment. Derrière elle, un personnage vêtu d'un bon manteau bien chaud était debout face à la mer. En plissant les yeux, Aamir vit qu'il tenait une canne à pêche.

Il tourna la tête vers Aamir, le visage à demi masqué par la capuche du manteau. L'homme avait le même âge qu'Aamir, la même taille, mais il était écossais.

— Dieu du ciel, s'exclama-t-il, que vous est-il arrivé ?

32

Morrow ouvrit les yeux un bref instant, cherchant à lire l'heure affichée en chiffres rouges sur le radio-réveil, mais elle était tournée du mauvais côté, vers la place de Brian. La couette était bien tirée, son oreiller n'était pas aplati. Elle cligna des yeux et se retourna vers la fenêtre. L'aube pointait derrière les rideaux.

Le réveil indiquait sept heures dix-huit. Elle aurait pu se lever, c'était une heure raisonnable. Normalement, elle se serait levée. Elle se serait levée et elle l'aurait laissé dormir pendant encore quarante minutes. Elle aurait eu la maison pour elle seule, aurait allumé la radio, mangé un toast, seule, et serait partie avant qu'il ne se lève. Mais il était déjà debout, quelque part dans la maison.

Elle s'assit dans le lit, en faisant glisser la couette dont la chaleur se dissipa immédiatement dans la pièce froide. Le chauffage était réglé pour se mettre en route à sept heures cinquante. Elle aimait la fraîcheur des matins, tout comme le froid piquant sur son visage quand elle buvait un thé brûlant.

Elle s'assit et lança un regard haineux vers la porte fermée. Elle ne pouvait pas rester là. Elle avait besoin de faire pipi. Consciente d'être déjà de mauvaise humeur alors qu'elle venait à peine de se réveiller, elle s'ébroua pour dissiper le reste de chaleur, se leva, alla chercher des vêtements dans la penderie. Un chemisier propre, un tailleur qui rentrait du pressing, encore emballé dans sa housse en plastique. Il était marron, c'était son tailleur fétiche, celui qu'elle portait lors des interrogatoires. Elle se sentit plus forte après avoir enfilé le pantalon et passé la veste, plus alerte, plus armée. Elle mit ses chaussettes et ses chaussures et s'arrêta devant la porte pour se répéter les consignes : dès que tu es prête, tu files, tu n'engages pas la conversation, tu ne lui réponds pas.

Dans la salle de bains, elle se surprit à tendre l'oreille pour deviner ce qu'il était en train de faire. Elle se lava la figure, mit un peu de mascara qu'elle attrapa sur l'étagère au-dessus du lavabo, se coiffa sans se regarder. Le bruit de la chasse d'eau lui parut étonnamment fort, et elle regarda le tourbillon disparaître dans la cuvette. Où qu'il soit dans la maison, il l'avait sûrement entendue, il savait où elle se trouvait.

En bas, la radio n'était pas allumée. Son ordinateur était toujours là, sagement posé contre le mur. Son veston était suspendu à la patère près de la porte. En entrant dans la cuisine, elle constata que ses clés étaient toujours dans le vide-poches, mais Brian n'était pas en train de prendre son petit déjeuner ou de préparer son sandwich sur le plan de travail.

Furtivement, comme si elle allait chercher quelque chose dans son sac, elle retourna dans l'entrée et jeta un coup d'œil dans le salon. Personne. Les sourcils froncés, elle brancha la bouilloire, sortit quelques tranches de pain qu'elle mit à griller et se planta devant la fenêtre. Brian était dans le jardin, allongé en robe de chambre sur la vieille chaise longue défraîchie que ses parents leur avaient donnée. Le bois était abîmé, elle aurait voulu s'en débarrasser, mais il avait insisté pour la garder. Près de la chaise longue, éparpillées dans l'herbe humide, il y avait trois bouteilles de bière vides.

Immobile, elle l'observait d'un regard courroucé. Sa main glissa lentement sur le côté, vers les bouteilles, lentement et mollement, comme s'il était inconscient, comme s'il était mort. Overdose.

Morrow se précipita. D'un bond, elle traversa la cuisine et ouvrit la porte-fenêtre. Elle n'avait pas peur, elle était soulagée, heureuse, presque, d'avoir quelque chose à faire. Elle s'arrêta devant la chaise longue.

Brian portait des lunettes de soleil et un pull sous sa robe de chambre. Il avait des bottes aux pieds, une couverture recouvrait ses genoux. L'autre main n'était pas molle. L'autre main serrait un mug plein de thé froid. Il la regarda par-dessus ses lunettes, tenta de sourire, mais son regard flancha et resta fixé à hauteur de ses genoux.

Morrow s'accroupit près de lui et lui saisit le bras. Elle prit son ton professionnel.

— Brian, est-ce que tu as pris quelque chose ?

Il considérait les doigts posés sur son bras. C'était la première fois qu'elle le touchait depuis cinq mois, depuis la mort de leur fils. Elle le dévisagea. Il avait les yeux battus, rougis, mais Brian n'était pas triste et pas agressif non plus, il n'avait l'air ni content de lui ni contrarié, elle ne décelait aucune des petites nuances d'humeur dont il était coutumier. Elle ne connaissait pas ce Brian qui l'observait avec indifférence, un sourcil levé, comme s'il trouvait son geste impertinent.

Elle retira lentement sa main, mais leurs regards restèrent soudés. Il ouvrit la bouche et soupira :

— Je ne peux plus continuer.

Elle essaya de changer de sujet.

— Tu dois te préparer pour aller travailler…

— Alex, dit-il d'une voix parfaitement calme et mesurée, comme s'il avait répété cette phrase toute la nuit, je déteste l'homme que tu as fait de moi.

Le pêcheur avait posé un journal sur le siège de la voiture, il avait mis un sac en plastique par-dessus et il avait fait asseoir Aamir. Il était très gentil. Il avait retourné son gros manteau à l'envers pour éviter que la boue ne le salisse et il avait aidé Aamir à l'enfiler, un bras après l'autre, ensuite il l'avait emmitouflé dedans en serrant bien le cordon autour de la taille. Il lui avait même donné ses chaussettes, pour réchauffer ses pieds nus.

Aamir était assis dans la chaleur de la voiture. Il regardait les chaussettes sur ses pieds gelés. Des chaussettes grises avec des orteils rouges. Elles étaient thermiques, avait dit l'homme. Thermiques.

Il était seul dans la voiture. L'homme, dehors, finissait de ranger son matériel, de replier sa chaise de toile, de remettre sa canne à pêche dans la housse qu'il avait fabriquée.

— Pensez-y pendant que je remballe, avait-il dit.

Aamir devait réfléchir. L'homme lui avait confié un travail : penser. « Où voulez-vous aller ? »

C'était après l'autoroute, en bordure d'un grand rond-point, un endroit idéal, sûrement, pour attirer les gens que ce genre de choses fascine. Derrière la vitrine, les voitures de luxe polies comme des miroirs étaient rangées en diagonale et elles étincelaient au soleil, attirant la convoitise des conducteurs.

Le bâtiment était un cube de verre de deux étages, et une Lamborghini jaune canari trônait sur une plateforme métallique qui s'inclinait légèrement vers la vitrine à un mètre cinquante du sol, comme un présentoir de bijoutier.

Le garage n'ouvrait en principe qu'à dix heures, mais deux véhicules étaient garés derrière, un petit coupé BMW bleu gris avec des ouïes de requin sur les ailes, et une voiture de plouc aussi sale que la sienne.

Elle toqua contre une porte qui indiquait Livraisons et attendit une éternité. Elle frappa à nouveau, plusieurs fois, toujours en vain. À l'instant où, de guerre lasse, elle prenait son portable dans l'idée de demander le numéro du concessionnaire aux renseignements, une voix sortit de l'interphone encastré un peu plus haut dans le mur.

— C'est pour quoi ?

Une voix de femme, rêche et nasillarde.

Morrow leva les yeux. Un cône gris était fixé dans le mur juste au-dessus de sa tête. Une caméra avec un système interphone. Elle recula d'un pas.

— Je suis officier de police, répondit-elle sur un ton qui lui parut trop haut perché, un peu geignard. Je voudrais voir le directeur.

Un long silence, rompu par une voix masculine doucereuse.

— Bonjour, que puis-je faire pour vous ?

Morrow attrapa son portefeuille, l'ouvrit et le présenta à la caméra.

— Sergent Alex Morrow, du commissariat de Strathclyde.

Elle crut percevoir un juron, mais la porte s'ouvrit devant elle dans un bourdonnement et elle entra dans un corridor aux murs de béton froid. Elle monta deux marches, entendit la porte se refermer derrière elle avec un claquement sec. Quelques mètres plus loin, elle en franchit une deuxième et se retrouva dans le luxueux hall d'exposition.

Les vitres fumées donnaient à la salle cette ambiance feutrée des salons d'hôtels chics fréquentés par des hommes d'affaires très riches. Encore plus étincelantes dedans que dehors, les voitures aux lignes séduisantes et aux couleurs vives la firent penser à ces enfants briqués et astiqués qu'on aligne en rang d'oignons pour les proposer à l'adoption.

Une armée de radiateurs électriques encombrait la pièce, dispersant la chaleur dans cet espace ridicule, sans parvenir à en chasser une vague odeur d'humidité. Au fond, simple silhouette contre la baie vitrée, une femme boulotte en pantalon de jogging et tee-shirt passait l'aspirateur sur la moquette noire servant de support à une voiture.

Un homme venait à sa rencontre. Du même âge qu'elle, et de la même taille, il était soigné de sa personne à défaut d'être grand et beau. Les reflets argentés de ses tempes tranchaient avec un effet étudié sur ses cheveux bruns. Son costume gris bien coupé soulignait parfaitement ses épaules. Son sourire poli révélait une denture trop parfaite pour être vraie.

— Pourriez-vous me montrer votre plaque, je vous prie ?

Elle attrapa l'insigne et le lui tendit, notant au passage qu'il en connaissait le nom. Elle trouva cela intéressant. Il le lui rendit sans cesser de sourire.

— Merci beaucoup.

Devant le bel alignement des couronnes en céramique, elle ne pouvait pas s'empêcher d'imaginer le dentiste qui s'était acharné sur ses vraies dents armé d'un marteau et d'un ciseau.

— Nous devons être très vigilants à cause de la valeur des véhicules, expliqua-t-il. Que puis-je pour vous, madame Morrow ?

— Avez-vous un bon de commande au nom de M. Omar Anwar ?

— Hmm. Quelle marque ?

Il souriait toujours, sans paraître remarquer son air rogue. Morrow se sentit presque insultée.

— Lamborghini.

— Ah, Lamborghini…

Il leva les yeux au plafond. Elle remarqua que ses dents du bas étaient jaunies et abîmées, comme si elles n'appartenaient pas à la même bouche.

— Continuez à vous foutre de ma gueule et ça va barder. Je veux voir vos registres.

Il eut un mouvement de recul. Elle n'aurait jamais dû dire ça. Ce qu'elle avait fait à Brian, elle le faisait à n'importe qui. Tous les gens qu'elle rencontrait lui apparaissaient comme des connards minables. Elle n'était pas comme ça, avant. Elle pensa à Brian allongé dans la vieille chaise longue de sa mère et sa colère s'évanouit.

— Je suis désolée, je n'aurais pas dû… C'était grossier.

L'homme dévoila à nouveau ses dents.

— Vous y êtes allée un peu fort, en effet.

Elle balaya la pièce du regard.

— C'est humide, non ?

— On le sent, n'est-ce pas ? soupira-t-il. Il y a des infiltrations. Rien de dramatique mais nous sommes propriétaires des murs, nous ne pouvons pas menacer d'aller ailleurs si ça ne s'arrange pas. Nous sommes en procès avec l'architecte.

— Je vois, dit-elle en essayant de se montrer amicale.

— Écoutez, je ne peux pas vous montrer les bons de commande sans mandat. Je dois protéger mes clients. Ce serait très mauvais pour les affaires si nos acheteurs ne pouvaient pas compter sur notre discrétion.

— L'acheteur en question est ravi que nous puissions vérifier ce bon de commande. Si vous voulez, je peux revenir avec lui, ou vous pouvez lui téléphoner.

— Je pense que cette dernière solution serait la meilleure.

Le sourire avait reparu, plus appuyé cette fois, plus chaleureux.

— Vous devez comprendre, bien sûr, que beaucoup de nos clients…

Il s'éloigna en lui adressant un petit signe entendu.

Morrow se demandait si les clients en question étaient des truands, des dealers qui achetaient leurs voitures avec de l'argent mal acquis. Dans sa tête, elle le menaçait d'éplucher tous ses registres, elle convoquait les salopards, elle leur glissait au détour d'une phrase que c'était lui qui les avait balancés, elle leur filait sa photo, laissait échapper son nom, son adresse. Dans la vraie vie, elle se tint coite. Gerald était mort. C'était la première fois qu'elle le formulait clairement depuis qu'ils avaient quitté l'hôpital. Gerald était mort. Elle n'en avait soufflé mot à personne, tant cela restait inconcevable pour elle. Gerald était mort, mais tout le reste, le chaos qui régnait depuis, c'est elle qui l'avait créé.

Morrow refoulait ses larmes tout en marchant derrière cet homme sur le sol qui exhalait une odeur d'humidité. Elle aurait voulu revenir en arrière, vers le moment où elle avait posé la main sur le bras de Brian, avant qu'il la regarde.

L'homme l'entraîna dans un coin de la salle d'exposition, jusqu'à son bureau qui n'était jamais qu'une table au plateau incurvé, assez grande pour y travailler confortablement, mais accolée à trois autres strictement identiques. Il enleva son veston et le suspendit à une patère, puis il s'installa sur une chaise pivotante qu'il déplaça jusqu'à l'ordinateur. Les yeux fixés sur l'écran, les mains positionnées au-dessus du clavier, il ressemblait à un pianiste attendant le signal du chef d'orchestre.

Cela prit longtemps. Morrow entendait l'aspirateur ronronner derrière elle, et les radiateurs électriques bourdonner. Elle s'était éloignée de Brian depuis qu'ils avaient quitté l'hôpital, et plus précisément depuis le trajet dans l'ascenseur de l'hôpital, lorsqu'elle avait insisté pour transporter elle-même les deux sacs en plastique qui contenaient les affaires de Gerald, refusé qu'il lui prenne la poupée de Bob l'Éponge qu'elle avait coincée sous son bras. Jusqu'à maintenant, jamais elle n'avait pensé qu'elle aurait pu agir autrement.

L'écran qui venait de s'allumer la ramena à la réalité. L'homme se souleva de son fauteuil.

— Oh, au fait ! Je me présente, Bill Prescott. Directeur général.

Morrow serra la main qu'il lui tendait. Elle aurait dû lui demander son identité, bien sûr, il était incompréhensible qu'elle ne l'ait pas fait.

Morrow hocha la tête en toussotant discrètement. Embarrassée, elle se balançait d'un pied sur l'autre. La salle d'exposition lui paraissait surchauffée, brusquement. Un filet de sueur lui coulait entre les seins.

— Nous y voilà.

Prescott cliqua sur la souris pour ouvrir un fichier et, décrochant le téléphone, il composa un numéro sur le clavier de l'ordinateur. Il lui sourit en approchant le combiné de son oreille. Son visage s'illumina soudain.

— Bonjour, monsieur Anwar ? Omar Anwar ? Ici le garage Starck-McClure de Rosevale. Oui, oui… Oh, naturellement… Parfait. Monsieur Anwar, je suis en compagnie d'un officier de police… (Il écouta, les yeux fixés sur Morrow comme si elle participait à la conversation, son fameux sourire à un million de dollars toujours plaqué sur les lèvres.) Parfait. Donc cela vous va ? Vous avez pu réunir tous les documents demandés ?

L'air soudain soucieux, il opina et tenta d'interrompre son interlocuteur.

— Je vois. C'est remboursable, oui. Non, en principe on ne peut pas récupérer la totalité des arrhes, mais cet acompte est remboursable en effet. Bien… Oui, nous allons procéder au règlement. Comme je vous le disais, monsieur, tout cela est absolument… D'accord. D'accord ? Très bien, si vous pouvez vous déplacer et voir… Très bien, je vais effectuer un virement. D'accord. Parfait. Parfait. Au revoir.

Il s'inclina obséquieusement, reposa le téléphone sur son socle, puis, renversé contre le dossier de sa chaise, il écarta les mains en signe d'impuissance.

— Il a annulé sa commande. Il veut qu'on le rembourse. Il est d'accord pour qu'on vous remette son dossier.

Assise dans sa voiture sur le parking, Alex étudiait les photocopies. Le dépôt des arrhes portait la signature d'Aamir Anwar. Bill Prescott avait fini par lui expliquer que ce versement permettait seulement d'être inscrit sur la liste d'attente des acheteurs de Lamborghini et ne représentait en rien un acompte ferme pour l'achat de la voiture. Omar avait annulé son inscription et demandé que la somme soit intégralement reversée sur le compte d'Aamir.

Vingt mille livres. Autant dire rien. Pas de quoi prouver qu'il était mêlé à une grosse affaire de fraude internationale. Omar aurait pu économiser cet argent en travaillant dans un bar.

Les reçus confirmaient en tout point sa déclaration de la veille. Ce n'était pas net, pourtant. Trois enfants, un père plutôt pratiquant et qui avançait à son fils cadet, un garçon sans emploi, l'acompte qu'il réclamait pour s'acheter une Lamborghini ? Si encore il s'était agi de l'aîné. En plus, le père avait des goûts modestes, attestés par la petite camionnette blanche d'un modèle assez ancien, qu'il garait devant chez lui. Cette prodigalité ne lui ressemblait pas. Elle vérifia une fois de plus les documents.

Bill Prescott avait effacé le détail des opérations effectuées pour le compte d'Aamir Anwar, mais son nom figurait en toutes lettres sur les papiers. La veille, Omar avait déclaré qu'il pourrait vider ces comptes pour payer la rançon. Il en avait donc la signature. Rien ne l'empêchait d'acheter une voiture sans en souffler mot à personne, à partir du moment où il remboursait la somme.

Morrow en tira une déduction simple : Omar avait des rêves dorés mais il n'avait pas monté une escroquerie. Tout ce qu'on pouvait lui reprocher était d'être un rêveur optimiste dont les projets d'avenir ne tenaient pas la route.

Ils n'avaient rien, hormis les empreintes de Malki Tait et le semblant de piste indiqué par cette boulette d'aluminium.

33

Il régnait un calme inhabituel dans le service. Elle entra dans son bureau, se débarrassa de son sac et de sa veste. L'ordinateur de Bannerman était éteint, il n'y avait pas de tasse de café sur son bureau. Elle regarda dans le couloir. Le bureau de MacKechnie aussi était éteint, la porte fermée. Ils étaient partis ensemble. Ils étaient à la Brigade financière. Elle aurait dû les appeler du garage.

À l'inverse, le bureau des enquêteurs grouillait d'activité, les inspecteurs remontaient les pistes et étudiaient les indices, prenaient des notes, téléphonaient. Morrow se retourna. Dans la petite pièce en face, Harris était assis dans la même position que la veille, les yeux fixés sur l'écran, et il avait l'air de s'ennuyer ferme. Elle passa la tête dans l'embrasure.

— Tout va bien ?

— J'ai passé la moitié de la nuit sans dormir à cause de la migraine que j'ai attrapée en regardant ce truc, grogna-t-il.

— Mon pauvre Harris ! Où est Bannerman ?

Il se pencha et mit l'appareil sur pause.

— Vous n'êtes pas au courant ? Bannerman a pris un congé exceptionnel. Sa mère a une pneumonie, il paraît. Elle est à l'hôpital.

— Il a pris un congé ?

— Oui, il ne sait pas quand il reviendra.

Elle retint le pire juron de son répertoire en se mordant la lèvre, et retourna s'enfermer dans son bureau. Ce connard était en train de saboter cette saloperie d'enquête, parce que c'était un connard, rien d'autre, un salaud qui osait se servir de la putain de pneumonie de sa mère comme excuse. Tu parles de l'instinct du tueur ! Basta ! Connard !

MacKechnie avait tout à fait conscience de la situation difficile dans laquelle elle se retrouvait, suite à la défection de Bannerman, mais il était important que tout le monde se serre les coudes et le soutienne dans cette épreuve difficile.

— Par conséquent, conclut-il prudemment en caressant le plateau de son bureau, c'est vous qui allez le remplacer à la tête de cette enquête.

Morrow qui l'étudiait, assise en face de lui, déchiffra sans mal ce qu'il gardait pour lui. Si MacKechnie apprenait que son protégé tirait au flanc parce que l'enquête piétinait, il ne le laisserait pas s'en tirer comme ça. Ils s'affrontèrent du regard un long moment, et MacKechnie céda le premier.

— Vous m'avez carrément traité de raciste, rappelez-vous. Vous étiez tellement furieuse que je ne vous confie pas l'affaire que vous avez été jusque-là.

Elle se rendit compte qu'elle l'exaspérait tellement qu'il la détestait, à cet instant. Pas seulement parce qu'elle était une femme, pas à cause de sa manie de jurer à tout bout de champ, de sa brusquerie, de son accent des quartiers sud, du fait qu'elle n'avait pas d'alliés dans la maison. Ce qu'il détestait le plus chez elle, c'est qu'en réalité elle n'en avait rien à foutre de faire ceci plutôt que cela, de participer ou non, à un titre ou à un autre, à la vie du service rythmée par le ressac des crimes et des délits. Elle s'en fichait, car elle avait perdu tout ce à quoi elle tenait. MacKechnie percevait ce néant dans lequel elle se débattait, mais il sentait aussi qu'elle était inatteignable.

— Cette affaire est une belle opportunité pour vous…

— Cette affaire est merdique, et vous le savez. Tous les membres de la famille mentent comme des arracheurs de dents. Il y a trente-six heures qu'on est là-dessus, chaque minute diminue nos chances de retrouver l'otage vivant…

C'en était trop pour MacKechnie. Il se raidit.

— Eh bien, faites votre boulot, Morrow ! Sortez !

Harris effectua une manœuvre savante pour se ranger le long du trottoir. Il n'avait pas besoin de prendre autant de précautions, il y avait autant de place qu'on voulait, dans cette rue résidentielle où la plupart des gens se garaient sur les pavages de brique de leurs jardinets. Mais Harris était content d'être dehors, de ne plus regarder ces vidéos, et il s'informait des derniers développements avec un plaisir évident.

— Toryglen ?

— Oui. Il dit qu'il l'a déposé au bout de la rue principale.

— Il y a des Tait là-bas ? s'étonna Morrow.

— Non.

— Vous avez trouvé quelque chose sur les vidéos de surveillance de la boutique ?

— Des petites bizarreries, mais rien de très important. Je les ai notées et j'ai demandé à Gobby de les visionner, histoire d'avoir son avis.

— Vous me montrerez ça quand nous rentrerons.

— Oui. Mais vous savez, patronne, même s'il s'agit d'une fraude à la TVA je ne vois pas trop le rapport. Si ces gens ont piqué des millions au fisc, d'autres prédateurs les ont peut-être pris pour cible, mais ce n'est pas ça qui va nous aider à retrouver le pauvre petit vieux, et vivant, en plus.

— C'est vrai, acquiesça Morrow. Mais si nous arrivons à découvrir comment ils ont été pris pour cible, nous finirons par remonter jusqu'aux kidnappeurs. Et le jour du procès, aucun avocat n'osera se servir de cette histoire de fraude contre les Anwar. Évidemment, ça complique l'affaire.

— Ça, j'imagine, fit Harris en posant un pied sur la chaussée. Vous croyez que Bannerman a pris la tangente ?

Morrow n'était pas assez folle pour bafouer la hiérarchie.

— Inspecteur Harris, d'où vous vient cette supposition ?

Ils étaient face à face, chacun d'un côté de la voiture, il n'y avait personne autour. Elle posa la question autrement :

— Sincèrement, qu'est-ce qui vous fait dire ça ?

— Rien… La rumeur, vous savez.

Il n'était pas disposé à s'étendre sur le sujet. Elle apprécia.

— Sur moi aussi on doit jaser, non ?

— Non, patronne. Aucune rumeur ne court sur vous.

S'ils continuaient sur le même ton, ils allaient se faire des confidences. L'idée la mettait mal à l'aise.

— Et moi qui croyais que je me faisais tout le temps remarquer. Je suis nulle.

— Si vous voulez savoir, on dit quand même que vous êtes au bout du rouleau.

Elle en resta bouche bée. Elle n'avait jamais pensé que les gars s'inquiétaient pour elle. Touchée, Morrow regarda ailleurs pour cacher son visage.

Une longue rue courbe bordée de logements HLM qui ne payaient pas de mine. Les câbles de l'électricité et du téléphone couraient d'une maison à l'autre. Sous le crépi autrefois gris, les façades noircies étaient une métaphore architecturale d'une horrible maladie de peau. Plusieurs des logements avaient pourtant été rachetés par leurs locataires : çà et là, un porche en bois incongru précédait l'entrée. L'une des maisons avait été équipée de fenêtres de style Tudor, avec des vitres serties de laiton et des petits rideaux en dentelle. Les jardins étaient tous bien entretenus, avec des allées en gravier, des paniers fleuris suspendus aux murs, des pots de fleurs assez lourds pour dissuader les voleurs, des haies soigneusement taillées. Elle n'aurait pas choisi de vivre dans ce quartier, mais ses habitants avaient l'air de s'y plaire. Des jouets en plastique rose jonchaient un bout de pelouse, un ballon de football dégonflé traînait contre un trottoir. Cette rue qui se terminait en cul-de-sac constituait un parfait terrain de jeu pour les gosses. À cette heure-ci, elle était vide – les enfants étaient à l'école, leurs parents étaient partis travailler ou vaquaient à leurs occupations à l'intérieur. Au bout de l'impasse, une chapelle moderne se dressait sur une butte comme une ancienne prison communale.

Malki Tait habitait au numéro douze. De l'extérieur, la maison ressemblait à une pension de famille. De modestes figurines de porcelaine s'alignaient sur l'appui de la fenêtre : un berger allemand, un minuscule bouquet de fleurs, une souris en train de mordre dans un morceau de fromage. Le seuil venait d'être lavé. Encore humide, il portait les traces du balai-brosse sur le ciment plus foncé par endroits.

La porte à panneaux plats était peinte couleur bleuet vif. Ces gens-là n'étaient pas propriétaires, il n'y avait pas d'argent ici, la porte n'avait pas été changée depuis les années soixante-dix. Les actuels locataires n'avaient pas bougé depuis. L'organisme HLM remplaçait les équipements les plus anciens lorsqu'un nouveau locataire emménageait. Il proposait également à ceux qui restaient dans les lieux de remplacer les portes et les fenêtres, mais les plus anciens préféraient garder les choses telles quelles. Ils appartenaient à une génération qui ne voyait pas l'intérêt de changer au gré des modes le décor auquel elle s'était habituée.

— On parie sur une petite mémé ? proposa Morrow en appuyant sur la sonnette.

— Trop facile.

Des pas traînants, à l'intérieur, la voix ténue d'une vieille dame.

— Ça vient, ça vient.

Morrow sourit devant le battant clos.

— Madame Tait ?… Madame Tait ?

Harris et Morrow se regardèrent. Ou elle n'avait pas entendu Morrow, ou elle gagnait du temps. Malcolm Tait était peut-être en train de filer par-derrière.

Soudain fébrile, Morrow frappa du poing contre le panneau de bois pendant que Harris cherchait des yeux l'accès au jardin qui s'étendait à l'arrière. La porte s'ouvrit brusquement sur une femme mince qui penchait légèrement la tête en arrière pour les observer à travers ses lunettes à double foyer et à monture en plastique rouge.

Annie Tait portait un vieux pantalon de survêtement rouge, et une veste blanche qui laissait voir les bretelles de son soutien-gorge. Ses bras ne faisaient pas son âge mais les racines d'un gris suspect de ses cheveux teints en blond laissaient penser qu'elle avait été aussi rousse que son fils. Une vraie tignasse toute frisottée, que l'utilisation du sèche-cheveux n'arrangeait pas vraiment. On aurait dit une coupe afro aplatie par la pluie. Embarrassée de se présenter ainsi devant eux, elle leur tendit la main.

— Qui êtes-vous ?

Morrow avança d'un pas.

— Je suis l'inspecteur Morrow, et voici l'inspecteur Harris. Nous venons au sujet de Malcolm.

— Que se passe-t-il ? Vous l'avez arrêté ?

— Non, madame Tait, nous souhaitons seulement lui parler.

Annie referma un peu le battant, en se plaçant devant l'ouverture pour les empêcher de voir à l'intérieur de la maison.

— C'est pour que le froid n'entre pas…, expliqua-t-elle à Harris avant de se retourner vers Morrow : Je cherche Malki, moi aussi. Je passe ma vie à lui courir après, à ce garçon. Vous avez eu le numéro de téléphone de la compagnie de taxis ?

— Oui, nous l'avons. Nous aimerions avoir une petite discussion avec vous à ce propos.

— Comment ça ?

Annie baissa un peu la tête, pour essayer de mieux les voir à travers la partie supérieure de ses lunettes. Comme le résultat ne la satisfaisait pas, elle releva le menton et les regarda à travers la partie inférieure. La vision de ses yeux tour à tour rétrécis et agrandis par les verres donnait mal au cœur à Morrow.

— Vous voulez bien nous laisser entrer, madame Tait ?

Annie jeta un coup d'œil dans la rue, jusqu'à la chapelle, comme si elle voulait s'assurer que Jésus ne les espionnait pas, puis se résigna à ouvrir, mais en grimaçant, comme si elle ne pouvait pas refuser d'offrir un verre d'eau à un vagabond assoiffé.

— Oui, oui. C'est bon.

Harris suivit Morrow et referma derrière lui. Le couloir était étroit mais bien éclairé, peint en vert avec une moquette assortie. À gauche, une pièce donnait sur la rue, aussi bien tenue que chez les Anwar, mais avec un mobilier plus ancien et moins coûteux. À droite, un escalier menait aux chambres. Le mur le long des marches était couvert de photos de famille, toutes de Malcolm et d'Annie du temps où elle était rousse et où elle suivait la mode, prises dans le jardin devant la maison ou dans de grandes salles sinistres décorées pour des mariages, mais dans un endroit un peu exotique, jamais sur la plage. Le père semblait décidément absent, même sur les images.

Malcolm lors de sa première communion, droit comme un i en chemise et cravate, le visage solennel, les cheveux bien coiffés, un chapelet entre ses mains jointes dans un geste de prière. Cette photo avait été prise devant la chapelle au bout de la rue.

— Ah, il était mignon quand il était petit, soupira Annie. Mignon, remarquez, il l'est toujours mais pas pareil. Alors comme ça vous avez retrouvé le taxi ? D'habitude, il appelle toujours pour prévenir qu'il ne va pas rentrer. Enfin… quand il n'est pas trop défoncé pour s'en rappeler.

— Défoncé ? répéta Harris, qui pensait avoir mal compris.

Annie croisa les bras.

— Quoi, vous le saviez pas que Malki est accro à l'héroïne ?

Elle tendit le bras vers une pile de tracts photocopiés, posés par terre près de la porte.

— M.A.D : Mères Anti Dealers. C'est moi qui ai créé cette association, dit-elle fièrement en se touchant la poitrine.

— Belle initiative, dit Harris.

— C'est de famille, la drogue, reprit Annie comme si ça expliquait tout.

— Ah bon ?

Harris avait l'air à la fois perplexe et intéressé. Morrow, elle, était impressionnée.

— C'est bien, cette association. Au moins, vous agissez.

— Oh, ça permet surtout d'en parler entre nous.

— Hmm.

À court de questions, Harris se contenta de hocher la tête avec sympathie.

Annie sembla apaisée par ce geste. Elle les fit entrer dans la pièce de devant, leur proposa le canapé marron. Ils se posèrent dessus côte à côte. Un chromo du Sacré-Cœur de Jésus, tout en rouge et bleu, était accroché au mur, au-dessus d'un téléviseur énorme, antédiluvien. La moquette était élimée.

— Vous le voyez par vous-même qu'il n'y a rien de valeur ici, se rengorgea Annie. C'est ça de vivre avec les drogués. Il faut toujours les surveiller comme le lait sur le feu, sinon ils seraient capables de vous arracher les yeux de la tête, parole !

— Ça ne doit pas être facile tous les jours, dit simplement Harris.

— Le plus dur, c'est pour les mères. C'est pour ça qu'on a créé M.A.D.

— Vous fonctionnez comme un groupe de soutien ? demanda Morrow.

— Oh, pas seulement. On milite, vous savez. L'an dernier on a chassé deux de ces salopards du quartier.

— Chassé ? s'enquit doucement Harris.

Une moue hautaine sur ses lèvres pincées, Annie fit le geste d'enflammer une allumette et de la jeter. Morrow se souvint alors que la presse avait parlé de ces incidents, en évoquant l'hypothèse d'incendies criminels.

— Non ! C'est vous qui avez mis le feu ? C'est illégal, Annie, il aurait pu y avoir des morts.

— Je n'ai jamais dit que je l'avais fait, si ?

Elle colla sa langue contre sa joue, un peu méfiante, un peu coquette, comme si elle les mettait au défi de prouver sa culpabilité.

— Si vous repérez des dealers dans ce quartier, la seule chose à faire c'est de nous appeler.

Annie n'avait pas l'habitude qu'on la contredise.

— Ah ouais ? Eh ben c'est pas souvent que les flics se dérangent pour eux. Ils viennent jamais quand on les appelle. De toute façon chez vous c'est pareil, la moitié des flics se cament.

Morrow la foudroya du regard avant d'avertir Harris d'un simple battement de cils qu'il ne pourrait s'en prendre qu'à lui-même s'il l'obligeait à sortir de ses gonds. Consciente d'avoir dépassé les bornes, Annie prit un air contrit.

— Je m'excuse, dit-elle à Harris. Dieu me pardonne. Je le sais bien que vous faites de votre mieux.

— Vous avez déjà mis le feu quelque part ?

— Non, pensez-vous, lança-t-elle avec un regard en dessous. Je disais ça pour blaguer.

— Bien, conclut Morrow. Malki a pris un taxi hier matin pour aller à Toryglen. Nous pensons qu'il a probablement de gros ennuis. (C'était un mensonge, mais ça ne l'empêcherait pas de dormir.) Savez-vous s'il connaît quelqu'un là-bas ?

— À Toryglen ?

Annie était stupéfaite.

— Oui, Toryglen, dans les quartiers sud.

— Il va jamais par là-bas. Toryglen, vous êtes sûre ?

— Certaine.

— Mais ça coûte au moins vingt livres d'aller à Toryglen.

— Oui, confirma Morrow en compulsant ses notes. Dix-huit livres cinquante, pour être précise.

Annie était hors d'elle.

— Ben il a qu'à se les garder, ses problèmes, le salaud, et c'est pas moi qui vais payer pour lui. Si vraiment il avait tout ce pognon c'est pas dans la maison qu'il l'avait planqué, je vous jure. Avec tout ce qu'il me doit, le cochon. Y avait pas quelqu'un avec lui qui a casqué pour le taxi ?

— Non. Il a sorti un billet de vingt et il a encaissé la monnaie.

— Je vais le tuer !

— Qui voyait-il, ces derniers temps ? Est-ce qu'il travaille ? Essayez de nous aider, madame Tait. Est-ce que vous savez avec qui il traînait, ces jours-ci ? Hier ? Avant-hier ?

Annie était trop en colère pour réfléchir.

— Je vais le tuer. Que Dieu me pardonne, qu'il me vienne en aide…

Très agitée, elle se tourna vers la fenêtre, et soudain elle se figea et se mit à secouer la tête de haut en bas avec des petits mouvements saccadés, comme si elle communiquait en langage codé. Intrigués, Harris et Morrow se levèrent pour regarder à leur tour par la fenêtre. Il n'y avait rien dans la rue, hormis une voiture gris argent. Morrow dévisagea Annie. Elle se rendit compte alors qu'elle essayait simplement d'adapter sa vue aux lunettes à double foyer.

— Madame Tait ? Qui Malcolm a-t-il vu ces jours-ci ?

Les yeux toujours fixés sur la rue, Annie avait apparemment retrouvé son calme.

— Ses copains habituels. Un dealer de Shettleston. James Kairn, il habite du côté du Bar de la Tour. Vous pouvez vérifier… Faut que je file là. On en recausera une autre fois…

Ils la suivirent dans le couloir où elle venait de se précipiter et sortirent avec elle sur le seuil en ciment. Annie attrapa les clés cachées sur l'appui de fenêtre et verrouilla derrière elle en leur marmonnant de repasser plus tard. Elle n'avait pas pris le temps de se chausser et c'est en pantoufles qu'elle descendit l'allée à petits pas pressés.

Morrow et Harris virent de loin Annie ouvrir le portillon du jardin d'un voisin et remonter rapidement les marches en ciment qui menaient à la porte d'entrée. Les maisons de l'autre côté de la rue étaient bâties sur un talus et les marches étaient hautes. Sur la dernière, un type blond attendait Annie.

Un bel homme. Mince, la mâchoire carrée, simplement vêtu d'un jeans propre et d'un tee-shirt blanc. Pas de manteau, et a priori pas grand-chose en commun avec les gens du quartier. Il surveillait sa forme, visiblement, il avait des bras et un torse d'athlète, mais le nez cassé. Une Lexus gris argent flambant neuve était garée devant le portail.

— Vous avez l'immatriculation de la Lexus que nous recherchons ? demanda Morrow.

— VF17LJ, ânonna Harris en consultant son carnet.

— Ce n'est pas elle, mais on ne doit pas souvent croiser ce genre de voiture par ici. Vérifiez l'immatriculation. On va attendre.

Harris nota le numéro et alla demander par radio qu'on vérifie les plaques. Restée sur place, Morrow continuait la surveillance. Le grand blond semblait agréablement surpris de voir Annie. Il se pencha vers elle pour l'embrasser sur la joue, et la serra contre lui. Annie l'adorait, manifestement, même si elle affectait d'être en colère, sourcils froncés et mains sur les hanches.

Harris avait rejoint Morrow.

— Elle n'a pas l'air tellement inquiète pour Malcolm, observa cette dernière.

— Les vingt livres lui restent en travers de la gorge, si vous voulez mon avis.

Le grand blond venait d'entrer à l'intérieur avec Annie. Harris s'apprêtait à regagner la voiture, mais Morrow l'arrêta d'un geste.

— Regardez.

La maison d'en face avait été achetée à l'office HLM. Sa porte d'entrée en chêne massif consolidée par des barres de fer forgé comportait plusieurs verrous de sécurité. Des câbles reliés à une alarme couraient le long des vitres, et il y avait également plusieurs caméras de vidéosurveillance sur le mur. Mais c'était autre chose qui avait attiré l'attention de Morrow : la silhouette d'Annie qu'on devinait derrière les vitres de la maison mitoyenne, deux fenêtres plus loin, comme si ces deux logements pourtant très différents d'aspect ne faisaient qu'un.

— Le repaire des Tait, murmura Harris. Je savais bien que c'était dans le coin…

— Vous avez demandé qu'on vérifie l'immatriculation ?

— Oui, patronne, ils sont dessus. Remarquez, ils ont sûrement changé les plaques.

— Oui. Qu'est-ce qu'elle peut bien lui raconter ?

Harris haussa les épaules.

— Une petite visite à la famille ? Ils sont peut-être en train de fabriquer une bombe incendiaire.

34

Annie était bien la dernière personne au monde que Pat avait envie de voir, après Eddy, mais on ne se débarrassait pas d'elle comme ça. Surtout quand elle était en colère, et l'histoire du billet de vingt livres la mettait dans tous ses états.

Elle serrait Pat de si près qu'il ne pouvait pas la regarder sans loucher. Et c'était d'autant plus pénible qu'elle bougeait sans arrêt la tête pour le scruter à travers ses lunettes aux verres ridiculement épais.

— Si quelqu'un lui file du blé, ça serait normal que ça passe par moi, rouspétait Annie, toute à ses calculs cupides. C'est toujours moi qui paie tout, il me doit déjà sept cents livres, et même neuf cents si ça se trouve.

— Je ne suis pas au courant, tante Annie, parole.

Pat était à peu près sûr que le Grand Chef n'allait pas le recevoir et qu'une fois de plus on allait lui dire de traiter ça avec Parki, en train de lire le journal à l'autre bout de la pièce en faisant semblant de ne pas l'avoir vu. C'était toujours pareil, avec eux. Ils vous laissaient poireauter.

Pat n'avait pas vraiment envie de voir le Grand Chef, c'était trop compliqué de discuter avec lui, de défendre le bout de gras et de filer doux en même temps. Il avait toujours obstinément refusé de bosser pour eux, de décrocher un poste en or dans l'affaire familiale, de marcher dans leurs combines. Il ne voulait même pas qu'ils utilisent son nom sur les papiers officiels de la société de gardiennage. Du coup, la famille lui battait froid. À bien y penser, d'ailleurs, c'est comme ça qu'ils procédaient, en refroidissant ceux qui refusaient de se soumettre. Jusqu'à maintenant, pourtant, jusqu'à cette affaire, Pat avait réussi à rester plutôt réglo. Il s'était laissé embarquer par loyauté vis-à-vis d'Eddy.

— Qui c'est qui lui a donné ? insistait Annie. Toi ? Et pourquoi ?

Pat éluda, les yeux perdus dans le vague. Il détestait cette baraque glaciale. Ils avaient réuni deux maisons pour n'en faire qu'une, abattu le mur mitoyen pour créer un immense grand salon. Rien n'allait dans cette pièce, elle était trop grande, le plafond trop bas, et avec ses quatre grandes fenêtres, deux sur chaque façade, elle ressemblait à une espèce de salle d'attente. Impossible à chauffer. Débile. Le Grand Chef roulait peut-être sur l'or mais pour le goût c'était zéro. On se serait cru dans un vide-grenier, avec tous ces petits meubles anciens qu'il avait achetés très cher chez des antiquaires.

— Ce n'est pas moi, Annie. Je ne sais pas où il a eu ce fric.

Le Grand Chef ne voulait toucher à rien depuis la mort de sa femme, il interdisait qu'on fasse la poussière. Tout était crade. Dégueulasse. Pat examinait une petite vitrine, une sorte de coffret en verre avec dedans trois étagères et une ampoule grillée qui pendait de la douille à moitié arrachée. Elle contenait trois figurines représentant des Chinoises, une assise sous un parasol, la deuxième debout contre un arbre, la troisième assise sur un banc. Elles avaient exactement le même visage.

— C'est un secret pour personne que c'est moi qui gère son argent. Si jamais ils comptent encore lui en refiler, c'est à moi qu'ils doivent le donner.

C'était tout cela qu'il voulait fuir. Les mères qui soutiraient de l'argent à leurs propres enfants, les pièces glaciales, les engueulades. Pat rêvait de confort et de pain grillé, de papier peint rose, de cheveux étalés sur un oreiller. Il rêvait d'une famille unie capable de pleurer ensemble quand un des siens disparaissait. Il rêvait de bonté.

— Écoute, Pat…

— Tante Annie, je ne lui ai pas donné ces vingt livres. Je ne sais pas qui les lui a données.

Elle croisa les bras et le toisa, menaçante.

— Il est allé traîner du côté de Toryglen. Qui c'est qui habite à Toryglen ?

Pat la dévisagea.

— Il t'a dit qu'il allait à Toryglen ?

— Non, répondit-elle en tournant la tête vers la fenêtre. Les flics le cherchent. Vu qu'il a pris un taxi hier, ils ont fini par apprendre où il était allé.

Une Ford noire était garée devant la maison. Dedans, il y avait un couple. Un homme et une femme. Des policiers qui recherchaient Malki. Pat eut soudain l'impression qu'il allait vomir. Il s'ébroua pour réprimer la nausée.

— Je ne vois personne qui habite à Toryglen.

— Shugie Wilson.

Elle ne perdait pas le nord. Pat oubliait chaque fois comme elle était futée.

— C'est qui, Shugie ?

— Bien sûr que tu le connais, rétorqua Annie en l'observant derrière les loupes de ses lunettes. Un poivrot. Il est toujours fourré chez Brian. Avant il faisait le coup avec les Bankshead.

Dans son coin, Parki toussa pour intimer à Annie de la boucler et tourna bruyamment la page de son journal. Pat n'était pas de la partie, on ne pouvait pas se fier à lui. Plus jeune, Parki n'hésitait pas à se battre au couteau. Une cicatrice lui barrait le visage, une grande balafre qui s'arrêtait sous la bouche diminuée de moitié. Il n'avait plus de lèvre inférieure. Pat n'arrivait pas à s'y faire.

Annie, qui se tenait toujours tout près de Pat, adressa un sourire enjôleur à Parki.

— Tante Annie, tu veux bien m'excuser ?

— De quoi ?

— J'aimerais parler à Parki en privé.

Elle interrogea Parki du regard, mais l'autre ne bougea pas le petit doigt pour l'aider. Comme Pat, il la regardait fixement.

— Ah, ben c'est du joli ! Tu envoies ta vieille tante sur les roses, maintenant !

Elle reculait vers la porte, néanmoins. Elle s'arrêta un instant, en espérant qu'ils allaient insister pour qu'elle reste, mais voyant qu'il n'en était rien, elle sortit sans demander son reste. Gordon, l'autre garde du corps du Grand Chef, la raccompagna jusqu'à la porte d'entrée.

Pat et Parki s'observaient à travers la pièce de la taille d'un terrain de football.

— T'sais quoi? lança Parki. Ça m'en bouche un coin que le Malki soit resté si sympa.

Gordon apparut sur le seuil. Il allait dans les salles de sport, avant, il prenait des stéroïdes, mais il avait arrêté depuis qu'il s'était flingué le dos. Tous ses muscles s'étaient transformés en graisse. Même ses doigts étaient gras et boudinés. Le bruit courait que Popaul n'était pas plus grand qu'une clope.

— Le Grand Chef va te recevoir, Pat.

Stupéfait, Pat sortit du salon et monta l'escalier derrière Gordon. L'ancien athlète était si gras que vu de derrière il semblait ne pas avoir de cou. Arrivé sur le palier, Gordon se tourna vers Pat.

— Ça fait plaisir de te voir ici, dit-il chaleureusement.

Pat trouva ça bizarre, qu'il lui parle comme s'il était vraiment de la famille. Gordon frappa deux fois à la porte, et fit entrer Pat dans un petit salon.

Le Grand Chef ne l'admettrait probablement jamais, Pat lui-même ne s'en aperçut que parce qu'il était parti depuis très longtemps, mais le minuscule salon de l'étage était une réplique parfaite de celui de son ancienne maison. Un fauteuil marron face à son jumeau, qui restait vide maintenant que son épouse était morte. Un poste de télévision posé sur un napperon en dentelle, sur la petite commode en bois sombre. Jusqu'au buffet disposé à côté de la porte, exactement comme autrefois, avant qu'il achète à côté et abatte le mur de séparation. Accrochés aux murs et éparpillés un peu partout dans la pièce, les symboles de sa tribu : un grand crucifix en bois, sur lequel un Christ en laiton se tordait de douleur ; des images pieuses appuyées contre des cierges ; un portrait sous verre de Padre Pio ; des photos de classe de la petite, dont le sourire dévoilait les dents écartées. Les dents de la chance, comme on disait.

Le Grand Chef n'était pas grand mais il était balèze, trapu, avec une carrure de joueur de foot de l'ancien temps et une tronche de teigneux. Assis dans son fauteuil, il leva la tête vers Pat. Il avait vieilli mais n'avait apparemment rien perdu de son énergie. Il n'avait pas l'air plus commode qu'avant.

— Fiston…

Il secouait la tête avec indulgence. Pat se demanda s'il lui avait manqué. C'était peu probable. Le Grand Chef avait toute une tripotée de neveux, et la mère de Pat était morte depuis longtemps.

— Qu'est-ce qui t'amène mon grand ?

Embarrassé, Pat se tenait près de la porte, les mains dans les poches. Il avait envie de partir en courant.

— Je suis désolé de venir comme ça…

Le Grand Chef l'encouragea à poursuivre d'un geste de la main.

— J'ai une voiture de location dehors. Il faut que je m'en débarrasse et que j'en trouve une autre. Je ne savais pas à qui d'autre…

— Elle a été louée à ton nom ?

— Non.

— Quel modèle ?

— Lexus.

Le Grand Chef hocha la tête.

— Pas de problèmes. Dis à Parki que je suis d'accord, et qu'il te donne aussi un peu d'argent.

Il regarda Pat, attendant la suite.

— Oh ! Merci beaucoup.

— Oui ?

Surpris, Pat jeta un coup d'œil derrière lui.

— Rien… ? souffla le Grand Chef une main en cornet devant son oreille.

Interdit, Pat ne pigeait rien à son manège.

— Pardon ? fit-il.

Bizarrement, le Grand Chef gloussa de joie et répéta plusieurs fois le nom de Pat avant d'interrompre sa litanie sur un profond soupir.

— Je le savais !

Il se leva pour aller ouvrir le buffet dont il sortit une bouteille de Johnny Walker Black Label, en versa deux doigts dans des verres en cristal poussiéreux.

Rayonnant, il gratifia Pat d'une tape affectueuse sur la nuque. Le Grand Chef était au courant de tout. Le fourgon, les armes, la taie d'oreiller, tout. Il pensait que Pat savait qu'il savait. Sinon, il se serait amusé à le lui faire deviner.

Il tendit un verre à Pat et approcha le sien de ses lèvres.

— Alors ? Comment ça se passe ?

— Quoi donc ?

— Votre coup avec Eddy ? Ça se passe bien ?

Pat approcha le verre de sa bouche et respira l'odeur âpre du whisky.

— D'accord, dit le Grand Chef. On verra ça plus tard… On fera les comptes à ce moment-là.

Ils lui devaient du fric. Eddy devait du fric au Grand Patron. C'est comme ça qu'ils avaient eu le fourgon, les armes, les fringues neuves, la cochonnerie de maquillage de camouflage qu'Eddy lui avait demandé de se mettre sur la figure, quand ils étaient encore dans la piaule. Pat avait résisté toute sa vie pour ne pas être mêlé à leurs combines, et Eddy n'avait rien trouvé de plus malin que d'emprunter le capital au Grand Chef. Il l'avait trompé, le salaud. Il l'avait trahi.

— Tu fais toujours tes prières au moins ?

Il dodelinait de la tête en lui faisant les gros yeux, comme autrefois.

Pat vida son whisky d'un trait.

— Non, je ne suis pas croyant.

Le Grand Chef éloigna le verre de ses lèvres.

— Tu devrais avoir honte, déclara-t-il en s'adressant au verre. C'est notre foi qui nous rassemble. C'est une culture, une famille, qui nous réunit. Maintenant, vous sautez la messe, vous, les jeunes, vous n'allez plus à confesse, vous priez quand ça vous chante. C'est pas un self, la religion. C'est pas un étalage où tu peux prendre un peu de ci, un peu de ça, comme ça te plaît.

Pat reposa son verre sur le buffet.

— Je ferais mieux d'y aller.

— C'est ça. Surtout, dis à Eddy que j'attends de ses nouvelles.

Sur un signe de son patron, Gordon raccompagna Pat en bas. Il le reconduisit dans l'immense salon où il s'éloigna pour aller souffler quelques mots à Parki. Hochant la tête, Parki posa son journal ouvert sur la table de jeu victorienne. Pat vit la photo : une gonzesse aux seins nus, l'air drôlement contente d'elle. Parki se leva lentement et se dirigea vers la fenêtre pour regarder dans la rue. Pat espéra qu'il n'avait pas repéré les flics.

— On te file la Ka. Une bagnole de nana, mais fiable.

Pat le remercia, mais Parki haussa les épaules.

— Les ordres du Grand Chef. (Il se baissa vers un vieux placard mural posé à même le plancher et en tira un jeu de clés.) Passe par-derrière. La troisième porte de garage.

— Merci mec.

— Y a pas de quoi. À part ça, tout roule ?

Pat répondit par une moue évasive.

Parki sortit de sa poche une liasse de billets, en préleva dix de cent livres et les remit à Pat.

— Et comment va Malki ? Ça fait un bail que je l'ai pas vu.

Pat empocha le paquet de billets et lui tendit en échange le trousseau de clés d'Eddy, avec la lampe stylo accrochée à l'anneau. Il partit à reculons vers la porte.

— Tu t'en vas déjà ? demanda Parki, qui essayait toujours de comprendre ce qui se passait.

— J'ai du taf, mec, répondit calmement Pat. On m'attend quelque part.

Morrow et Harris tuaient le temps devant chez Annie Tait quand le central les rappela enfin. L'immatriculation de la Lexus était bidon, elle correspondait à la fois à une autre marque, une autre année et une autre voiture.

Morrow s'empara du micro de la radio et donna ses ordres pour la première fois depuis le début de l'enquête : deux voitures de patrouille devaient prendre la Lexus en filature quand elle bougerait d'ici. Le pari était risqué, elle misait peut-être sur le mauvais cheval, mais elle n'avait pas de tuyaux et pas grand-chose à perdre à tenter le coup.

Ils continuèrent à attendre jusqu'à ce qu'on leur confirme que deux voitures banalisées venait de prendre position à l'entrée de la rue. Harris démarra. Ils pouvaient repartir.

35

Gobby avait visionné les bandes. Il était d'accord avec Harris, il y avait quelque chose de bizarre. Ils avaient apporté la pile de cassettes dans le bureau de Morrow, mais la rage intérieure qu'elle éprouvait à l'égard de Bannerman l'empêchait de se concentrer sur l'écran. Elle imaginait ce qu'elle allait lui sortir s'ils avaient une explication, ce qui était peu probable, et remâchait la longue liste de ses défauts : égoïste, carriériste, suffisant, lâche, connard, chiant, emmerdeur. Elle savait d'expérience que s'entraîner en vue d'une dispute qui n'aurait jamais lieu était un luxe illusoire. Grisant au début, l'exercice ne servait en définitive qu'à l'énerver un peu plus.

Si au moins l'image avait été nette, mais non. Les cassettes vidéo de M. Anwar avaient été réutilisées plusieurs fois et les bandes magnétiques étaient endommagées. Des lignes coupaient parfois l'image. Par intermittence, des vagues de points neigeux envahissaient l'écran, et à plusieurs reprises Morrow se surprit à se pencher en avant, comme pour traverser l'obstacle.

Dans la boutique d'un gris terne, rien n'était vraiment remarquable, hormis les soins excessifs que M. Anwar apportait aux étagères de sucreries.

Sitôt qu'un client qui venait d'acheter une tablette de chocolat ou un paquet de biscuits était sorti de la boutique, l'épicier abandonnait sa caisse pour remettre de l'ordre sur le rayon, l'air vaguement coupable. Johnny Lander était souvent présent, assis sur le tabouret près de lui, silencieux. De temps en temps il se levait pour remettre un peu d'ordre lui aussi, sans qu'Anwar lui ait rien demandé.

Connard.

Agacée par la neige qui envahissait une nouvelle fois l'écran, Morrow se leva si brusquement qu'elle faillit renverser sa chaise. Elle ouvrit la porte à la volée.

— Harris ! Venez un peu m'expliquer pourquoi je dois regarder ces cassettes ! J'ai la tête comme ça, à force !

Harris n'était pas mécontent qu'elle comprenne ce qu'il avait dû endurer. Il approcha une chaise près de la sienne, tandis qu'elle marmonnait piteusement des excuses. Il n'insista pas, ce qu'elle apprécia.

— C'est bon, patronne.

Il recula son siège de dix bons centimètres, avant d'engager Morrow à faire de même en tapotant le dossier de sa chaise.

— Voilà, c'est mieux comme ça. Il ne faut pas se mettre trop près de l'écran pour ne pas avoir la migraine, et si je peux vous donner un conseil, plissez un peu les yeux. Ça aide.

Il accéléra la vitesse de lecture, et les longues heures que Lander et Anwar passaient en compagnie l'un de l'autre se ramenèrent à quelques minutes. Les deux vieux messieurs s'activaient dans le magasin ; Johnny Lander, énergique, disparaissait souvent de la pellicule, garnissait les rayons, allait leur préparer du thé ; Aamir se tenait plus tranquille. Ces hommes partageaient une étrange intimité. Peu diserts, ils se tenaient étonnamment près l'un de l'autre mais sans vraiment se regarder, en restant tous deux face au comptoir.

Les clients apparaissaient et disparaissaient. Ce devait être surtout des gens du quartier qui, selon les heures, partaient au travail ou rentraient chez eux. Des habitués qui venaient chercher des cigarettes, des journaux ou des plats préparés, sans guère prêter attention à la boutique et aux hommes qui y travaillaient.

— Là, dit soudain Harris.

Il revint un peu en arrière, appuya sur « Lecture » pour repasser à la vitesse normale et approcha un peu sa chaise de l'écran.

La femme attirait l'attention par sa simple présence. Grande, très grande même, et mince. Une coiffure plutôt chic, pas de mèches blondes ni de postiches de couleur vive, mais des cheveux bruns à l'éclat lustré, longs et bien coiffés. Un pantalon blanc sur des bottines marron, un chemisier qui mettait sa silhouette en valeur. À peine était-elle entrée qu'Aamir descendit de son perchoir pour aller la saluer, visiblement ravi. Johnny Lander s'éclipsa pour sa part dans l'arrière-boutique.

La femme s'approchait du comptoir, un peu courbée car elle tenait un enfant par la main. Un petit garçon très brun, qui savait à peine marcher. Il la lâcha pour courir vers le comptoir, en battant l'air de ses bras grassouillets pour garder l'équilibre.

— Regardez, dit Harris.

Accroupi, les mains sur les genoux, Aamir Anwar tendait sa joue à l'enfant qui, sans grand enthousiasme, déposa un bisou sur sa barbe. Anwar se releva, se flatta la joue, l'air aux anges, et fit signe au petit garçon de prendre un bonbon.

La mère, face à la caméra maintenant, observait la scène d'un air réprobateur, les bras croisés sur la poitrine. Elle n'empêcha cependant pas le garçonnet de s'emparer de deux sachets de Skittles, d'une barre chocolatée et de plusieurs petits paquets de bonbons gélifiés qu'il serrait contre son cœur en jetant des coups d'œil à l'épicier pour s'assurer qu'il avait la permission de prendre tout ça. Aamir fit les marionnettes avec les mains, dit quelque chose que l'enfant ne comprit pas et glousssa de joie.

La séquence touchait à sa fin. La femme prit les sucreries et les déposa sur le comptoir, trop haut pour que l'enfant puisse les atteindre. Elle les poussa légèrement sur le côté et engagea une brève conversation apparemment sérieuse avec Aamir, en ôtant le papier d'emballage de la barre Milky Way qu'elle donna au petit garçon. Elle mit le reste des bonbons dans son sac. Un beau sac à bandoulière en cuir beige avec plusieurs compartiments. Morrow aurait bien aimé avoir le même.

— Maintenant, regardez bien, dit Harris.

Aamir embrassa l'enfant sur la tête. Il le raccompagna ensuite jusqu'à la porte du magasin, et resta sur le seuil pendant qu'ils s'éloignaient. Il souriait encore lorsqu'il reprit sa place derrière le comptoir. Johnny Lander réapparut et ils restèrent côte à côte sans parler. Aamir souriait toujours.

— Il n'a pas le droit d'avoir des amis ? demanda Morrow.

— Elle n'a pas payé les bonbons, souligna Harris.

Elle se gratta le menton. Harris avait raison, la femme avait mis les bonbons dans son sac et était partie juste après.

— Et… ?

— Patronne, vous connaissez la marge bénéficiaire de ce genre de boutique ? Elle n'a pas payé les bonbons. Si cet enfant n'est pas son petit-fils, c'est son fils.

Johnny Lander les attendait comme la fois précédente, posté en haut des escaliers, penché sur la rampe pour suivre leur ascension. Il avait aussi la même tenue sur lui, mais, alarmé par leur hâte, au lieu de les encourager à monter il se raidissait dans l'attente des nouvelles. Son regard anxieux alla de Morrow à Harris.

— Vous ne l'avez pas retrouvé ?

— Non, répondit Morrow.

Les épaules de Lander s'affaissèrent.

— Par saint Pierre, à vous voir grimper les marches quatre à quatre…

— Non, monsieur Lander, nous n'avons pas trouvé M. Anwar.

— Vous croyez qu'il est… ?

— Non. Tout incline à penser qu'il est en vie et que tout va bien.

— Merci mon Dieu !

Il semblait tellement soulagé qu'il en oubliait ses bonnes manières. Au bout d'un moment, Morrow en eut assez de se geler sur le palier. Elle risqua un pas en direction de la porte.

— Ça ne vous ennuie pas de nous laisser entrer une minute ?

— Oh, excusez-moi. (Il se précipita pour ouvrir et l'invita du geste à entrer dans le vestibule.) Excusez-moi.

Morrow se dirigea d'autorité vers le salon bien rangé. Lander était en train de lire le journal lorsqu'ils avaient sonné. Il s'apprêtait à boire une tasse de thé et à grignoter les trois petits gâteaux secs posés sur une assiette près de son fauteuil. Le radiateur électrique diffusait une douce chaleur dans la pièce.

— C'est épouvantable d'attendre comme ça, vous ne trouvez pas ? demanda Lander.

Morrow attrapa dans son sac la caméra vidéo qu'elle avait empruntée au service.

— J'ai quelque chose à vous montrer, monsieur Lander. Vous connaissez sûrement cette personne.

Il se tint tout près d'elle pour regarder le bout de vidéo où l'on voyait la femme et l'enfant dans le magasin. Pour gagner du temps, Harris avait filmé directement sur l'écran, et la qualité du film était encore pire qu'avant. Lander regarda la séquence jusqu'au bout.

— Qui est cette femme ?

— Lily. C'est Lily.

— Quel lien y a-t-il entre Lily et M. Anwar ? demanda Morrow en le regardant droit dans les yeux.

Il était gêné, cela se voyait. Il était prêt à tout pour les aider, mais ce qu'elle lui demandait mettait sa loyauté à l'épreuve. Son regard s'échappa vers la fenêtre. Il toussota, soupira profondément, aux prises avec un terrible conflit intérieur.

— Et si je vous donnais son adresse ? proposa-t-il pour sortir du dilemme. Comme ça, vous pourriez lui poser directement la question.

— C'est une bonne idée.

Il leur indiqua l'adresse qu'il connaissait par cœur, et le chemin pour s'y rendre. En voiture, ils en avaient pour moins de cinq minutes.

Sur le point de partir, comme si l'idée lui traversait l'esprit au moment de ranger son carnet dans son sac, Morrow lui demanda s'il connaissait le nom de famille de Lily.

— Tait, répondit Lander. Lily Tait.

Elle habitait à moins de cinq cents mètres de la boutique, sur la route à la sortie de la ville. Morrow nota que la quasi-totalité des gens qui allaient dans le centre passaient obligatoirement devant chez Anwar.

Ils se garèrent derrière une Range Rover noir et argent, aux vitres munies de pare-soleil adhésifs, et qui arborait un autocollant « Bébé à bord » sur le pare-brise arrière. Un chemin en pente conduisait à une grande maison accolée à sa voisine, précédée d'un jardin aux massifs et aux buissons soigneusement entretenus.

Morrow et Harris se dirigèrent vers la porte d'entrée. La maison était construite en grès, mais un de ses occupants avait eu l'idée de la doter d'une véranda en bois qui avait mal vieilli. La peinture marron s'écaillait, la porte vitrée semblait fragile. À l'intérieur, ils aperçurent des chaussures et un tricycle d'enfant rouge et bleu. Des herbes aromatiques poussaient dans des jardinières, sur le rebord des fenêtres, au fond de la pièce, une table à tréteaux supportait plusieurs plateaux chargés de plantes qui profitaient du soleil, sous la verrière.

Après avoir en vain cherché une sonnette, Harris posa la main sur la poignée de la porte, qui n'était pas fermée à clé. Ils se dirigèrent vers l'entrée proprement dite, une très belle porte victorienne avec en son centre un panneau de verre décoré d'une fontaine gravée à l'eau-forte.

Lily Tait vint leur ouvrir. Morrow et Harris connaissaient tous deux les Tait et tous les habitants de Glasgow avaient un jour ou l'autre vu la photo du père, publiée systématiquement dans la presse dès qu'un voyou mourait de mort violente. Lily n'avait rien en commun avec ces gibiers de potence. Grande, mince, elle apparut devant eux dans un immense pull-over mangé aux mites et un short en jean qu'elle avait dû tailler dans un vieux pantalon. Elle était tout simplement superbe. Harris reluquait ses jambes brunes, spectaculairement longues, et ses orteils aux ongles vernis. Attentive à d'autres détails, à l'arrondi des yeux, à la carrure des épaules, Morrow percevait cependant des caractéristiques témoignant des origines de Lily. La malédiction des ambitieux qui ont réussi, songea-t-elle : mieux nourris, plus instruits, leurs enfants accèdent à des sphères auxquelles ils n'ont eux-mêmes pas accès.

Derrière Lily, dans l'entrée gris pâle, un bambin de trois ans les observait, agrippé à la rampe cirée de l'escalier. Plus loin, on devinait la cuisine, claire et accueillante.

— Lily ?

— Oui. C'est à quel sujet ?

Trouvant que leurs uniformes sombres et leurs attitudes compassées manquaient d'intérêt, l'enfant courut vers la cuisine.

Morrow se présenta, puis présenta Harris.

— Nous sommes chargés de l'enquête sur l'enlèvement de M. Aamir Anwar. Nous aimerions parler un peu de lui avec vous.

— Oh bon sang, oui, bien sûr. Vous avez du nouveau, pour Aamir ? Il est chez lui ? demanda-t-elle en les faisant entrer.

— Non, toujours pas.

— Entrez, entrez.

Elle les guida jusqu'à la cuisine et leur offrit de s'asseoir devant une table en pin couverte de tasses, de dessins d'enfant et de factures, qu'elle repoussa d'un geste.

— C'est un peu le bazar avant le passage de la femme de ménage, s'excusa-t-elle.

Assis sur un minuscule fauteuil rouge dans un angle de la pièce, le petit garçon les surveillait du coin de l'œil, l'air boudeur, en buvant dans un gobelet à couvercle.

— Si vraiment je peux vous aider, ce sera bien volontiers, dit Lily en se glissant sur une chaise en face d'eux.

Morrow sortit son calepin.

— En fait, votre nom est apparu plusieurs fois, au cours de l'enquête, et… nous nous interrogeons sur vos relations avec M. Anwar.

Un peu gênée, Lily jeta un regard en biais au petit prince assis sur son fauteuil.

— Très bien.

— Comment vous êtes-vous connus ?

— À l'école.

Morrow la regarda.

— Vous étiez à l'école avec…

— Omar et Billal, oui. Dans la même classe que Billal.

Morrow nota l'information sur son carnet, se laissant ainsi le temps de réfléchir.

— Très bien. Vous les voyez toujours ?

— Billal est le père d'Oliver…

Comprenant que les adultes parlaient de lui, le petit garçon les dévisagea avec une mine indignée.

— Quel âge a Oliver ?

— Trois ans et quatre mois, déclara-t-elle, triomphale.

Morrow le nota en toutes lettres dans son carnet. Le bout du crayon transperça le papier.

— Mais vous n'êtes pas avec Billal ?

— Non.

Une petite ride soucieuse sur son front magnifique, Lily fixait le carnet et la feuille déchirée.

— J'imagine que vous savez qu'il vient d'avoir un autre enfant avec sa femme.

— Ça m'est égal, dit-elle très calmement.

— C'est vous qui avez rompu ?

Lily ramena son épaisse chevelure sur l'une de ses épaules.

— Billal… C'était très compliqué, pour être franche. Ce n'est pas pour moi.

— Que voulez-vous dire, trop compliqué ?

Elle hésita et baissa la voix.

— Il est trop branché famille.

— Votre famille ?

Lily la fixa durement et éluda la question.

— Je l'ai quitté assez vite après la naissance de M. Nutkins, dit-elle avec un signe en direction de l'enfant, mais Billal a mis beaucoup plus de temps à rompre.

— Il vous harcelait ?

Lily jeta un coup d'œil à la pendule murale.

— Écoutez, la nounou va bientôt arriver. On ne pourrait pas attendre qu'elle soit là ? Ça me gêne un peu de…

— Non, répondit fermement Morrow. C'est urgent.

Lily Tait n'avait pas l'habitude qu'on lui résiste. Elle regarda alternativement Morrow, la feuille déchirée du carnet, puis, après s'être mordillé pensivement la lèvre, elle se tourna vers son fils.

— Nutkins, et si je te mettais ton pull pour que tu ailles jouer dans le jardin ?

L'enfant se leva d'un bond. Elle lui mit un pull bleu clair qui traînait sur le plancher et vérifia ses lacets avant de l'envoyer dehors.

— Fais attention aux orties.

Laissant la porte ouverte, elle revint vers la table. Son visage s'était durci.

— Écoutez, je ne sais pas ce que ce salaud vous a raconté… sans doute que je suis folle, ou que je ne suis qu'une putain…

— Billal est-il impliqué dans les… activités de votre famille ?

— Ah, non ! protesta Lily en pointant l'index vers Morrow. Primo, je ne me mêle pas des activités de ma famille. Personne ne choisit sa famille. Je n'ai pas vu mon père depuis cinq ans. Deuzio, Billal et moi, on s'est connus à l'école. Je n'y peux rien. Il a rencontré mon père à cette époque. S'ils ont envie de partir en vacances ensemble aujourd'hui, ce n'est pas mon problème. Je n'ai plus rien à voir avec eux, rien. Je ne croise même pas Billal. Il a obtenu un droit de visite mensuel, sous contrôle, mais je ne suis pas là quand il vient…

Sa colère retombait petit à petit. Morrow en profita.

— Vous avez commencé à sortir ensemble à l'école ?

— Non. Au mariage d'un ami. C'était chouette, au début, je suis tombée enceinte et, bon, ça allait, on est restés ensemble. Et puis tout d'un coup, patatras ! Ça m'est tombé dessus. Il trempait dans des tas de combines, il s'est converti, il est devenu fanatique. Un vrai coup de massue.

— Il a rejoint un groupe, il a rencontré quelqu'un ?

— Non, il n'est pas… Ce n'est pas ça, le truc. Ça n'a rien de politique.

— Quoi alors ? Une prise de conscience spirituelle ?

— Spirituelle ? Mon Dieu, non, dit-elle en pouffant. Votre famille n'est pas croyante, si ?

Morrow secoua la tête. Harris hocha la sienne, pour indiquer que lui, si, au cas où ça les intéresserait. Ça ne les intéressait pas.

— Ce n'est pas tellement… Jésus ou qui vous voulez, pas du tout. Il s'agit plutôt… (Embarrassée, Lily cherchait le mot juste.) Le sentiment d'appartenance, vous voyez ? À une communauté…

Elle les interrogea du regard pour voir s'ils comprenaient. Morrow opina.

— Continuez.

— Billal voulait que je me convertisse et que j'aille vivre chez eux, avec sa mère. J'adore Sadiqa, ce n'est pas le problème, elle est géniale, mais je suis catholique, je suis écossaise. Je ne vais pas aller m'installer chez des musulmans et me cacher la tête sous un voile pour le reste de ma vie.

— Ce serait dommage.

Les deux femmes dévisagèrent Harris qui semblait le premier surpris d'avoir laissé échapper cette remarque.

Morrow revint à la charge.

— Et Billal l'a mal pris ?

— C'est peu dire ! (Lily balaya distraitement la table du regard, ramenée en arrière vers les disputes interminables et les coups de fil au milieu de la nuit.) En fait, si Aamir et Sadiqa n'avaient pas insisté, il ne me verserait même pas de pension alimentaire.

— Pourquoi ? Il estime que vous gagnez assez bien votre vie ?

— Non, je ne travaille pas. Oliver n'a que trois ans et demi.

— Je vois, dit Morrow. Votre famille vous aide ?

— Non ! s'exclama-t-elle, indignée, persuadée que Morrow n'avait rien compris. Je ne veux pas de leur fric, il n'en est pas question.

Cette jeune femme, qui semblait mettre un point d'honneur à ne pas accepter un sou de son père, ne voyait apparemment pas d'inconvénient à vivre aux crochets de quelqu'un d'autre. L'ironie de la situation semblait cependant lui échapper.

— Bill pensait que je l'épouserais s'il ne payait plus le loyer, poursuivit-elle. Il a même arrêté de payer la nounou, à un moment. Et puis il s'est mis dans la tête de devenir un bon musulman, et il a épousé cette bécasse de Newcastle ou de je ne sais où. Un mariage arrangé, bordel, comme au Moyen Âge. Même Sadiqa était contre. Aamir et elle ont fait un mariage d'amour. Elle n'aime pas les femmes soumises. Moi non plus, d'ailleurs.

Lily Tait repoussa sa lourde chevelure en arrière, comme pour affirmer que Sadiqa la préférait à Meeshra.

— Lily, comment Billal gagne-t-il sa vie ?

Interloquée de découvrir que la conversation portait essentiellement sur ses propres griefs, la jeune femme cessa de jouer avec ses cheveux.

— Il travaille. Dans les voitures.

— Bill ?

— C'est un spécialiste des voitures.

Morrow repensa à la Lamborghini. Elle revoyait la rangée trop parfaite de dents blanches et retrouva au fond de ses narines cette légère odeur d'humidité. Les pensées se bousculaient sous son crâne.

— Je vois…, murmura-t-elle. Où est son garage ?

— Il n'a pas de garage.

— Ah ?

— Non, non, c'est un intermédiaire. Il fait de l'import-export.

36

Le cœur de Pat battait au rythme d'une bossa-nova languide et joyeuse, tant il était heureux à l'idée de la savoir là, derrière la série de portes closes. Assise dans son lit baigné d'un rayon de soleil telle une jeune mariée attendant son époux, elle surveillait la porte par laquelle il allait apparaître en esquissant un sourire timide. Il y avait presque quarante-huit heures qu'il ne l'avait pas revue et ces deux jours lui semblaient une éternité.

Il avait rôdé à proximité des ascenseurs, car il n'était pas sûr d'être au bon étage, mais la chance lui avait souri et il avait reconnu la mère qui arrivait en face de lui, toujours vêtue de sa chemise de nuit avec un manteau par-dessus. Il s'était retourné vers le mur et avait fait semblant de lire les pancartes pendant qu'elle passait dans son dos. La liste des interdictions était interminable : pas de téléphone portable, pas de visites autres que les membres de la famille avant telle heure, pas de boissons chaudes, pas de ceci, pas de cela. Quand Sadiqa se fut un peu éloignée, il partit dans l'autre sens en direction du service.

À travers la porte vitrée, il constata que le couloir était vide. Le sol fraîchement nettoyé scintillait comme une rivière. Terriblement conscient de chaque sensation, de sa tête légèrement inclinée, de ses pieds lourds comme du plomb, Pat poussa la porte.

Fermée. Il poussa à nouveau, du bout des doigts. Pas simplement fermée, verrouillée. Il scruta le couloir vide. En tout cas, il était au moins sûr d'être devant le bon service puisque la mère venait d'en sortir.

— Il n'y a personne ?

Une femme se tenait derrière lui. Mince, la cinquantaine, elle avait des lunettes suspendues à une chaînette et elle transportait plusieurs grosses enveloppes jaunes bourrées de papiers. Il lui fit son plus beau sourire et haussa les épaules. Elle lui sourit en retour, rassembla la liasse sous un bras et tapa cinq fois le chiffre zéro sur le clavier. Il y eut un petit déclic. Pat poussa légèrement, et le battant vitré s'ouvrit sur la rivière étincelante.

Pat s'effaça en tenant la porte devant la femme chargée de papiers. Elle jeta au passage un regard appréciateur vers son torse.

— Il n'y a plus beaucoup d'hommes galants, de nos jours, dit-elle.

Pat lui sourit une nouvelle fois. Il lui avait tenu la porte pour qu'elle le précède et ne le voie pas hésiter devant chaque chambre. Elle s'éloigna dans le couloir, en cambrant le dos et en balançant les hanches, certaine qu'il la suivait des yeux.

Elle se trompait. Pat tournait la tête de gauche à droite, au fur et à mesure qu'il passait devant les chambres individuelles aux rideaux jaunes à demi tirés devant des fenêtres sombres. Le service était calme. Une vieille femme regardait un débat télévisé. Une autre, une grosse qui avait les deux jambes dans le plâtre, dormait tandis qu'à son chevet une adolescente feuilletait un magazine. La chirurgie de pointe.

Le couloir tournait à angle droit. Les chambres comportaient maintenant quatre lits séparés par des rideaux, la plupart à moitié tirés. Cela lui permettait de vérifier rapidement s'ils étaient occupés, mais il ne s'arrêtait pas. Il ne voulait pas que quelqu'un lui demande qui il était et ce qu'il faisait là.

Il avait traversé presque tout le service et son courage commençait à flancher. Tout au fond du couloir, il y avait deux portes de toilettes. Pat venait de décider d'aller s'y installer pour réfléchir à ce qu'il allait faire ensuite lorsqu'il la vit.

Debout devant la porte vitrée, il contemplait la vieille femme allongée à plat dos dans cette chambre individuelle. Un masque à oxygène couvrait le bas de son visage. Elle avait le teint gris. Il savait ce que ça voulait dire. Elle n'en avait plus pour longtemps, elle allait mourir comme Malki. Seule, abandonnée.

— Monsieur… ?

Une élève infirmière grassouillette venait de se planter à deux mètres de lui, l'air soupçonneux.

Pat pointa le menton vers la chambre.

— Depuis quand… ?

Il voulait lui demander depuis quand elle était à l'agonie, mais l'infirmière se méprit.

— Mme Welbeck est là depuis cinq jours. Êtes-vous son… ?

Pat se tourna vers elle.

— Neveu ? souffla-t-il.

— Oh mon Dieu, je suis désolée. Nous avons essayé de joindre sa famille…

— Ce n'est pas grave, fit-il en secouant tristement la tête.

Ne sachant plus quoi dire, il se retourna vers la vitre. La femme avait entre soixante-dix et quatre-vingts ans. Aussi déplumée qu'un oisillon, elle n'avait plus qu'un duvet gris sur le crâne. Soutenue par plusieurs oreillers, elle ne bougeait pas. Elle respirait avec difficulté, et chaque expiration embuait légèrement le masque en plastique.

— Voulez-vous entrer ? lui demanda l'infirmière en posant une main douce sur son bras.

Pat accepta, l'air affligé, et prit la main que lui tendait la jeune fille pour entrer dans la chambre. Un moniteur cardiaque silencieux clignotait régulièrement. La pièce sentait l'orange et le talc.

La gentille infirmière le conduisit près du lit et approcha une chaise en plastique. Il la remercia.

De la chair grise sur un crâne. Des mains recouvertes d'une peau aussi fine que du papier à cigarettes, qui laissait voir la pulsation du sang dans les veines. Une mince alliance et une pauvre bague de fiançailles sur des doigts décharnés. On avait coincé un petit morceau de plastique sous l'anneau de la bague pour l'empêcher de glisser.

— Je vous laisse.

L'infirmière fit le tour du lit et entreprit de tirer le rideau entre la fenêtre et le couloir. Pat l'arrêta.

— Non, non s'il vous plaît… Je préfère la lumière…

Il disait n'importe quoi. Il y avait une fenêtre derrière lui et le couloir n'était pas éclairé. Mais l'infirmière avait déjà vu des gens dans la peine, elle ne se formalisa pas.

— Très bien, dit-elle en sortant de la chambre.

L'affichette au-dessus du lit indiquait le nom de la malade. Minnie Welbeck. Au cas où l'infirmière reviendrait, Pat prit la frêle main droite entre les siennes. Les doigts étaient glacés, mais la paume tiède. C'est comme si les extrémités mouraient d'abord.

Il était venu pour se remonter le moral, pour voir cette jeune fille superbe assise dans un lit baigné de soleil. Depuis qu'il avait quitté Breslin au volant de la Lexus, toutes ses pensées allaient vers elle, et voilà qu'à présent une force irrésistible le retenait auprès de Minnie. Elle avait été mariée, elle était veuve, peut-être, et elle se mourait toute seule dans cette chambre à l'écart, près des chiottes.

Lentement, telles ces fleurs qu'on voit se faner d'un coup dans les films en accéléré, Pat se courba jusqu'à toucher du front la petite main qu'il tenait dans les siennes et il se mit à chialer comme un gosse.

On ne vendait pas de Lamborghini dans cet endroit, c'était évident. Un inconnu, un jeune un peu racaille sur les bords, avait ramené la Lexus jusqu'ici mais il était clair qu'elle ne lui appartenait pas, clair aussi qu'il n'était pas Edward Morrison, le titulaire du permis de conduire qui avait loué la voiture et laissé une photocopie de sa carte d'identité chez Avis. L'inconnu avait passé un coup de fil devant la clôture en grillage. Un vieux type était venu le chercher, il l'avait fait entrer. Morrow et Harris se garaient de l'autre côté de la route quand la radio se mit à crachouiller. Un membre de l'antigang prévenait les équipes de l'arrivée d'une Audi conduite par un individu non identifié de sexe masculin, grand, baraqué, qui après avoir franchi le portail et refermé les deux cadenas venait de pénétrer dans le bâtiment.

— J'ai repéré une Audi devant chez les Anwar, le soir de l'enlèvement, glissa Morrow à Harris.

— Vous croyez que c'est Billal ?

— Ça se peut.

Le hangar avait été construit pour servir de garage, mais c'était de l'histoire ancienne. La cour était vide, des mauvaises herbes poussaient dans les fissures. Le soleil et la pluie avaient délavé les drapeaux colorés accrochés au grillage rouillé. Perdu au milieu d'une zone industrielle à deux kilomètres de la ville, l'endroit était on ne peut plus discret. Ses propriétaires successifs avaient probablement déposé le bilan et il avait dû se vendre une bouchée de pain. D'après les recherches de Routher, il appartenait maintenant à une société bidon encore inscrite au registre du commerce mais qui ne faisait aucune transaction. Elle avait déposé une demande d'exonération d'impôts, ce qui laissait supposer qu'elle n'avait pas encore démarré son activité. Aucun nom connu sur la liste des dirigeants. Billal était malin.

Cette société dormante était cependant très bien protégée. Deux cadenas sur le portail, des portes à ouverture automatique à l'entrée de l'atelier, des grilles neuves devant les fenêtres, et la cerise sur le gâteau : un équipement de vidéosurveillance dernier cri, avec une caméra à chaque angle. Long et bas, le hangar d'un gris uniforme n'avait rien de particulier, hormis son système de sécurité. Il n'y avait pas de plaque à côté du portail, pas même une étiquette.

— Vous croyez que c'est là ? demanda Harris.

— Oui, mais pour le moment on ne bouge pas. Les gars de l'antigang sortent leurs joujoux, on attend.

Les hommes de l'antigang avaient planqué leur fourgon dans une rue adjacente, et, dans l'ombre, ils préparaient leur intervention.

— C'est une vendetta, vous pensez ? demanda Harris.

— Comment ça ?

Elle gardait les yeux rivés sur le portail.

— Ils en auraient après Billal parce qu'il a harcelé Lily ? Les Tait ?

— Non.

Morrow revoyait le garçonnet boudeur assis dans son petit fauteuil, ses beaux cheveux bruns épais, son menton à la rondeur parfaite, ses doigts, ses cils. Elle imagina la douceur de sa joue sous ses lèvres.

— Le grand-père Tait donnerait sûrement cher pour voir ce gosse qu'il ne connaît pas, dit-elle. Il n'aurait jamais pris un tel risque. À la limite il aurait pu passer l'information à quelqu'un, mais il ne serait pas intervenu lui-même. Sa femme est morte…

— Mais alors, comment a-t-il appris que Billal avait monté une escroquerie à la TVA ?

— Il sait tout ce qui se passe en ville, j'imagine. Il a peut-être cherché à savoir d'où venait l'argent que touche Lily…

— Ouais. Les salauds se flairent entre eux…

— C'est assez bien vu, oui. Les salauds se flairent entre eux.

La radio grésilla. L'agent de l'antigang annonça qu'ils étaient prêts à investir le hangar par l'arrière. Morrow et Harris échangèrent un regard de gamins excités.

Ils ne virent rien du tout. Les yeux fixés sur la façade du garage, ils entendirent un grand fracas, des cris, des bruits assourdissants, encore des cris, puis plus rien. Un long silence. L'agent de l'antigang se brancha à nouveau sur la radio. Il soufflait comme un phoque, le ton était colérique.

— Nous avons trois types. Pas d'armes à feu. Une pièce bourrée de… (Il s'interrompit pour demander à quelqu'un de quoi la pièce était bourrée.) … pleine de voitures démontées. Pas de certificat de propriété. L'intervention paraît… non légitime, bordel.

Morrow et Harris se précipitèrent à l'arrière du bâtiment. L'antigang avait généreusement découpé le grillage pour entrer dans la place, et enfoncé la porte qui gisait par terre d'un seul tenant, en appui sur une marche. Ils passèrent sur ce pont improvisé et se retrouvèrent dans l'atelier.

Il faisait tellement froid que Morrow se surprit à grelotter tandis qu'elle observait les moteurs et les portières de voiture alignés contre les murs. Le spectacle offert par les beaux mecs de l'antigang affublés de leurs gilets pare-balles et les trois hommes qu'ils venaient de pincer était cependant réjouissant. Deux types jeunes, et le baraqué qui conduisait l'Audi. Le seul à ne pas être vêtu d'un survêtement bon marché. Danny McGrath regardait Morrow froidement, comme s'il n'avait jamais rencontré sa sœur auparavant.

Elle était arrivée pile au bon endroit, au bon moment.

37

Les lourdes portes en métal s'ouvrirent avec fracas, et aussitôt les passagers envahirent le pont inférieur en slalomant entre les rangs serrés de voitures et de fourgonnettes. L'annonce crachée par les haut-parleurs les prévint qu'ils devaient attendre que le ferry ait accosté et que la rampe d'accès soit abaissée avant d'allumer les moteurs. Et qu'il était également strictement interdit d'allumer une cigarette sur ce pont.

Un homme qui se fondait dans la foule avec ses cheveux blancs, son pull bleu marine, son ventre de Père Noël en civil, se fraya un passage entre les voitures des familles qui partaient ou revenaient de vacances, les camions qui allaient reprendre la route vers Glasgow ou vers Londres. Il déverrouilla un break Peugeot vert, s'installa au volant, attacha sa ceinture, introduisit la clé dans le démarreur sans mettre le contact, et attendit patiemment, les yeux baissés, anodin. Campés devant l'ouverture, les marins en cirés jaunes et grosses bottes de caoutchouc tuaient le temps en regardant les passagers avec insolence.

Le grondement des moteurs changea soudain de régime, quand le ferry ralentit à l'approche du quai avant de virer sur le côté. La proue s'abaissa lentement, laissant la lueur du jour gris pénétrer dans les entrailles du bateau.

Les conducteurs de la première rangée démarrèrent, attentifs aux grands gestes des marins qui les incitaient à s'engager sur la rampe pour aborder la terre d'Écosse.

Jamais, même dans ses rêves de gloire les plus fous, Eddy n'aurait imaginé qu'il dînerait un jour au Beefeater avec un ancien paramilitaire terroriste et se baladerait ensuite en voiture avec lui dans les rues de Glasgow. Eddy buvait du petit-lait. Il essayait de la jouer cool, mais l'homme le fascinait. Il était bluffé par son calme, et cette façon qu'il avait de rouler des épaules en marchant. Bluffé par la vigilance de ce type, qui ne croisait son regard qu'en passant et gardait plutôt les yeux fixés par-delà son épaule. Et il avait failli applaudir lorsque, après avoir rempli son assiette de viande en sauce et d'une seule pomme de terre, l'homme leur avait choisi une table dans le fond de la salle, loin de la porte et des fenêtres. Prudent. Pro.

Le visage tourné vers la vitre passager de la Peugeot, Eddy pensait que tout se serait passé autrement si l'Irlandais avait été là dès le début. Il devait avoir tenu un rôle important chez les Provos, grâce à son autorité naturelle. Eddy l'aurait suivi n'importe où s'il avait été sous ses ordres.

— Là.

L'homme aux cheveux blancs, qui avait demandé à Eddy de l'appeler T, se rangea le long du trottoir et désigna du menton la cabine téléphonique qui se trouvait un peu plus loin.

— Mais… (Eddy ne savait pas comment le lui dire.) Il y a des caméras partout.

L'homme jeta un bref coup d'œil au coffret gris vissé à un réverbère.

— Ce n'est pas grave, dit-il avec son accent guttural. Mets ta casquette et baisse la tête.

Eddy prit mentalement note de ce truc qu'on ne leur avait pas appris.

— Euh, j'ai pas de casquette, mais…

T tendit le bras vers le siège arrière et attrapa deux casquettes de cricket bleu marine au logo de l'équipe d'Angleterre. Il en jeta une sur les genoux d'Eddy.

Enhardi, Eddy se risqua sur le terrain de la camaraderie.

— Putain, ricana-t-il en montrant l'écusson. C'est une blague, au moins ?

— Qu'est-ce que tu crois, fiston ? répliqua T en clignant de l'œil.

Eddy commençait à penser que T l'aimait bien.

— Dis, T, pour le rendez-vous tu crois pas que ça craint ? S'ils ont prévenu les flics on risque de se faire pincer, non ?

T esquissa un sourire torve.

— J'ai fait ça des centaines de fois, fiston, t'inquiète.

Il baissa la visière de la casquette sur ses yeux, aussitôt imité par Eddy.

Ainsi coiffés, ils sortirent de la voiture et avancèrent épaule contre épaule vers la cabine téléphonique. Y entrer tous les deux fut un peu compliqué. L'Irlandais avait quand même un gros bide et Eddy n'était pas non plus particulièrement mince, vu toutes les séances de muscu qu'il se tapait. Ils réussirent cependant à fermer la porte derrière eux, empêchant le bruit de la circulation et le bip aigu du signal piétons installé sur le feu tricolore d'interférer avec la conversation.

L'Irlandais enfila un gant en latex, attrapa le combiné qu'il coinça entre son menton et son épaule, sortit une pièce de sa poche et l'introduisit dans l'appareil.

— OK. À toi de jouer fiston.

Eddy sortit de sa poche le reçu de Tesco sur lequel il avait noté le numéro de téléphone des Anwar. Il replia les doigts pour taper les chiffres du bout des phalanges parce que c'était plus pro, ça ne laissait pas d'empreintes.

— Tu as écrit le numéro sur un bout de papier que tu gardes au fond de ta poche ? Et si tu te fais prendre ? C'est exactement la chose à ne pas faire.

Eddy cilla.

— Ouais mais c'est juste que c'est mon pote qui a appelé et comme je connaissais pas encore le numéro par cœur, j'ai… (L'homme l'écoutait, consterné. Eddy eut honte, brusquement.) Je vais… Je vais l'avaler quand nous aurons appelé.

— Vraiment ? Tu vas bouffer un reçu de chez Tesco ?

La consternation avait laissé place à la surprise.

— Ben ouais, pour m'en débarrasser.

Embarrassé par sa gaffe, Eddy composa rapidement les derniers chiffres et enfourna le ticket dans sa bouche. Heureusement qu'il n'était pas très grand, parce qu'il avait un goût d'encre et de papier journal.

T l'étudiait, intrigué et un peu dégoûté.

— Tu aurais peut-être dû attendre d'être sûr que c'est le bon numéro… Anwar ?

Eddy n'entendit pas la réponse, mais toute trace d'indécision avait disparu du visage de T.

— J'ai une affaire à vous proposer, déclara-t-il d'une voix ferme.

Ses yeux étaient presque fermés, tellement il fronçait les sourcils.

Doucement, T tendit le bras pour ouvrir la porte de la cabine téléphonique. Doucement, mais fermement, il poussa Eddy dehors et referma la porte derrière lui. Eddy resta planté là, à mâcher consciencieusement son bout de papier. La pluie brouillait les verres de ses lunettes noires, il n'y voyait rien.

Sadiqa, Omar et Billal fixaient le téléphone, dont la sonnerie grêle les mettaient sur les nerfs. Omar souleva le combiné. Son interlocuteur lui annonça d'entrée de jeu qu'il fallait discuter. Il ne connaissait pas cette voix de basse au nasillement typique de l'accent d'Irlande du Nord.

— Qui êtes-vous ? demanda Omar.

— Le Patron. Et toi ?

— Omar.

— Anwar ?

— Anwar est notre nom de famille. Mon prénom c'est Omar.

— Mais on ne t'appelle pas toujours comme ça, hein ?

Omar soupira. Billal le regardait. Il ferma les paupières pour ne plus le voir.

— Tu as bien un surnom, non ?

L'homme souriait à l'autre bout du fil. Omar imagina une gueule de crocodile grande ouverte, prête à le dévorer.

— On t'appelle Bill, non ?

— Bob.

— Quoi ?

— On m'appelle Bob.

— Non, non, non, dit-il avec un rire sinistre. Ne t'amuse pas à jouer au plus fin avec moi. C'est Bill, qu'on t'appelle.

Omar rouvrit les yeux. Billal avait entendu. Son regard allait d'Omar au téléphone.

— Écoute-moi bien, Bill. On a appris deux, trois petites choses intéressantes sur tes plans pour…

Choqué, Billal venait de tomber à genoux et il tapait du plat de la main sur le magnétophone comme s'il écrasait un cafard. L'appareil s'arrêta.

— … la fraude à la TVA et tout ça. Alors sois tu craches, et vite, soit on s'occupe de ton petit papa. Compris ?

À genoux près de la table du téléphone, la tête penchée en avant, Billal ne bougeait pas d'un pouce.

— Où et quand ?

— Dans une heure. Dépose le fric sur l'A1, près de la première borne d'appel d'urgence après la station-service. Compris ?

— Oui. Mais je n'ai pas tout ce que vous avez demandé, je n'ai que quarante mille.

— Ça fera l'affaire.

— Et vous relâcherez mon père ?

— Dès qu'on aura récupéré le pognon, on le laissera partir avec de quoi se payer un taxi pour rentrer. Tu as pigé ?

— La première borne d'appel d'urgence après la station. OK.

— Et si ce n'est pas un Paki qui conduit, je saurai que vous avez prévenu les flics. Tu vois le tableau, dans ce cas ?

Omar avait du mal à parler. La menace et l'insulte raciale, c'en était trop.

— Au fait, disait la voix, ta mère a son permis ?

— Euh, oui.

— Alors qu'elle amène le fric. Qu'elle vienne seule.

Omar réussit à articuler trois mots.

— Dans une heure.

— Dans une heure.

Il serrait si fort le téléphone contre son oreille que le déclic signalant la fin de la communication lui vrilla le tympan. Lentement, Omar souleva le combiné et l'asséna de toutes ses forces sur la nuque de Billal.

Harris surveillait la maison des Anwar. Un ruban protégeait encore le muret du jardin, mais toutes les étiquettes de marquage des preuves avaient disparu et le pavillon ne se distinguait plus de ses voisins.

— Emballé c'est pesé, dit-il. Il s'est mis combien de côté en tout, vous croyez ?

— Une société qui fait faillite ne disparaît du registre du commerce qu'au bout d'un an et demi. La TVA peut rapporter plusieurs millions par mois. Il doit avoir un joli petit magot, c'est sûr.

— Et il vit chez ses parents avec sa petite femme ?

— M. Nutkins et sa maman doivent lui coûter bonbon.

— Combien ? Plusieurs milliers par mois ?

Morrow haussa les épaules.

— Il a forcément des tas de boîtes bourrées de fric cachées quelque part.

Par le panneau translucide de la porte d'entrée des Anwar, elle apercevait une silhouette qui bondissait follement d'un côté du vestibule à l'autre. Quelqu'un qui se précipite pour répondre au téléphone ou rattraper un vase sur le point de basculer ? Toute la famille en train de jouer à saute-mouton ? Elle imaginait différents scénarios quand une silhouette de taille impressionnante heurta violemment le panneau vitré qui vola en éclats.

Harris et Morrow, qui avaient bondi hors de la voiture et remontaient l'allée au pas de course, virent la silhouette avant qu'elle s'écroule à bonne distance de la porte.

— Police ! Police ! Ouvrez ! hurlait Harris en essayant de forcer la poignée.

Sadiqa débloqua le battant et leur désigna le bout du couloir d'un doigt qui tremblait, en se cachant les yeux derrière l'autre main.

Assis sur la poitrine de son frère, Omar tentait de l'assommer avec le socle du téléphone. Billal, en sang, se protégeait le visage derrière ses bras en pédalant comme un forcené et propulsait l'un après l'autre ses genoux dans les reins de son frère. Omar ne sentait pas les coups dans son dos. Il n'entendit même pas Harris traverser l'entrée au pas de charge pour se précipiter sur lui. Tout entier à ce qu'il faisait, il continuait à soulever le lourd téléphone à bout de bras avant de l'abattre sur son frère, encore et encore. On aurait dit un enfant en train de casser son jouet préféré.

Harris lui arracha le téléphone des mains et, d'une prise qui faillit l'étrangler, il le sépara de son frère et l'obligea à se remettre debout.

Soudain libre, Billal leva les yeux. Son nez n'était qu'une masse sanglante, mais il s'aperçut que Morrow l'observait et, très vite, il se mit à hurler.

— Oh Dieu, oh mon Dieu ! clamait-il en roulant sur lui-même.

Il se tordait comme un damné sans cesser de la regarder. Il voulait qu'elle vienne constater qu'il était grièvement blessé. C'est cela qui la décida à ne pas s'intéresser tout de suite à lui.

Choquée, le regard vide, Meeshra se tenait sur le seuil de la chambre. Elle s'accrochait au chambranle de la porte, les bras écartés. Morrow fit un pas vers elle et fut surprise de la voir sursauter.

— Meeshra ?

Dans la chambre, le bébé poussa un piaillement aigu. Meeshra ne cilla pas. Elle ne bloquait pas la porte de sa chambre pour protéger le bébé. Meeshra protégeait autre chose.

Morrow avança vers elle sans la lâcher des yeux. Elle repoussa la main cramponnée à l'encadrement et vit le visage se transformer en masque horrifié à l'instant où la jeune femme comprit qu'elle venait de se trahir. Dans la chambre, Morrow se dirigea vers le seul meuble qui lui paraissait suffisamment grand. Elle se permit un petit claquement de langue, se pencha et attrapa le bord du lit coffre à deux mains. Le matelas glissa de l'autre côté, et le cadre de bois se souleva aisément. Elle le maintint en l'air et baissa les yeux.

Des blocs compacts de billets de banque rose et pourpre, aussi solides que des briques, et en si grande quantité qu'elle dut en estimer le volume, pas la valeur : un mètre cinquante sur un mètre vingt et presque quatre-vingt-dix centimètres de haut.

Consciente de l'incroyable silence qui régnait dans l'entrée, elle tourna la tête. Agglutinés derrière Meeshra, Sadiqa, Harris et Omar avaient vu l'argent et s'étaient figés, stupéfaits. Puis Sadiqa se plia en deux. Elle saisit le téléphone resté par terre et, avec une agilité remarquable pour une femme de sa corpulence, elle l'abattit sur les couilles de son fils aîné.

L'infirmière était de retour, elle lui proposait de descendre boire une tasse de thé à la cafétéria, le temps qu'elle fasse la toilette de sa tante avant la visite des médecins. Il pourrait leur parler.

Pat se redressa. Il regarda la main de Minnie et s'aperçut que les phalanges avaient blanchi sous le poids de son front. Avec précaution, il reposa la main sur les couvertures. Son dos était douloureux et ses joues toutes mouillées, ses yeux le brûlaient tant il avait pleuré. Il se sentit tout à coup complètement stupide.

— Oui, balbutia-t-il. Oui. Je vais y aller.

Pat se leva lentement en essayant de cacher son visage à l'infirmière. Elle lui tendit des mouchoirs en papier. Il s'essuya la figure.

— Prenez votre temps, conseilla-t-elle gentiment avant de quitter la chambre.

Pat sortit dans le couloir et alla s'enfermer dans les toilettes. Il ouvrit le robinet et se pencha sur le lavabo pour s'asperger le visage d'eau froide. Il aurait bien voulu se regarder dans le miroir, vérifier s'il était présentable, mais il n'en eut pas le courage. Il se tamponna simplement le visage avec une serviette en épais papier vert.

Une autre infirmière le regarda s'approcher d'elle dans le couloir, une femme plus âgée, en pantalon et blouse bleu marine. Devant ses yeux rougis, elle sourit avec compassion.

— Monsieur Welbeck ?

— Je descends prendre une tasse de thé, marmonna Pat en essayant de l'éviter.

— Les docteurs ne feront pas leur tournée avant une bonne demi-heure. Vous avez donc tout le temps, rien ne presse.

Il tenta de s'échapper, mais elle posa la main sur son coude pour l'obliger à la regarder. Il s'arrêta, capta son regard et découvrit qu'il n'avait pas la force de lui résister.

— Elle a été très bien soignée. Vous n'avez pas à vous inquiéter.

Il inspira profondément pour retenir les larmes qui menaçaient à nouveau de couler, puis rejeta la tête en arrière.

L'infirmière était petite. Par-dessus son épaule, une fenêtre protégée par un grillage, et des traces de vieux lambeaux de scotch jaunis. Des triangles roses sur les rideaux jaunes. Elle était là. Assise dans le lit, les cheveux rassemblés sur une épaule, les mains posées sur la couverture, à contre-jour. Elle le regardait.

— … et bien qu'elle ait eu des escarres, il semble que les bains d'eau salée aient été efficaces.

Pat ne pouvait pas détacher ses yeux d'Aleesha, et il en allait de même pour elle. Il crut voir ses pupilles se dilater, pensa qu'elle le reconnaissait, se dit que c'était peut-être ses yeux à lui qui s'étaient agrandis pour se remplir d'elle.

L'infirmière parlait toujours d'escarres, de la maison de retraite que Minnie avait quittée pour l'hôpital, d'examens, d'analyses, mais il ne saisissait de son discours que des mots épars qui flottaient autour de sa tête en lui effleurant les oreilles.

Sans le quitter du regard, sans même bouger la tête, Aleesha repoussa les couvertures, balança les jambes hors du lit et se leva. L'une de ses mains était bandée, un pansement blanc. Elle s'approcha, la main levée, les yeux toujours rivés dans les siens. Même lorsqu'elle fut derrière la porte en bois et qu'ils ne purent plus se voir, leurs regards restèrent arrimés l'un à l'autre. Elle s'appuya au chambranle et attendit que l'infirmière s'éloigne.

— Je suis vraiment navrée, dit cette dernière en se touchant la poitrine. Moi, c'est Sarah, je suis la surveillante du service. Comment vous appelez-vous ?

Aleesha recula d'un pas. On ne voyait plus qu'un de ses yeux derrière l'encadrement de la porte. L'idée de sortir de sa chambre pour parler avec un inconnu lui paraissait peut-être extravagante, tout à coup. Elle regarda sa main bandée, courba les épaules, prête à faire demi-tour, tirée en arrière par une force qui la retenait dans la chambre.

— Roy.

Il s'écarta d'un pas, contourna l'infirmière. Il s'approcha d'Aleesha en tendant sa main droite devant lui, paume ouverte, pour l'inviter non à la lui serrer, bien sûr, mais à glisser la sienne dedans et à partir avec lui loin d'ici.

— Bonjour.

Aleesha fixa la main qu'il lui offrait, leva un sourcil devant tant d'impertinence, puis, le dévisageant, elle comprit qu'il avait désespérément besoin d'elle.

Il était magnifique. Grand. Des cheveux blonds si épais qu'ils tenaient tout seuls, sans gel, contrairement aux mèches hérissées typiques des garçons qui passaient des heures à se coiffer. Les joues mangées par une barbe de trois jours de cent couleurs différentes. Un nez écrasé, comme s'il avait eu un accident de voiture. Et des épaules larges, plus larges que la porte. Il haussa les sourcils. Dessous, ses yeux bleu clair souriaient tristement.

Elle ne prit pas la main tendue. Elle recula d'un pas, se glissa dans la chambre en détournant le visage.

— Excusez-moi, dit l'infirmière sur un ton froissé. Vous vous connaissez ?

— Oui, répondit Pat. J'en suis certain, mais je ne sais plus où nous nous sommes rencontrés.

— Vous étiez à Saint-Al ? demanda Aleesha en se retournant brusquement.

— J'ai vingt-huit ans, ça fait longtemps que je ne vais plus à l'école. Et ce n'est pas là que j'étais, non.

— Je pensais que vous étiez allé à Saint-Al.

Sa voix était plus haute qu'il ne l'aurait cru, plus douce.

Il la regarda encore et la vit telle qu'elle était : une jeune fille, pas la déesse de ses rêves. Il préférait la jeune fille.

— Ma, euh… on doit préparer ma tante avant la visite des médecins. J'allais, euh… (Il regarda les portes au bout du couloir. Il comprenait à quel point son rêve était impossible.) J'allais descendre prendre une tasse de thé…

Elle vit combien il était fatigué, et triste, et seul.

— Vous avez pleuré. Pourquoi ?

Avec un claquement de langue réprobateur à l'adresse de la jeune fille, l'infirmière s'approcha de Pat, les bras croisés, pour le protéger contre l'impudente. Pat se tripota une oreille, déglutit, secoua la tête pour ne pas fondre en larmes.

— Je suis triste, souffla-t-il en désignant la chambre de Minnie.

À nouveau ils se fixaient les yeux dans les yeux, et ça durait trop longtemps, c'en devenait embarrassant. Il constata qu'elle s'en apercevait aussi et qu'ils étaient à l'unisson. De sa main valide, elle soutint la grosse poupée formée par les bandages et les pansements pour la lui montrer.

— Je suis bourrée de calmants. C'est pour ça que j'ai l'air si bizarre, dit-elle.

Il tendit un index hésitant vers la poupée. Il faillit lui demander ce qui s'était passé, jouer l'étonné, mais il se ravisa. Il ne voulait pas que leur histoire commence sur un mensonge. Ils observaient tous les deux sa main blessée. Du bout du doigt, Aleesha effilocha le bord de la bande.

L'infirmière en avait assez de jouer les spectatrices. Elle s'interposa entre eux. Avec une grâce surnaturelle, Aleesha s'écarta aussitôt pour rester dans le champ de vision de Pat.

— Si ma mère téléphone, dites-lui que je reviens dans vingt minutes.

38

En sus de la Lexus, ils avaient récupéré dix-sept autres voitures volées, entières ou en pièces détachées, et ils n'avaient absolument rien à reprocher à Danny McGrath. On n'avait pas retrouvé ses empreintes, son nom n'apparaissait nulle part et c'est de son plein gré, comme pour faire une fleur à la police, qu'il avait spontanément coopéré avec eux.

Elle n'avait jamais considéré Danny comme une menace, avant ; ils avaient mené leurs vies chacun de son côté. Le fait qu'il soit resté signifiait cependant qu'il estimait que Morrow avait rompu la trêve, qu'elle avait délibérément conduit les hommes de l'antigang jusqu'à lui. Et elle savait parfaitement que même si elle lui expliquait en tête à tête ce qui s'était passé, leur relation s'en ressentirait.

Elle ne pouvait laisser à personne le soin de l'interroger, parce qu'il pouvait dévoiler son secret. Mais l'interroger elle-même, c'était prendre le risque qu'on les voie ensemble, qu'on remarque leur ressemblance, et tout le monde saurait d'où elle venait. Elle ne voulait pas sortir des toilettes. Elle aurait bien sauté par la fenêtre s'il y en avait eu une, elle aurait volontiers déclenché l'alarme incendie si elle avait eu un briquet. Un grattement sur la porte précéda la voix de Harris.

— Vous avez un problème ?

Le bruit qui lui sortit de la gorge se voulait un ricanement. Elle se rajusta, réussit à proférer un « J'arrive ! » désinvolte et ouvrit la porte si violemment que Harris n'eut pas le temps de s'écarter.

— Bordel ! jura-t-elle. Apprenez à vous tenir !

— Ça fait vingt minutes que vous êtes là-dedans, patronne. Il s'apprête à partir. Il est venu spontanément, vous vous rappelez ? Il peut repartir.

— Où est MacKechnie ?

— Il est rentré chez lui.

— Il n'est que quatre heures et demie, protesta-t-elle en regardant sa montre.

— Il avait un rendez-vous et il voulait repasser chez lui. Il sera de retour pour la remise de rançon. Il vous accompagnera dans le fourgon de surveillance.

— Et merde !

Cette fois c'était un juron de soulagement. Au moins, MacKechnie ne les verrait pas ensemble, Danny et elle.

— Vous êtes malade ?

— Un peu. J'ai l'air malade ?

— Un peu.

Elle parlait beaucoup trop vite, elle se trahissait toute seule. Désespérée, Morrow fixa le mur d'un regard morne.

— Le temps file, reprit Harris, il est dans son droit…

— Il est dans quelle salle ?

— La quatre.

— Allez chercher Gobby et attendez-moi devant la trois. Je veux lui parler avant de commencer. S'il n'est pas là dans deux minutes, je lui fais bouffer ses couilles.

Assis à côté de son avocat, Danny lui faisait face. L'avocat n'avait pas du tout l'air d'être spécialisé dans la défense des veuves et des orphelins. Morrow ne l'avait jamais rencontré, n'avait même jamais entendu parler de lui. Lorsqu'elle lui en fit la remarque, il répondit avec un sourire charmeur qu'il était avocat d'affaires.

Danny avait l'air mal fichu et de mauvaise humeur. Il était avachi sur son siège, un bras sur le dossier, il feignait la décontraction. Leur père prenait souvent cette pose. Elle l'avait même vu boxer un type en restant assis comme ça. En plus Danny portait sa parka en duvet de canard, plus chère, certes, que bien des costumes, mais qui lui donnait l'apparence d'un pauvre type qui a réussi à tirer son épingle du jeu.

L'avocat, lui, portait un costume de grand prix, pure laine, et sa mallette en cuir devait être la Rolls des mallettes. Il en sortit un bloc-notes et un stylo en écaille de tortue, un petit étui à lunettes demi-lunes, à monture en or, et un paquet de chewing-gums qu'il proposa à Danny. Morrow essayait de garder son calme.

La porte s'ouvrit sous une poussée brutale, le battant heurta le mur et Gobby fit son entrée avec sur le visage une drôle d'expression mi-hautaine, mi-exaspérée. Morrow se leva respectueusement. L'avocat l'imita en tendant la main.

— Commissaire MacKechnie ?

Gobby serra la main tendue et lança un regard assassin à Morrow avant d'enlever son manteau en le laissant tomber de ses épaules, comme Bannerman avant l'interrogatoire d'Omar. Puis il s'assit, croisa les mains devant lui sur la table et se racla la gorge. Tout le monde attendait qu'il prenne la parole. Gobby toussota une fois encore, se tourna vers Morrow en fronçant les sourcils.

— Oui, oui, dit-elle. Désolée. Je suis l'inspecteur Morrow, et voici D… mais vous vous connaissez déjà. Je ne sais pas si vous savez pourquoi vous êtes ici ? poursuivit-elle à l'adresse de Danny.

Danny serra les dents et elle lut dans ses yeux la promesse qu'il n'oublierait jamais cette scène.

— Bien. Je vais donc résumer brièvement. Un homme a été enlevé par des hommes armés. Nous sommes à sa recherche. Un véhicule ayant été utilisé dans cette affaire nous a conduits au garage où vous avez été, euh… appréhendé. Pouvez-vous m'indiquer les raisons de votre présence là-bas ?

— J'étais venu chercher des pièces.

— Des pièces de voiture ?

Il acquiesça d'un battement de cils.

— À qui les achetiez-vous ?

— Aux types qui se trouvaient là.

— Les deux hommes que nous avons arrêtés dans ce garage ?

Il haussa les épaules.

— Quel genre de pièces, précisément ?

— Des bougies, répondit-il d'un ton méprisant.

— Des bougies ?

— C'est bien ce que j'ai dit.

— Pourquoi allez-vous les acheter là-bas ?

— Là ou ailleurs…

— Les bougies, ça ne vaut pas très cher, pourtant ?

Il ricana et se cala sur son siège.

— Pourquoi aller les acheter là alors que vous pouvez les trouver au même prix ailleurs ?

Il marmonna quelques mots inaudibles.

— Pardon ?

— Vous avez un sacré culot, dit-il calmement.

— Moi ?

— Vous me convoquez ici pour écouter ces conneries.

Il regardait Gobby, mais c'est à elle qu'il s'adressait. Il pointa le menton vers elle.

— Vous l'avez vue ?

Gobby se tourna vers Morrow.

Danny sourit. Ses fossettes, constata Morrow, commençaient à se fondre dans les plis creusés de part et d'autre de sa bouche, son charme fichait le camp par le bas, l'amertume prenait le dessus.

— Non, mais vous l'avez vue ?

Le regard de l'avocat passait de l'un à l'autre. Découvrait les ressemblances. Les joues creusées de fossettes, le front haut.

Danny et Morrow s'affrontaient sans mot dire. L'espace d'un instant, elle lut en lui comme dans un livre ouvert, elle se reconnut en lui, perçut la peur qui les rongeait et attisait leur colère, les contraignait à mater leur désir éperdu, obsédant, de se forger des attaches.

— J’aimerais vous parler en privé, déclara-t-il avec morgue.

Morrow hésita.

— À moi ?

— Non, à lui.

Il sortit un paquet de chewing-gums de sa poche et fit tomber dans le creux de sa paume deux petits rectangles blancs qu’il se jeta dans la bouche comme on avale des cachets d’aspirine.

Gobby se pencha sur la table.

— À moi ? Pourquoi ?

— J’ai quelque chose à vous dire.

Il ne le ferait pas. Elle était sûre qu’il ne le ferait pas. Il la menaçait, c’est tout, il voulait lui prouver qu’il en était capable.

— Monsieur McGrath, dit Gobby en se laissant aller contre son dossier dans une posture qui mimait celle de Danny, nous ne pouvons parler aux suspects qu’en présence d’un autre officier de police. C’est la loi.

— J’ai bien peur…, intervint l’avocat.

Danny lui imposa le silence d’un geste.

— J’ai des informations qui pourraient vous intéresser.

— Oh ! fit Gobby avec une surprise feinte. Vous envisagez de devenir indicateur ?

— Non.

— Commissaire MacKechnie, reprit l’avocat sur un ton ridiculement guindé, j’ai bien peur de ne pas suivre aussi bien que je le souhaiterais les propos de mon client. Pourrais-je m’entretenir seul à seul avec lui ?

Gobby assumait.

— Non. Pourquoi êtes-vous ici ? Allez-vous enfin nous parler de ces voitures ?

Danny semblait un peu moins sûr de lui.

— Ou quoi ?

— Ou rien, dit Morrow.

— Vous allez m'arrêter parce que j'ai acheté une bougie ?

— Monsieur McGrath, pourquoi vous êtes-vous présenté ici de votre propre chef ? Et pourquoi estimez-vous nécessaire de payer l'assistance d'un avocat ? demanda Morrow.

Danny passa les deux bras autour du dossier de sa chaise et bomba le torse.

— Comment se fait-il, Alex, que je sache où tu vis ? Comment se fait-il… (il hésita à proférer la menace suivante)… comment se fait-il que je sache dans quelle crèche va ton fils ?

Morrow recula et le fixa. Il croyait la connaître, il avait appris par la rumeur quelques détails sur sa vie, mais il ignorait le plus important. Il ne savait rien de Gerald, il ne savait pas ce qui s'était passé. Danny ne faisait pas partie de sa famille. Elle le regarda un long moment. Lorsqu'elle parla enfin, elle était parfaitement calme.

— Monsieur McGrath, vous ne savez rien de moi.

Gobby se leva.

— Ne revenez que si vous tenez vraiment à nous faire perdre notre temps, déclara-t-il à l'avocat.

Penché sur sa mallette, l'avocat s'empressa de rassembler ses affaires. Alors seulement Danny prit la peine de lever les yeux vers la caméra vidéo. Elle n'était pas branchée.

Morrow les quitta rapidement. Elle dévala l'escalier. Routher l'attendait en bas.

— Madame, votre mari est là.

Aleesha avait dit vrai, elle prenait des médicaments. Du paracétamol. L'intervention qu'elle avait subie l'avant-veille s'était bien déroulée. On avait interrompu la morphine quatorze heures plus tôt, mais feignant d'être à moitié dans les vapes, elle marchait d'un pas mal assuré, traînait la jambe, attrapait des objets et les remettait en place comme si elle avait oublié qu'ils avaient déjà pris un plateau à l'entrée de la cafétéria self-service. Ils avaient déjà une petite cuiller, un sachet de sucre. Elle agissait ainsi à dessein. Elle le testait.

Roy semblait vouloir la protéger. Il lui fit une barrière de son corps en venant se placer près d'elle lorsqu'un chariot passa rapidement. Il reposa doucement le second plateau, les sachets de sucre dont il n'avait pas besoin. Il lui parlait avec douceur. Elle observa son visage pendant qu'il payait leurs consommations, une bouteille d'eau pour elle, une tasse de thé pour lui. Il avait du chagrin, et une telle tristesse au fond des yeux que le sourire de remerciement qu'il adressa à la caissière ne parvint pas à la dissiper.

Lorsqu'il prit la monnaie rendue sur son billet de cinq livres, elle le vit jeter un coup d'œil à la boîte placée là pour recueillir des dons en faveur de l'hôpital. Il regarda sa monnaie, se dit qu'il pourrait en mettre au moins une partie dans la boîte, décida finalement de n'en rien faire. Elle vit la minuscule grimace qui passa fugitivement sur ses traits parce qu'il s'en voulait de n'être pas généreux. Ça lui plut.

Il l'entraîna prudemment vers une table du fond, loin du bourdonnement du couloir. Il la fit asseoir sur une chaise où elle ne risquait pas d'être bousculée et s'installa en face d'elle. Il posa la bouteille d'eau devant elle, la tasse de thé près de son coude, le plateau par terre, contre le pied de la table. Il leva les yeux vers elle. Son regard se fixa d'abord sur son menton, erra sur ses lèvres, sur l'arête de son nez, sur ses sourcils, avant de croiser ses yeux. Elle vit le chagrin se dissiper, la douleur s'évanouir, et elle sut que c'était elle qui lui faisait cet effet.

— Roy ?

— Oui, c'est moi.

— Roy, pourquoi es-tu si triste ?

Il haussa les épaules et détourna les yeux. Il sombrait à nouveau dans le chagrin.

— J'ai perdu…

Il se tut, comme s'il avait oublié ce qu'il voulait dire.

De sa main valide, Aleesha se mit à arracher l'étiquette de la bouteille d'eau en essayant de ne pas la faire tomber. Il l'observait.

— C'est quoi, ton histoire ? (Elle sourit.) Non, sérieusement. C'est quoi, ton problème ?

— Mon problème ?

— Pourquoi tu fais semblant d'être dans les vapes ?

Elle se pencha vers lui et le menaça avec la bouteille. Il souriait.

— Les gens sous calmants, je connais, tu sais.

Elle lui rendit son sourire.

— Tu m'aimes vraiment, n'est-ce pas ?

— Oui.

C'était si vrai que ce petit mot eut du mal à franchir ses lèvres.

— Pourquoi m'aimes-tu ?

Elle s'attendait à un compliment, une liste bêtement flatteuse de ses atouts : de beaux yeux, des cheveux souples, une jolie silhouette. Roy s'adossa à sa chaise, attrapa l'anse de sa tasse et posa la main sur la table. Il répondit la seule chose au monde susceptible de gagner sa confiance :

— Je n'en ai aucune idée. Mais je t'aime. Vraiment.

Aleesha, qui souriait de ravissement, s'appliqua à boire en même temps. Il la regardait toujours, les yeux légèrement plissés pour mieux apprécier le galbe des bras, les épaules rondes. Il l'aimait. Le cœur d'Aleesha se mit à battre follement, elle respirait plus fort en le scrutant au travers de la bouteille en plastique. Elle avala une gorgée d'eau, sentit le goulot étroit aspirer sa lèvre lorsqu'elle le retira de sa bouche.

— Roy ?

Il sourit, simplement parce qu'elle prononçait son nom.

— Roy, tu as une voiture ?

Morrow ne reconnut pas la voiture. Ce n'était pas la leur, mais elle s'en approcha car c'était le seul véhicule civil du parking qui ne lui disait rien. Une vieille Honda Accord bleu pâle. C'était tellement inattendu qu'elle en eut le souffle coupé, et dut s'accrocher à la rampe.

Assis à la place du conducteur, les mains sur les cuisses, il la regardait. Brian avait acheté une voiture sans lui en parler. Une voiture d'occasion. Pas vraiment super, un peu merdique, même, mais c'était la réplique exacte de celle qu'il possédait lorsqu'ils s'étaient rencontrés.

Il s'était garé sur l'arrêt de bus, devant la rotonde du Battlefield Rest, et lui avait proposé de la raccompagner chez elle. Ils étaient tous les deux au Langside College. Ils n'étaient pas spécialement amis, mais il leur arrivait de s'asseoir à côté, en cours d'histoire. Ils s'aimaient bien, ils buvaient parfois un café avec les mêmes copains.

Maintenant qu'elle observait le monde avec le regard déformé d'une femme flic, jamais au grand jamais elle ne monterait dans la voiture d'un quasi-inconnu. Non, maintenant, même trempée jusqu'aux os elle déclinerait poliment la proposition, dirait merci beaucoup, mais non, merci, elle préférait prendre le bus, ils se verraient demain, est-ce qu'il savait qu'il était garé sur un emplacement interdit ? Maintenant, elle ne monterait jamais dans la voiture de Brian. À l'époque, la chaleur qui s'échappait par la vitre passager l'avait convaincue d'abandonner l'abribus glacial, elle avait enlevé sa capuche, elle était montée dans la voiture et il l'avait ramenée chez elle. Ils avaient parlé de musique, et du temps, et du prof d'histoire, et des grandes balades à pied que Brian adorait – ça lui dirait de l'accompagner de temps en temps ?

Cela faisait deux ans qu'il avait cette voiture et il l'avait vendue une bouchée de pain avant leur mariage. Elle avait insisté, ils étaient allés ensemble en acheter une neuve, plus petite mais neuve, ce qui était une garantie de bon état mécanique.

Au pied de la rampe d'accès, le vent qui tourbillonnait sur le parking du commissariat poussait les feuilles mortes sous les châssis. Derrière elle, la porte claqua et elle s'écarta pour laisser passer des agents qui filaient au petit trot. Puis elle se dirigea vers la voiture bleu pâle. Debout devant le capot, elle le regarda. Brian lui rendit son regard à travers le pare-brise et enleva ses lunettes. Deux traces ovales et rouges marquaient son nez. Sans les verres pour les protéger, ses yeux paraissaient à vif. Il avait l'air plus jeune.

Morrow aurait voulu fuser à travers le pare-brise et l'engloutir, étouffer son corps sous le sien, l'incorporer. Elle se contenta de baisser le menton sur sa poitrine, en dissimulant son visage pour éviter qu'on la reconnaisse sur l'une des nombreuses caméras installées sur le parking, et alla ouvrir la portière passager. La forme de la poignée dans sa main réveilla un souvenir tactile si vif qu'elle eut l'impression de sentir sous ses doigts sa main d'avant, plus jeune et plus confiante, douce et tiède.

La chaleur lui sauta au visage. Brian avait mis le chauffage à fond, comme le jour où il s'était garé devant l'abribus. Plus tard, il lui avait avoué qu'il l'avait fait exprès, pour qu'elle sente la chaleur et qu'elle ait envie de monter dans la voiture.

Elle se laissa tomber sur le siège et referma la portière. Elle baissa le pare-soleil afin que personne ne remarque ses yeux humides. Personne, ni sur les vidéos de surveillance, ni en traversant le parking.

Morrow se tourna vers la vitre en quête d'une phrase, d'une formule, d'un truc à dire, mais rien ne lui venait. Son regard errait sur les véhicules garés à côté du leur, sur le mur d'enceinte en briques marron. Elle joua à tracer un chemin dans les joints de mortier. Près d'elle, très loin, elle entendit Brian soupirer.

Une main frôla son poignet. Pour la toute première fois depuis la mort de Gerald, elle n'eut pas de geste de recul, pas de petit sursaut vite réprimé. Il faisait si chaud dans la voiture qu'elle avait à peine conscience du mouvement de la main de Brian, qui caressait le dos de sa propre main.

Main contre main, il fit glisser son poignet pour le placer sur le sien, leva son petit doigt d'un millimètre pour tapoter le sien. Et soudain leurs doigts se trouvèrent, se mêlèrent, se parlèrent dans la langue des amoureux, se racontèrent des choses indicibles.

Le visage mouillé de larmes, Morrow avait du mal à respirer. Ses yeux la brûlaient, mais elle poursuivait son voyage imaginaire sur le mur d'enceinte, tout en luttant pour reprendre sa respiration. Elle savait très exactement où elle était dans le labyrinthe, même lorsqu'elle dut fermer les yeux pour dissiper les larmes qui les embuaient. Elle poursuivit sa route jusqu'à ce que, soudain, elle se retrouve tout au bout du mur et ne puisse plus continuer.

— J'ai été licencié, avoua Brian tout à trac.

Elle regarda la main qui serrait la sienne. Une belle main. Des poils minuscules. Les doigts perdus entre les siens, entremêlés.

— Je n'y suis pas allé depuis…

Elle regarda le mur. Des collègues sortaient du commissariat, l'uniforme déboutonné, ils montaient dans leurs voitures, ils rentraient chez eux.

— C'est compliqué ? Financièrement ?

— On sera peut-être obligés de vendre la maison.

Ses doigts bougeaient rapidement sur les siens, anxieux, nerveux, quêtant encore un peu de chaleur.

Elle pivota la tête vers lui, s'aperçut qu'il lui tournait à moitié le dos et qu'il pleurait, le front collé contre la vitre. De grosses larmes tombaient de son menton.

— Oh Brian ! Je déteste cette foutue maison.

Les doigts mêlés aux siens, serrés, serrés et immobiles, Morrow porta la main de Brian à ses lèvres et la main s'y abandonna.

39

Son ventre touchait le volant. Sadiqa lança un regard d'excuse à Morrow et à MacKechnie.

— Je suis trop grosse…, dit-elle simplement.

Ça ne paraissait pas très prudent.

— Et si vous reculiez un peu le siège ? suggéra MacKechnie.

— J'ai les jambes trop courtes, répondit-elle en regardant autour d'elle, dans le vain espoir de trouver quelque chose qui les rallongerait.

— Vous arriverez à conduire ? demanda Morrow par la vitre ouverte.

Sadiqa rentra le ventre. Son visage était déterminé, elle hocha la tête.

— Oui. Oui, j'y arriverai. Mais je ne suis quand même pas bien sûre de savoir conduire sur l'autoroute.

— Ça va aller ?

Sadiqa examinait le tableau de bord, aussi perplexe que si on lui avait demandé de piloter un avion, puis elle se décida.

— Oui.

— Bien. Les policiers sont déjà sur place. Vous voyez où c'est ?

— Oui.

— Vous sortez, vous posez le sac derrière la borne d'appel d'urgence, vous remontez en voiture et vous reprenez l'autoroute, d'accord ?

— Et je reviens ici ?

— Vous revenez ici.

Il faisait un froid de loup dans le fourgon de surveillance. Gobby était mal installé, sur un petit strapontin de métal près des portes arrière. Il n'y avait pas de place pour lui sur la banquette, occupée par MacKechnie et Morrow qui s'étaient installés devant les écrans gris-vert.

Les caméras de surveillance de l'autoroute étaient placées en hauteur de façon à couvrir les quatre voies séparées au milieu par le rail de sécurité. Cette longue portion de ligne droite, parfaite pour déchiffrer les plaques d'immatriculation de n'importe quel véhicule, était de surcroît bien éclairée. Les caméras étaient orientées de façon à prendre aussi le visage des conducteurs. Ils pourraient visionner en détail toutes les prises de vue, même en imprimer des images au besoin. Succès garanti devant le tribunal.

Il y avait encore beaucoup de passage sur ce tronçon malgré l'heure tardive. Une suite sans fin de voitures, de fourgons et de camions qui passaient devant la caméra, sous la caméra. Derrière les pare-brise, des gens qui parlaient, se taisaient, chantaient, se curaient le nez, ou restaient figés, hypnotisés par la monotonie de la route. Un autre écran montrait un refuge, la borne d'appel d'urgence se trouvait au premier plan. L'image ne changeait pas, on voyait seulement passer, de temps à autre, des lumières de phares. Ils disposaient de deux autres écrans pour les bretelles de sortie, au cas où les kidnappeurs prendraient la fuite avant qu'on puisse les intercepter.

— Tout le monde est à son poste? demanda MacKechnie, qui n'avait pas d'idée très précise quant à leurs postes respectifs.

— Tout est en place, monsieur, répondit Morrow.

MacKechnie était enchanté d'être avec elle, mais le peu d'estime qu'il avait jusqu'alors eu pour elle n'en prenait que plus de relief. Il imaginait la gloire devant eux, anticipait les points par lesquels il allait l'aspirer. Le respect qu'il lui témoignait à présent la mettait mal à l'aise. Morrow était née du mauvais côté de la barrière, elle ne frétillait que lorsqu'on la traitait comme un chien.

Ils gardèrent le silence une dizaine de minutes. Tendus, ils scrutaient les formes grises qui glissaient devant eux. Leurs yeux passaient d'un écran à l'autre. Elle avait demandé le silence radio; si les kidnappeurs étaient des professionnels, ils seraient branchés sur les fréquences de la police. Elle appela Harris sur son portable. Il était là où il devait être, et il ne s'était rien passé.

— OK, dit-elle. Tenez-vous prêt.

La banquette était assez petite, et il n'y avait pas beaucoup d'espace pour bouger. Cette façon qu'avait MacKechnie de l'observer en douce aurait pu laisser préluder un baiser maladroit. Morrow vérifia l'heure à sa montre : l'ultimatum d'une heure était dépassé depuis près de dix minutes.

— Là ! s'exclama-t-elle en désignant l'écran des quatre voies.

Sadiqa roulait lentement vers eux. Un autre conducteur changea de voie pour l'éviter. Sur le second moniteur, un camion la dépassa à toute allure, et elle eut tellement peur qu'elle ralentit encore. Peu habituée à la conduite sur autoroute, Sadiqa emprunta la bretelle de sortie. Elle attirait forcément l'attention, parce qu'elle conduisait à peine à la vitesse autorisée, en se déportant sur la droite dès qu'elle regardait dans le rétroviseur. Elle disparut un moment de la caméra, elle devait avoir atteint le lieu de rendez-vous.

Sur un autre moniteur, noir et blanc, des phares arrière éclairaient la borne d'appel d'urgence. Sadiqa reculait vers le refuge. MacKechnie jura en la voyant frôler la borne qu'elle évita de justesse.

Une fois garée, elle tira si brusquement sur le frein à main que la voiture sembla prise de hoquet. La portière s'ouvrit, elle sortit, resta un moment appuyée à la carrosserie à regarder les voitures défiler, puis se dandina jusqu'au coffre, en retira non sans mal le fourre-tout noir avant de le laisser tomber par terre à ses pieds. Elle essaya de le soulever, et constatant que c'était peine perdue elle écarta ses petites jambes dans un geste qui manquait pour le moins d'élégance et se baissa pour saisir le gros sac par une poignée et le tirer derrière la borne d'appel. Elle se redressa et le regarda. On aurait dit qu'elle lui parlait. Puis elle se retourna, revint vers la voiture, ouvrit la portière, se faufila derrière le volant et la referma. Le moteur démarra.

— Elle m'a fait de la peine, à s'échiner sur son sac comme ça, dit MacKechnie à la cantonade.

Après avoir calé une ou deux fois, Sadiqa réussit à déboîter. Elle réapparut sur l'écran suivant, mais sans plus s'intéresser à elle ils surveillaient le sac.

Les éclairs stroboscopiques des phares des voitures passaient sans s'arrêter à côté de quarante mille livres cachées tout près. Un camion rugissant. Un sac de plastique vide ballotté par les courants d'air. Les yeux de Morrow passaient d'un écran à l'autre. Pas de conduite suspecte, pas de fourgons bizarres avec trop de passagers sur le siège avant à cette heure de la nuit.

— Regardez !

MacKechnie avait bondi sur ses pieds. Une voiture pénétrait sur le refuge, les feux de détresse clignotant. Elle se gara trop loin, seule la moitié avant du véhicule était filmée.

— Merde, s'écria Morrow en se levant. Je leur avais dit d'élargir l'angle de vision. Merde !

Un homme chauve sortit de la berline et se dirigea vers l'arrière. Il se pencha pour vérifier les feux de position, se releva en secouant la tête comme s'il essayait de se rassurer, jeta un regard autour de lui. Il s'attarda un moment au bord du fleuve de la circulation. Gobby nota le numéro de la plaque d'immatriculation et appela le central pour vérification.

L'homme venait de remonter, il démarrait. Gobby raccrocha son portable.

— Un coup pour rien ? demanda-t-il à Morrow.

Elle haussa les épaules sans répondre. Même si toute l'opération échouait, même si Aamir devait mourir et si l'argent disparaissait, elle avait Brian. Elle avait serré sa main dans les siennes, l'avenir semblait envisageable.

Le mouvement était si lent qu'ils crurent d'abord à une défaillance du pauvre éclairage du refuge vide. Le sac se déplaçait.

MacKechnie loucha sur l'écran. Un bras apparaissait au bord du fossé en contrebas. Un pied à peine visible donnait un grand coup pour incliner le sac. Deux mains qui saisissent les poignées, un mouvement rapide, le sac qui saute par-dessus le fossé et qui disparaît. MacKechnie s'affola et se leva brusquement.

— Merde ! Merde ! L'autre côté, ils sont venus par l'autre côté de l'autoroute !

Il se tourna vers Morrow, l'empêchant de voir ce qui se passait sur les écrans.

— Qu'y a-t-il de l'autre côté de l'autoroute ?

Morrow ne se leva pas. Elle resta tranquillement assise, et continua à fixer les écrans avec attention. Gobby la regarda.

— Ils n'ont pas pris l'autoroute, madame.

Elle se pencha en avant. D'un geste, elle écarta MacKechnie.

— D'accord, dit-elle lentement. D'accord.

Eddy était hors d'haleine. La pente était rude et le filet à larges mailles tendu pour empêcher les pierres de tomber sur l'autoroute l'obligeait à tout le temps regarder où il mettait les pieds. Il avait du mal à garder l'équilibre, à ne pas lâcher le sac. Arrivé au sommet, il s'arrêta pour reprendre son souffle, puis laissant derrière lui les lumières de l'autoroute il s'enfonça dans l'obscurité.

Des mottes de paille sèche collaient à ses lourdes bottes. Encore deux cents mètres à faire et il arriverait à la Peugeot. T avait eu l'intelligence d'éteindre tous les feux. Eddy devinait néanmoins sa silhouette sur le siège du conducteur. La masse de ses cheveux argentés était visible dans la nuit.

Eddy avait quarante mille livres dans les mains. Quarante mille livres en petites coupures. Mais plus encore, mieux encore, il l'avait fait. Ce qui n'était le cas ni de Malki ni de Pat. Il avait tout organisé de A à Z, et il avait réussi. Une énergie nouvelle le poussa à avancer ; il traînait un peu les pieds, le gros sac lourd cognait dans ses genoux à chaque pas, l'obligeant à se balancer d'avant en arrière pour compenser ce poids qui le déstabilisait. Il avait l'impression que son cœur allait exploser.

T ne leva pas la tête lorsque Eddy contourna la voiture, ouvrit le coffre et jeta le sac dedans avant de se glisser vers sa portière, à l'avant. Il l'ouvrit et alors seulement T se pencha au-dessus du siège et l'empêcha de s'asseoir.

— Tu as vérifié le sac ? Pas de traceur ? Pas d'encre ?

Les poumons d'Eddy étaient en feu. Il avait marché trop longtemps à la limite de l'asphyxie, mais il repartit vers le coffre et en sortit le sac qu'il posa sur la route, comme T le lui avait conseillé. Il tira la fermeture Éclair sur toute sa longueur.

Des liasses de billets de vingt attachées avec des bandes élastiques rouges, mal rangées par des amateurs, à la maison. Des briques au fond du sac pour le lester et l'empêcher de s'envoler. Mais pas de traceurs, pas de fragiles capsules d'encre ou de peinture. Eddy salivait en caressant les billets.

— Alors ? lança T sans bouger de son siège.

— Rien.

— Eh bien grouille-toi !

Il referma le coffre et regagna l'avant de la voiture. Ses genoux lui faisaient mal, il avait des crampes à cause des bottes militaires trop lourdes. Il était trop vieux pour ça, les sensations fortes, les exercices physiques violents. La prochaine fois, il monterait le coup, mais ce serait quelqu'un d'autre qui se taperait plus de cinq cents mètres le long d'une colline escarpée. Il sentait toujours la brûlure de l'air froid dans ses poumons, ses genoux engourdis par la douleur. Son cœur battait à grands coups. Il se jeta sur le siège passager et claqua la portière.

— Bien joué, fiston, dit T. Très bien joué.

Il démarra normalement, comme s'ils étaient simplement en train de se promener, mais sans allumer les phares. Il avait un léger sourire.

— Maintenant, tu n'as plus qu'à me rendre les flingues et on sera quittes. Tu les as sur toi ?

Eddy le regarda et l'idée le traversa que T ne pensait peut-être pas vraiment qu'il avait bien joué, que T avait peut-être programmé de lui tirer dans la tronche.

Le monde s'illumina d'un seul coup. Une lumière blanche éblouissante envahit l'habitacle. Aveuglé, Eddy ne voyait plus T. Il l'entendit hoqueter de surprise, puis gargouiller et émettre une série de sons déments, mi-grognés mi-sifflés, en réaction à cette lumière aveuglante.

La Peugeot quitta lentement la route pour aller se planter en douceur dans un fossé peu profond. Incapable d'ouvrir les yeux, Eddy n'entendait plus que le klaxon qui s'était bloqué et mugissait de façon sinistre. Il enfouit son visage dans ses bras et jeta un coup d'œil sous son coude.

T lui faisait face. Il avait la joue posée sur le volant, sur le klaxon, et on ne voyait que le blanc de ses yeux. La partie supérieure de son appareil dentaire avait glissé et pendait lamentablement. Eddy comprit soudain qu'il ne respirait plus, il perçut la qualité particulière de l'immobilité qui le figeait.

— Réveille-toi ! Debout !

Il ne parlait pas, il geignait.

La voiture était coincée dans le fossé. Les lumières blanches aveuglantes s'approchaient. D'autres lumières s'éteignaient. Ils étaient encerclés. Le corps de T bascula soudain, et sa tête quitta le klaxon.

Eddy découvrit son visage et leva les mains.

Devant lui, tout autour du capot et près des deux portières, les silhouettes d'hommes en noir lourdement armés et protégés par des gilets pare-balles pointaient leurs armes sur lui.

Sortie pour inspecter les lieux, Morrow ne se faisait pas d'illusions. Il leur faudrait un bon mois pour protéger correctement la scène du crime, cinq cents mètres carrés de ciment couvert de gravats, de poussière, de fibres. Les marais proches imbibaient l'endroit d'humidité, avec pour conséquence que tous ceux qui étaient passés ici au cours des cinq dernières années avaient laissé des traces que l'on pourrait détecter.

Abasourdi par la mort de son complice qui avait succombé à une crise cardiaque, Eddy Morrison était passé aux aveux. Il leur avait fourni un plan de l'usine Breslin

– un dessin grossier du quai de chargement dont la porte était barrée par un linteau écroulé, et du chemin à suivre à travers plusieurs salles immenses pour arriver au fond du sombre bâtiment. Là où ils avaient vu Aamir pour la dernière fois, dans la chaudière où, selon la version présentée par Eddy, Aamir avait tué son gardien avant de s'évader. Morrow n'y croyait pas. Eddy était à peine coupable, dans cette version. Ces histoires-là étaient généralement assez loin de la vérité.

Harris s'approcha d'elle.

— Qu'en pensez-vous, patronne ?

Ils pouvaient circonscrire les lieux pour préserver les indices, ou bien pénétrer dans l'usine et essayer de découvrir ce qui s'était passé. Elle examina le linteau qui barrait l'entrée.

— OK. À nos risques et périls. Harris, vous venez avec moi.

— Merci, madame, fit-il avec une déférence qu'il regretta aussitôt et qui lui fit piquer un fard.

Ils prirent des lampes torches dans le coffre, des projecteurs munis de poignées qui pesaient deux kilos avec leurs piles. Arrivé au bout du quai de chargement, Harris, plus costaud, brandit sa torche tandis que Morrow traînait malaisément la sienne sous le linteau. Elle trouva un passage que personne n'avait sans doute eu l'idée d'emprunter, afin de préserver les indices disséminés sur le chemin le plus facile. Le bâtiment était à moitié en ruine. Le faisceau de sa torche révélait des pans de murs éboulés, des amas de poussière aussi hauts que des congères et quantité de détritus sur le sol. Harris découvrit des traces de pas qui allaient dans une autre pièce et en revenaient. Il braqua sa torche dessus sans mot dire, pour les lui signaler. À l'approche de la dernière salle, les empreintes changeaient de couleur, devenaient plus foncées ; Morrow pensa d'abord que cela venait de la poussière, ou que le sol en dessous était plus sombre. Jusqu'au moment où Harris cessa de balancer sa lampe, et où elle vit distinctement les taches de sang sur le béton nu. Le même marron que sur le mur de l'entrée des Anwar.

Eddy leur avait parlé de Malki, mais Morrow n'avait pas imaginé qu'il était dans un état aussi pitoyable. C'était un garçon décharné, affreusement maigre. Rien à voir avec Omar, dont le corps tout en muscles s'épaissirait dès que son appétit aurait rattrapé son métabolisme. Malki avait cette maigreur maladive qui signe l'état de dénutrition. Les os de ses genoux saillaient sous son pantalon de survêtement blanc. Et ses chaussures de sport neuves faisaient une tache blanche incongrue dans les ténèbres de la chaudière.

Debout sur l'échelle métallique, Morrow promena sa torche dans le ventre de la cuve. Aamir Anwar était parti.

Ils arrêtèrent les recherches. À sept heures du matin, le relevé d'empreintes à Breslin fut interrompu et tous les policiers regagnèrent le poste de police pour remplir leurs demandes de paiement d'heures supplémentaires. L'hélicoptère traversa la baie avec ses projecteurs ; les zodiacs qui fouillaient les marais regagnèrent la rive et débarquèrent leurs passagers. Les équipes de plongeurs remballèrent leur matériel. Nulle part on n'avait trouvé trace d'Aamir Anwar.

Morrow resta à proximité de l'échelle métallique pendant que les spécialistes en criminalistique s'affairaient autour du cadavre de Malki Tait en prélevant les déchets de la structure en passe de s'effondrer. Il faisait très froid à l'intérieur, l'odeur de métal et de poussière imprégnait l'atmosphère. Les agents du service de criminalistique avaient installé de puissants projecteurs dirigés vers le plafond pour égaliser l'éclairage. Les gros câbles du groupe électrogène couraient partout sur le sol crasseux. Morrow était gelée. Le son se répercutait très bizarrement sur les parois de la chaudière et elle frissonna en imaginant l'épouvante qu'avait dû éprouver le pauvre Aamir en se retrouvant seul ici avec un cadavre. Sa terreur aussi lorsqu'il pensait à sa fille. Son épouvante et sa terreur, son désespoir, sa solitude glaciale.

Elle resserra frileusement son manteau autour de sa taille en songeant à Brian, à sa chaleur, à sa force tranquille, à sa façon de la laisser être elle-même et d'apprécier paisiblement sa compagnie.

Morrow sourit. Elle savait. Elle savait très exactement où Aamir était allé.

40

Aux abords de Leadhills, la M74 s'élargit à trois voies au revêtement impeccable et serpente paresseusement entre des collines rondes et douces. Ce magnifique ouvrage d'art rehaussé par endroits suit un trajet quasiment plat alors que le paysage alentour est tout en creux et en bosses, et le grand ruban ainsi séparé de la terre n'en est que plus régulier. Une prouesse.

Après avoir franchi une faille percée au milieu des collines massives, la route descend en pente douce sur environ cinq kilomètres, décrit une large courbe à gauche et redevient plane, tourne dans le sens des aiguilles d'une montre autour d'une éminence si bien modelée par les siècles et la pluie qu'elle a désormais la forme d'une colossale boule de bowling verte. Dans la vallée en contrebas, une étroite rivière argentée trace ses méandres à travers les champs verdoyants.

Aleesha avait choisi la musique, le premier album des Glasvegas. Elle avait insisté : si Roy n'appréciait pas elle remettrait en cause son statut d'humain. Il n'avait pas l'habitude d'écouter ce genre de musique.

Les disques qu'on passait dans les boîtes de nuit où il avait travaillé étaient plus dansants, moins modernes. Elle aimait surtout la guitare.

Elle contemplait le vallon. Elle avait posé ses pieds nus sur le tableau de bord, une bague en émail rouge encerclait son gros orteil. Elle n'avait pas voulu attacher sa ceinture de sécurité, elle disait que ça l'étranglait.

— Waouh !

— Tu es déjà venue par ici ?

— Non.

— C'est beau.

— Hmm.

Il négociait un virage. Il roulait vite, parce qu'elle aimait rouler vite, sur la voie intérieure. Aleesha avait hâte de mettre le plus de distance possible entre elle et eux.

— Je peux récupérer ma main ? demanda-t-il.

Elle regarda la grande paluche posée sur le levier de vitesse, sous sa main valide.

— Cette vieille chose ? À quoi va-t-elle te servir ?

Roy sourit.

— À conduire. À garder cette voiture qui roule à plus de cent dix kilomètres à l'heure sur la route.

D'un bond léger, elle s'agenouilla sur son siège, face à lui. Elle n'avait pas lâché sa main.

— Tu sais quoi, Roy ? Si tu m'aimais, si tu m'aimais vraiment aussi fort que tu le prétends, je suis sûre que tu pourrais tout faire d'une seule main, pour me prouver ton amour.

— Tu veux une preuve d'amour ?

— Un signe qui montre comme nous sommes proches, toi et moi, et pareils. Je suis sûre que tu peux.

Elle approcha sa bouche de son oreille et souffla légèrement dedans parce qu'elle savait à quel point c'est excitant, effleura le lobe de ses lèvres. Pat sentit sa queue frémir.

Derrière eux, un semi-remorque accélérait sur la voie du milieu. Roy se rendit vaguement compte que le camion roulait beaucoup trop vite pour négocier le prochain virage, trop vite, et sur la mauvaise voie en plus. Il allait leur couper la route. Plus loin derrière lui, à une centaine de mètres, une voiture de sport bleu pâle se rapprochait inéluctablement.

De sa langue chaude et souple, Aleesha titillait l'oreille de Roy.

Morrow et Harris, Gobby et Routher grimpaient quatre à quatre les marches en ciment, poursuivis par le bruit de leurs pas que l'écho s'ingéniait à démultiplier, comme si un escadron entier courait dans l'escalier.

Il les attendait sur le seuil, raide comme un planton sur son paillasson. Le cardigan boutonné jusqu'au col, les mains à plat sur les cuisses. Il lui arrivait peut-être de pleurer sur le sens de l'honneur, mais l'entraînement qu'il avait suivi l'autorisait à se comporter durement, méchamment.

D'un regard impérieux, Morrow lui ordonna de rentrer dans l'appartement et elle lui emboîta le pas. Sur le seuil du salon, Lander faillit tomber à la renverse et entraîner dans sa chute Morrow, qui lui marchait sur les talons, et les trois hommes qui suivaient derrière. Tous crurent qu'elle allait le gifler lorsqu'elle pointa vers lui un doigt menaçant.

— Où est-il ?

Il passa sa langue sur sa fine moustache, les dévisagea tour et tour et, dans un geste hésitant, il tendit lentement la main vers la porte, de l'autre côté du salon. Morrow l'ouvrit d'un coup de pied pour faire son intéressante.

Le lit était fait au carré. Les angles des draps et des couvertures étaient aussi nets que les coins d'une enveloppe. Elle vit d'abord les pieds. Des pieds tordus de vieillard, à la peau jaunâtre et épaisse, avec une marque blanche qui ressemblait à une fougère. Il portait un pyjama à rayures rouges et jaunes qui devait appartenir à Lander, car il était trop court pour lui. Il avait une entaille à la cheville, un poignet dans le plâtre. Ses mains reposaient, inertes, le long de son corps. La bouche grande ouverte exhibait les dents déchaussées. On aurait dit un mouton.

Aamir Anwar était couché sur le dos. L'oreiller du lit à une place était soigneusement posé sur une chaise. Les écouteurs de la radio FM avaient glissé, l'un derrière sa tête, l'autre sur sa joue.

Derrière eux, Lander murmura :

— Il a besoin de dormir. Il a pris un somnifère.

Morrow se retourna d'un bloc.

— Expliquez-moi comment il est arrivé ici.

— Je ne sais pas. Il a frappé à la porte et il m'a dit qu'il avait besoin de se reposer. Je voulais vous appeler tout de suite mais il m'a demandé d'attendre un peu et de lui donner un cachet pour dormir. Les Australiens prennent une déculottée, ajouta-t-il en désignant les écouteurs, sûr que la nouvelle allait réjouir tout le monde.

— Sa famille est folle d'inquiétude.

C'était un mensonge, Morrow, en fait, parlait pour elle-même.

Lander regardait son vieil ami qui dormait, et dont la poitrine se soulevait et s'abaissait à un rythme régulier. Il sourit en découvrant lui aussi toutes ses vieilles dents décaties.

— Peut-être, mais Aamir va bien, affirma-t-il. Le reste, je m'en fiche !

Il y avait du monde à la station-service, les passagers d'un car de tourisme de Newcastle qui partaient à la découverte des Highlands avaient dévalisé le rayon des sandwichs Mark & Spencer pour ne pas mourir de faim au cours du long voyage vers le nord, et ils patientaient sagement, alignés à la queue leu leu devant la baie vitrée donnant sur l'autoroute.

Ils se tenaient très près l'un de l'autre, près des pompes à essence. Il remplissait le réservoir, et elle avait posé sa tête sur son épaule. Aleesha et Roy aussi s'apprêtaient à faire un long voyage.

La pompe bourdonnait et cliquetait.

— Roy ? souffla-t-elle d'une petite voix.

— Oui ?

— Roy.

— Oui, dit-il en soupirant de plaisir.

Elle s'éclaircit la gorge.

— Roy ? Quand nous... tu sais... la première fois...

Roy passa son bras libre autour de sa taille et la serra contre lui.

— La première fois que nous quoi ?

Elle ne répondit pas.

Il lui sourit et s'amusa à essayer de la bercer d'un pied sur l'autre. Elle s'accrocha à lui sans le regarder, la tête basse, les semelles collées au sol. Elle semblait avoir un peu peur.

Il glissa son menton sous le sien pour lui relever la tête.

— Poupée, il n'y a rien de mal, rien ne peut être mal. Je suis là, avec toi. Tout, n'importe quoi… si tu ne veux pas… pendant des années, ça me va, d'une manière ou d'une autre, tant que nous serons ensemble, tout. Tout ce que tu voudras.

— Pas cette première fois là, je ne suis pas… Ce n'est pas ça.

— Quelle première fois, alors ?

Elle s'écarta de lui et se tourna vers la fenêtre derrière laquelle les touristes du troisième âge les contemplaient avec admiration, tant ils paraissaient jeunes, et beaux, et amoureux.

— La première fois que nous nous sommes rencontrés…

Roy fronça les sourcils. Il retira le pistolet du réservoir et le raccrocha, la mâchoire serrée.

Il pouvait mentir. Tout ce qu'il devait dire, c'était « à l'hôpital ». « Nous nous sommes rencontrés à l'hôpital ? » Elle était jeune et docile, il pouvait l'amener à le dire – ils s'étaient rencontrés à l'hôpital et à force, s'ils se le répétaient assez souvent, ils finiraient par y croire et c'est cette version qu'ils raconteraient à leurs enfants. Sauf qu'il était Roy, désormais, et Roy ne mentait pas à Aleesha.

L'inquiétude lui nouait le ventre. Elle s'écarta et il eut l'impression que la lumière disparaissait et qu'il allait bientôt se retrouver seul dans les ténèbres.

— Quand… ?

Elle inspira profondément en regardant les touristes derrière la baie vitrée.

— Tu sais quoi ? Je crois que c'est pas un souci, souffla-t-elle en lui jetant les bras autour du cou. C'est même plutôt bien, en fait. Après tout, d'une certaine façon tu connais déjà mes parents.

Elle se suspendit à son cou et enroula ses jambes autour de sa taille.

Un sanglot qui ressemblait à un hoquet noua la gorge de Roy. Il serra Aleesha très fort contre lui et cacha son visage dans son cou. Ses larmes coulèrent sur sa peau douce.

Malgré tout ce qui les séparait, Roy et Aleesha continuèrent à se cramponner l'un à l'autre pendant une éternité, jusqu'à ce qu'elle ne sente plus ses jambes, jusqu'à ce qu'il se sente vieux, infiniment vieux.

REMERCIEMENTS

Merci à Peter, à Jon, à Jade, à tous ceux qui m'ont aidée à mettre le point final.

Et pour le soutien qu'ils m'ont apporté, merci à Stevo, à Maman, à Tonia, à Ownie et à Ferg.

Du même auteur
aux éditions du Masque :

SANCTUM, 2006.
LE CHAMP DU SANG, 2007.
LA MAUVAISE HEURE, 2009.
LE DERNIER SOUFFLE, 2010.
LA FIN DE LA SAISON DES GUÊPES, 2013.

Composition réalisée par DATAGRAFIX

Achevé d'imprimer en décembre 2012 en France par
CPI BRODARD ET TAUPIN
La Flèche (Sarthe)
N° d'impression : 71399
Dépôt légal 1re publication : janvier 2013
LIBRAIRIE GÉNÉRALE FRANÇAISE
31, rue de Fleurus – 75278 Paris Cedex 06